DE L'AMOUR

STENDHAL

DE L'AMOUR

Chronologie et préface
par
Michel Crouzet
maître-assistant à la Faculté
des Lettres et Sciences humaines de Lille

GARNIER-FLAMMARION

Pour recevoir régulièrement, sans aucun engagement de votre part, l'Actualité Littéraire Flammarion, il vous suffit d'envoyer vos nom et adresse à :

Flammarion, Service ALF, 26, rue Racine, 75278 PARIS Cedex 06

Pour le CANADA à :

Flammarion Ltée, 163 Est, rue Saint-Paul, Montréal PQ H2Y 1G8

Vous y trouverez présentées toutes les nouveautés mises en vente chez votre libraire : romans, essais, sciences humaines, documents, mémoires, biographies, aventures vécues, livres d'art, livres pour la jeunesse, ouvrages d'utilité pratique...

CHRONOLOGIE

1699 : Naissance à Grenoble du *grand* Pierre Beyle, grand-père de Stendhal, futur procureur au Parlement de Grenoble.

1728 : Naissance à Grenoble d'Henri Gagnon, grand-père maternel de Stendhal.

1747 : Naissance à Grenoble de Chérubin Beyle, père de Stendhal. En 1757 naît Henriette Gagnon, sa mère. En 1781 a lieu le mariage de ses parents.

1783-1799 : L'ENFANCE GRENOBLOISE.

Le 23 janvier 1783 naît Henri Beyle, à Grenoble, dans la maison paternelle de la rue des Vieux-Jésuites, aujourd'hui rue Jean-Jacques Rousseau. Trois ans plus tard viendra sa sœur Pauline, et en 1788 naîtra sa deuxième sœur Zénaïde-Caroline, qu'il détestera et accusera de « rapporter ». Le 23 novembre 1790, le jeune Henri aura le chagrin de voir mourir sa mère, dont il était, de son propre aveu, amoureux fou. De son père le sépare déjà une haine inexpiable ; Chérubin Beyle, désespéré par la mort de sa femme, vit dans la retraite et, selon son fils, dans l'ennui et là *petitesse.* Cette première enfance laissera à Henri Beyle d'amers souvenirs. Sa tante Séraphie, que, croit-il, son père courtisait, l'aurait persécuté ; il ne trouve de tendresse et de compréhension que près de son grand-père Gagnon, médecin renommé, et homme *éclairé,* et de la sœur de celui-ci, la tante Élisabeth au cœur « espagnol » et aux maximes généreuses. Il passe de très longues heures chez son grand-père, près de la place Grenette, dans une fort belle maison, dont il existe encore la terrasse ombragée d'une treille.

1788 : C'est l'année des premiers souvenirs révolutionnaires. Henri Beyle, dont le grand-père sera, en décembre, député aux États provinciaux de Romans, assiste entre autres à certaines scènes de la fameuse « journée des Tuiles ».

1791 : Henri, qui n'a vu encore que les alentours de Grenoble, où son père possède des domaines, et où il doit faire de mornes promenades, trouve un éphémère bonheur à séjourner chez son oncle Gagnon, aux Échelles, en Savoie ; les forêts et les torrents le ravissent.

Décembre 1792 : C'est le début de la pire époque de son enfance, *la tyrannie Raillane;* ce prêtre réfractaire et austère, « vrai jésuite », l'aurait opprimé et dégoûté à jamais de l'hypocrisie et de l'autorité. Le prêtre exécré rejoint dans ses souvenirs le Père, dont il n'est que l'instrument despotique. Cet esclavage dure jusqu'en 1794.

1793 : Par une prompte revanche, Henri voit son père atterré par la mort de Louis XVI. Il se vantera plus tard d'avoir été déjà un jacobin et un patriote intransigeant. Chérubin Beyle, « notoirement suspect », est arrêté, et ne sera libéré définitivement qu'en juillet 1794. Henri Beyle assiste à la Terreur à Grenoble, il s'amuse parfois de l'effroi de ses parents, royalistes ou « modérés », chez qui se dit le dimanche une messe clandestine. Un soir de l'hiver 1794-1795, il s'échappe et assiste avec un peu de répulsion à une séance de la Société des Jacobins. Mais la vue des beaux cavaliers de l'armée républicaine l'enthousiasme.

1796-1799 : Henri Beyle entre à l'École Centrale de Grenoble. Son grand-père a participé à l'organisation de l'École et prononce un discours à la séance d'ouverture. Henri jusque-là solitaire, et *esclave,* jouit d'un peu plus de liberté. D'autant plus que la terrible Séraphie meurt en 1797. Il connaît enfin des jeunes gens de son âge, dont certains resteront ses amis. Il demeurera trois ans à l'École Centrale, d'abord assez médiocre sujet, puis élève brillant; il remporte des mentions, puis des prix en dessin, en belles-lettres, en mathématiques surtout; il compte, pour quitter Grenoble, sur un succès à Polytechnique. C'est aussi l'époque des premières passions : il aime timidement la sœur de son ami Bigillion, et non moins timidement l'actrice Virginie Kubly. Enfin, le 30 octobre 1799, il part pour Paris, où il doit passer l'examen d'entrée à Polytechnique. Il y arrive le 10 novembre, soit *le 19 brumaire.*

1799-1806 : AMOURS ET LECTURES.

1799 : Henri Beyle oublie bien vite l'examen, il s'enferme dans la solitude et l'ennui; il doit loger chez les Daru, rue de Lille, qui entreprennent de le protéger. Dès le mois de janvier 1800, Pierre Daru le prend dans ses bureaux au ministère de la Guerre.

1800 : C'est la grande année beyliste. Pierre Daru, inspecteur aux revues, le fait participer à la campagne d'Italie. Henri Beyle passe le Saint-Bernard et reçoit le baptême du feu au fort de Bard. Son arrivée en Italie n'est qu'une suite d'enchantements; à Ivrée, il entend « le Mariage secret » de Cimarosa; à Milan, il découvre l'amour vénal, et l'amour-passion en la personne d'Angela Pietragrua, qui sera sa maîtresse, mais en 1811, à l'automne, grâce à ses protecteurs, il revêt l'uniforme du 6ᵉ dragons, et se trouve sans coup férir sous-lieutenant. Il va de garnison en garnison en Lombardie. L'année suivante le trouve dans l'Italie du Nord, errant de ville en ville, à la suite du général Michaud, dont il est l'aide de camp. Mais l'ennui vient, et à la fin de 1801 il obtient un congé et rentre en France. Il a appris l'italien, écrit ses premiers essais dramatiques, et commencé son *Journal*.

1802-1805 : Henri Beyle vit à Paris, qu'il ne quitte que pour des séjours plus ou moins longs à Grenoble. C'est là qu'en janvier 1802 il connaît Victorine Mounier, sa nouvelle passion, aussi platoniquement aimée que les précédentes. Surtout, Beyle dévore livres sur livres et se forge sa doctrine personnelle, la « Filosofia Nova », consignée dans des cahiers de notes et de réflexions. Il a démissionné de l'armée, et ne rêve plus que d'égaler Molière. Il est amoureux de sa cousine Adèle Rebuffel : il ne réussit qu'à être l'amant de sa mère. Il pénètre le monde du théâtre, prend des leçons de déclamation, et fait la connaissance de la jeune actrice Mélanie Guilbert, qu'il séduira non sans peine, grâce à sa minutieuse stratégie, ou malgré elle. La politique le tente parfois : il réagit en républicain à l'avènement de l'Empire. Mais le grand fait, plus que la conception de *Letellier*, pièce jamais achevée, c'est la lecture passionnée de *L'Idéologie*, de Tracy.

1805 : Il est devenu un dandy, mais son père est avare. D'où l'idée de « faire de la banque » à Marseille avec son ami Mante. Justement Mélanie a un engagement là-bas. A la fin de juillet, le voilà établi à Marseille, amant de Mélanie, et employé dans la maison de produits coloniaux Ch. Meunier et Cie. Est-ce le départ vers une rapide fortune dans le grand négoce ?

1806 : Non, c'est encore l'ennui. Beyle, qui a continué lectures et réflexions, se fatigue de Mélanie et du commerce, que la guerre condamne à stagner. Il lui faut se rallier, renouer avec les Daru, participer à la ruée vers les places. Revenu à Paris en juillet, il en repart le 16 octobre, à la suite de Martial Daru. Est-il entré à Berlin à la suite de Napoléon, comme il le prétendra, avec ses pistolets chargés ? Toujours est-il qu'il se trouve à la fin de l'année à Brunswick en qualité d'adjoint provisoire aux commissaires des Guerres.

1806-1814 : LA PASSION DE L'AMBITION.

1806-1808 : Pour gagner fortune et titres, et vivre enfin à sa guise, Henri Beyle se fait fonctionnaire impérial à la suite des Daru. Il reste d'abord à Brunswick dans le même poste, puis est chargé d'administrer les domaines impériaux dans le département de l'Ocker, et, en outre, de surveiller les biens du roi de Westphalie. Il aime, sans espoir, Mina de Griesheim. Il écrit le *Voyage à Brunswick* et divers essais historiques ; il s'initie à la littérature anglaise. Il parcourt l'Allemagne, et doit tenir tête à une émeute en septembre 1808.

1809 : Rappelé à Paris, à la fin de 1808, il repart en avril pour la campagne de Wagram. Il suit l'armée, n'assiste pas, malgré ses

dires, à la grande bataille, mais recueille d'atroces impressions de
guerre. A Vienne, où il entend le *Requiem* pour la mort de Haydn,
il appartient aux services de Martial Daru, intendant de la province,
qui lui donne une mission en Hongrie. Il aime une certaine *Babet*,
et s'éprend de la comtesse Pierre Daru, la femme de son protecteur.

1810-1811 : C'est l'apogée de sa carrière. En août 1810, il entre
comme auditeur au Conseil d'État; il est vite nommé inspecteur
du mobilier et des bâtiments de la Couronne. Il a cocher, voiture,
maîtresse entretenue, l'actrice Angeline Béreyter. Il travaille pourtant, et l'on a de lui de scrupuleux rapports sur les mobiliers des
demeures impériales et les musées. Mais il ne sait pas faire sa cour,
ni porter les fameux bas de soie du solliciteur. Un seul point noir :
après de mûres réflexions, et la « Consultation pour Banti », il a
engagé la *bataille* pour *avoir* la comtesse Daru. Mais c'est une
bataille perdue. Il prend sa revanche : un voyage en Italie, dont il
tient le *Journal*, fait de lui l'amant comblé et sans doute trompé
d'Angela Pietragrua. Il revoit Milan, découvre Florence, Rome,
Naples, a la première idée de l'*Histoire de la Peinture en Italie*. Mais
au retour *l'ambition* marque le pas, et Beyle ne progressera guère
plus.

1812 : Le 23 juillet, après une audience de l'Impératrice, il part
rejoindre le quartier général de l'Empereur, muni du portefeuille
des ministres; il y parvient le 14 août, et un mois plus tard entre à
Moscou. Il en repart, précédant la retraite, le 16 octobre, chargé
de diriger les approvisionnements à Smolensk, Mohilev et Vitebsk.
Il supporte les dangers et les souffrances avec un inaltérable sang-
froid. Mais il perd les manuscrits de l'*Histoire de la Peinture*.

1813 : Son nouveau poste est en Silésie, à Sagan, où il remplit les
fonctions d'intendant. Il est las et déçu : il n'est ni baron, ni préfet,
ni maître des requêtes. Il a vu Bautzen, et a été attaqué par les
cosaques. Un bienheureux congé lui permet de revoir Milan, et sa
chère Lombardie.

1814 : Il est à Grenoble, adjoint au comte de Saint-Vallier, commissaire extraordinaire dans la 7e région militaire. Il faut organiser la
résistance à l'invasion. Mais « le feu sacré » est éteint; las des tra-
casseries administratives, las de l'ambition, et de l'Empire, il
demande son rappel. Il se trouve à Paris lors de l'entrée des Alliés.
C'est la chute de sa fortune; Beyle adhère aux actes du Sénat,
espère encore un poste de la protection de Mme Beugnot. En mai
et juin, il écrit les *Lettres sur Haydn, Mozart et Métastase*, où le
plagiat est cynique. Enfin, en juillet, il quitte Paris pour Milan :
fuit-il les Bourbons, fuit-il l'obscurité et la gêne ? Il commence sa
vraie vie, enfin écrivain, enfin *dilettante*.

1814-1821 : MILANESE.

1814 : A Milan il retrouve sa liaison orageuse avec Angela. Tandis que son père, *ultra*, est décoré de la Légion d'honneur, et devient maire de Grenoble, il voyage, écrit, désespéré des mépris d'Angela.

1815 : Le retour de l'île d'Elbe ne lui fait pas regagner la France; mais Waterloo le navre. Il voyage à Turin et Venise. Il travaille beaucoup à l'*Histoire de la Peinture*. Avec Angela, c'est la rupture, douloureuse, vers la fin de l'année.

1816 : Il passe presque toute l'année à Milan, qu'il ne quitte que pour un séjour d'avril à juin à Grenoble, et pour un séjour à Rome à la fin de l'année. Il se trouve à Grenoble, sans doute par hasard, au moment du complot de Didier. On le tracasse pour son traitement de non-activité : il songe à faire fortune en Russie. Mais surtout, un soir à la Scala, dans la loge de Mgr di Breme, il est présenté à Byron. Et cette année, il a la révélation du vrai romantisme avec l'*Edinburgh Review*.

1817 : Stendhal est à Rome, à Naples, Milan, puis, au printemps, à Grenoble et à Paris, enfin à Londres au mois d'août; il revient à Milan à la fin de l'année. L'*Histoire de la Peinture en Italie*, signée M. B. A. A., paraît à la fin de juillet et *Rome, Naples et Florence en 1817*, de M. de Stendhal, Officier de cavalerie, est annoncé en septembre à la *Bibliographie de la France*. Les *Lettres sur Haydn* traduites en anglais ont paru à Londres. Nouvelle rencontre mémorable : celle de Destutt de Tracy le 4 septembre à Paris.

1818 : L'année se passe à Milan, sur les lacs, dans la Brianza. A deux reprises il travaille à la *Vie de Napoléon*, commencée l'année précédente et d'ailleurs impubliable; il entreprend d'intervenir dans la querelle du « romanticisme » : il s'est lié avec le futur groupe du *Conciliatore*. Mais en mars il est tombé amoureux de Métilde Dembovski, qui presque tout de suite le traite fort mal. C'est peut-être l'événement majeur de sa vie, qui va l'occuper entièrement pendant de longues années, et qu'il ne pourra jamais évoquer sans être bouleversé.

1819 : Il commet pour Métilde mille extravagances. En vain : elle n'accepte presque plus de le voir. Stendhal ne quitte l'Italie que pour Grenoble et Paris : son père est mort, et il faut régler la succession, qui se révèle fort mince. Comme il est électeur, il en profite pour voter pour le conventionnel Grégoire.

1820 : Sa passion est sans espoir. Nouveau chagrin : ses amis milanais le prennent quelque temps pour un espion. Il écrit *De l'Amour*, qu'il termine et envoie en France.

1821 : Stendhal est pris dans le tourbillon des conjurations libérales. Ses amis sont carbonari : Métilde elle-même est suspecte. *On lui* conseille de partir : et le 13 juin, désespéré, il quitte Milan, où il ne reviendra qu'en 1828, pour être immédiatement expulsé. Il s'installe à Paris, et va passer quelques semaines à Londres.

1821-1830 : LA VIE PARISIENNE.

1822 : A Paris, Stendhal publie *De l'Amour*, annoncé le 17 août à la *Bibliographie de la France*, et commence à collaborer aux revues britanniques, qui, malgré certaines interruptions, recevront des articles de lui jusqu'en 1828. Il fréquente déjà le salon du comte de Tracy et le grenier de Delécluze.

1823 : Stendhal, qui vit dans l'intimité de la Pasta, connaît son premier véritable succès en présentant au public français Rossini : sa *Vie de Rossini* est annoncée en novembre à la *Bibliographie de la France*. Il s'est placé en première ligne sur le front du romantisme littéraire par le premier *Racine et Shakespeare*, paru en mars. Il termine l'année par un séjour à Florence et Rome.

1824 : En mai il devient l'amant de la comtesse Curial, dite Menti, qui l'aimera avec violence jusqu'en 1826. *Dilettante* expert, il écrit sur la peinture et la musique dans *le Journal de Paris; le Globe* accueille des articles de lui; il devient presque *important* dans le romantisme libéral.

1825 : C'est l'année des pamphlets, le deuxième *Racine et Shakespeare* en mars, *D'un nouveau complot contre les industriels* en décembre. Ami de Courier, de Mérimée, de Jacquemont, habitué des grands salons libéraux, il va être redouté pour son « esprit ».

1826 : Fin de l'amour de la comtesse Curial. Voyage en Angleterre. Il publie une deuxième édition très remaniée de *Rome, Naples et Florence*, et écrit *Armance*, qui verra le jour en 1827.

1827 : Année mi-parisienne, mi-italienne.

1828 : 1er-2 janvier, Stendhal est expulsé de Milan. Il est financièrement aux abois; les revues anglaises ne paient plus; il n'a plus qu'un traitement de réforme. Il faut *solliciter :* sera-t-il archiviste, bibliothécaire ? Il est nommé vérificateur adjoint des armoiries, titre qui ne lui rapporte rien. Il songe au suicide. Pris par la mode des « scènes historiques », il écrit *Henri III*.

1829 : Il écrit et publie les *Promenades dans Rome*, qui sont annoncées le 5 septembre par le *Journal de la Librairie*. On prend au sérieux sa connaissance de l'État romain, et le gouvernement lui *aurait* demandé un rapport sur les cardinaux papables. Liaison avec Alberthe de Rubempré, dite *Sanscrit*, ou Mme Azur, qu'il aime vigoureusement. Se sentant délaissé, il part en voyage dans le Midi et en Espagne (d'où il est expulsé) : à son retour, en décembre, il se voit définitivement supplanté par son ami Mareste. Mais il rapporte l'idée du *Rouge* et écrit *Vanina Vanini*, *Le Coffre et le Revenant*, qui vont paraître dans la *Revue de Paris*, et *Mina de Vanghel*, qui restera inédit de son vivant.

1830 : Il écrit : *Le Philtre*, *Le Rouge et le Noir*, collabore au *National* et au *Temps*, il rencontre en janvier l'autre chef du romantisme, Hugo. A la même époque, Giulia Rinieri lui déclare qu'elle l'aime malgré son âge, et sa laideur ; prudemment, il ne lui *cède* pas tout de suite ; le 22 mars, il est son amant. Tandis qu'il achève *Le Rouge*, la Révolution de 1830 le ravit, et le venge. Il note les progrès de l'émeute dans les marges du *Mémorial de Sainte-Hélène*. Pour la première fois il aime et estime les Parisiens. Il sollicite un poste de préfet, puis de consul ; le 25 septembre il est nommé consul à Trieste. Il part le 6 novembre ; le même jour il demande Giulia en mariage. Le 13 le *Journal de la Librairie* annonce *Le Rouge et le Noir*.

1830-1842 : LE CONSUL DE FRANCE.

1830-1831 : La police et le gouvernement autrichiens s'inquiètent, et le 4 décembre, alors que Stendhal a rejoint son poste depuis quelques jours, les *Débats* annoncent que Vienne lui a refusé l'*exequatur*. Il quitte Trieste le 31 mars, il a été nommé consul à Civita-Vecchia. Le gouvernement pontifical, que cette nomination n'enchante pas, préfère éviter tout incident avec la France et accorde l'*exequatur* le 25 avril. Stendhal, qui est arrivé à son poste le 17, va et vient entre Civita-Vecchia et Rome. Du milieu d'août au milieu de septembre, voyages à Sienne, Florence, Prato, Viterbe. Il écrit, à la fin de septembre, *San Francesco à Ripa*, qu'il ne publie pas.

1832 : Stendhal est chargé du service financier des troupes françaises débarquées à Ancône. Après cette mission, il voyage et délaisse son poste ; on le voit à Rome, à Sienne où il retrouve Giulia, encore aimée passionnément, à Florence, dans les Abruzzes. Du 20 juin au 4 juillet, il écrit les *Souvenirs d'égotisme* et, en septembre-octobre, ébauche un roman : *Une position sociale*.

1833 : Il va encore à Sienne pour Giulia. Mais elle se marie en juin. Stendhal a trouvé les « manuscrits italiens » et commence à en préparer l'adaptation. Du 11 septembre au 4 décembre il est en congé à Paris. Au retour, il voyage de Lyon à Marseille avec Musset et George Sand partant pour Venise.

1834 : Année de résidence et de tracas : il ne quitte Civita-Vecchia que pour Rome. Premières escarmouches avec son chancelier, Lysimaque Tavernier, et le ministère pour ses absences. « Je crève d'ennui. » Stendhal, en mai, entreprend de traiter pour son compte une idée de roman de son amie, Mme Gaulthier : c'est *Lucien Leuwen* auquel il travaille « de rage-pied » pendant dix-neuf mois.

1835 : Encore résidence et ennui. Stendhal sent son poste menacé.
Il est vrai qu'en janvier il a reçu la Légion d'honneur à titre
d'homme de lettres. Il est quelque peu amoureux de la comtesse
Cini, qu'il appelle *Sandre*. En septembre, il abandonne *Lucien
Leuwen* et en novembre il commence la *Vie de Henry Brulard*.
Mais le dégoût va croissant, et l'inquiétude : « Faudra-t-il vivre
et mourir sur ce rivage solitaire... J'ai tant vu le soleil... »
Enfin ! en mars 1836, il a un congé de trois mois ; il laisse en plan
Henry Brulard et, le 24 mai, débarque à Paris.

1836-1839 : Son congé de trois mois dure, grâce à la protection du
comte Molé, trois ans. Il essaie d'abord de renouer avec la comtesse Curial ; puis il livre *bataille*, mais en vain, à Mme Gaulthier, sa
vieille amie. De novembre 1836 à juin 1837, il travaille aux *Mémoires
sur Napoléon;* d'avril à juin 1837, il écrit *le Rose et le Vert;* en 1837
encore, il fait paraître dans « la Revue des deux Mondes », *Vittoria
Accoramboni* (1er mars) et *Les Cenci* (1er juillet). De la fin de mai
au début de juillet 1837, il fait dans le centre et l'ouest de la France
un voyage ; aussitôt revenu, il écrit les *Mémoires d'un touriste*,
qui seront annoncés en juin 1838 à la *Bibliographie de la France*.
De mars à juillet 1838, il repart pour une longue tournée dans
le sud-ouest et le sud-est de la France, en Suisse, en Rhénanie,
en Hollande et en Belgique. A son retour, il publie *La Duchesse
de Palliano* (15 août) ; en septembre, il a la première idée de *La
Chartreuse*, mais c'est au retour d'un court voyage en Bretagne et
en Normandie qu'il écrit son chef-d'œuvre du 4 novembre au
26 décembre 1838. Il publie ensuite dans *la Revue des deux Mondes*
L'Abbesse de Castro, qu'il avait commencée en septembre 1838 :
la première partie paraît le 1er février 1839, la seconde le 1er mars.
La Chartreuse est annoncée par le *Journal de la Librairie* le 6 avril.
Il ébauche encore deux nouvelles italiennes : *Suora Scolastica*,
Trop de faveur tue, deux nouvelles françaises, *Le Chevalier de
Saint-Ismier*, *Feder*, et conçoit le roman de *Lamiel*. Mais le 24 juin,
il faut partir pour rejoindre son poste : le 10 août, le consul est
dans son consulat.

1839-1841 : Il ne quitte son poste que pour Rome, Naples, où il va
avec Mérimée (octobre-novembre 1839), Florence pendant l'été
de 1840 et toujours pour Giulia qu'il avait d'ailleurs revue à Paris.
A Civita-Vecchia il s'occupe de fouilles et de chasse, et poursuit
inlassablement *Lamiel*, commence une nouvelle, *Don Pardo*, corrige
La Chartreuse. En 1840, il s'éprend d'Earline ; mais cette nouvelle
« guerre » pour une mystérieuse inconnue est encore perdue en
juin. Le 15 mars 1841, il a une attaque d'apoplexie ; il se remet
assez vite, mais il s'est « colleté avec le néant ». Dernière intrigue
avec « Madame Bouche » ; puis muni d'un congé, il rentre en France
en novembre 1841.

1842 : Stendhal ne peut se remettre au travail qu'en mars 1842 : il
songe à un nouveau recueil de nouvelles. Mais le soir du 22 mars
il a une nouvelle attaque dans la rue, sur le trottoir de la rue Neuve
des Capucines. Il meurt dans la nuit sans avoir repris connaissance

PRÉFACE

Parmi les procès-verbaux d'interrogatoires et les dossiers de police accumulés par les autorités autrichiennes lors du procès des carbonari de 1820, il est une pièce singulièrement émouvante pour tout stendhalien : la même liste de suspects qui porte au numéro 86 le nom de Métilde Viscontini, « moglie dell'ex-generale Dembowski di Milano », mentionne au numéro 127 « De Bell letterato francese abitante di Milano [1] ». Ailleurs Métilde longuement interrogée se défend âprement sur les rapports qu'elle continue à entretenir avec G. Pecchio [2] et G. Vismara, tous deux conspirateurs, naguère amis très proches de Stendhal, et maintenant en fuite. Personne ne se souvient alors parmi les enquêteurs ou dans la société milanaise que Métilde a reçu ce Français, personne ne sait qu'il l'a aimée follement, et qu'il a écrit pour elle « De l'Amour ». L'histoire du Risorgimento ne connaît que l'héroïne des conspirations milanaises. N'était-elle passionnée que de politique cette femme que l'on a décrite comme « enfermée dans son orgueilleuse mélancolie », et dont son amie Teresa Confalonieri a vanté « l'énergie... capable des actions les plus sublimes » ? Mais elle est pour nous la Béatrice de ce « canzoniere [3] » qu'est le livre de Stendhal, qui le jour de sa mort (1er mai 1825) notait en marge de son traité : « Death of the author ». Singulière inspiratrice pourtant, car Métilde semble avoir détesté l'amour et n'avoir chéri que ses enfants et sa patrie. Séparée en 1814 de son mari, officier d'origine polonaise servant dans les armées napoléoniennes, qui passait pour jaloux et cupide, liée avec Ugo Foscolo d'une amitié qu'on crut amoureuse et qui ne le fut jamais, elle fut à l'égard de Stendhal, qu'elle connut le 4 mars 1818, en tout point *cruelle*. En vérité on dit altière et délicate cette femme qui n'eut avec Stendhal que des relations de tourmenteur à victime. Que de punitions subies, que de justifications à longueurs de pages, sans qu'on sache jamais très bien quelle fut la faute : prompt à s'accuser, l'amant n'est jamais sûr de ne pas mériter ces *rigueurs*, il n'est jamais sûr de ce qu'elles peuvent révéler. Ses paroles malheureuses, ses manières trop spontanées, cette réputation de fat, ou de libertin, est-ce bien à ces griefs que Stendhal dut d'être rebuté ? Plus

1. Archives d'Etat de Milan, Atti del processo dei Carbonari, Costitui, III, p. 575; voir aussi A. Caraccio, *Variétés stendhaliennes*, P. P. Trompeo, *Sull'orme di Stendhal nell'Italia Romantica*, pp. 50 et sq., et A. Luzio, *Nuovi Documenti sul processo Confalonieri*, p. 196 en particulier.
2. Que Stendhal cite intentionnellement; il fut si proche de Métilde qu'il a pu passer pour son amant.
3. Selon le mot de Trompeo.

subtilement J. Prévost déduit [1] d'une lettre de Stendhal que Métilde aimait l'*emphase* et mettait quelque complaisance dans ses attitudes héroïques. Il faudrait cesser de voir Métilde par les yeux de Stendhal pour juger dans quelles relations impossibles, dans quel malentendu fondamental la cristallisation l'avait sans doute jeté. Il savait pourtant à quoi elle l'engageait, puisque dans le « Roman de Métilde », il se faisait donner cet avertissement : « Je vous conseille de nouveau de tout abandonner. Cessez d'aimer une femme qui ne peut aimer, qui n'est qu'amour-propre, qui d'ailleurs dans ses idées de constance n'aimera jamais un étranger [2]. » Lui-même était capable de lucidité, et déplore dans « De l'Amour » que l'orgueil mît Léonore au rang des « âmes prosaïques [3]. » Vainement, bien sûr, car dès le début il se savait voué à l'aimer : « Je me connais, je vous aime pour le reste de ma vie », a-t-il écrit, et rarement un amant fut plus vrai dans ses promesses.

Cet amour toujours égal, et pour ainsi dire absolu, qui ne connut comme événements que des crises d'espoir et de désespoir, nous est transparent au travers des lettres à Métilde, des innombrables notes où Stendhal consignait les étapes de cette « bataille » perdue et au travers de « De l'Amour ». Encore s'agit-il que d'allusions, qui ne permettent jamais de décider avec netteté quand Stendhal dut perdre tout espoir, et même s'il put jamais en concevoir. Qu'en est-il au juste des avantages gagnés le 30 septembre 1818, à 9 heures 32 minutes, de la défaite du 3 octobre, « pour avoir trop parlé », de l'équipée de Volterra (juin 1819), où Stendhal fut un instant « ivre by hope », et qui lui valut de si sanglants reproches, ou de cette « cool reception » qui l'attendait en octobre 1819 ? C'est en décembre de la même année que Métilde le bannit de sa présence sauf pour deux visites mensuelles[4]. Elle lui avait déjà reproché d'être « difficile à désespérer », et, le 15 août 1819, Stendhal lui avait dit : « Soyez heureuse, même en aimant un autre que moi. » Mais encore en juillet 1820 Stendhal se promet de lui demander « d'un air riant et un peu ému » un « acte de bonté », le recevoir quatre fois par mois une demi-heure ; et il projette de lui envoyer le 3 janvier 1821 une lettre (mais l'envoya-t-il ?) pour obtenir la grâce de la voir « un quart d'heure une de ces soirées ». Jusqu'au départ de Milan en juin 1821, Stendhal languit dans ce long servage, qui ne cessa que le jour où il fut aimé de la comtesse Curial ; seule une autre femme l'en pouvait délivrer, seule la passion triomphe de la passion. Stendhal avait beau se redire le fameux conseil, « Attaque [5] », ou évaluer avec rigueur ses chances, en fait dans cette *passion* il n'avait semble-t-il nul besoin d'espérer : vivre pour l'amour n'est pas vivre l'amour. Il ne restait à ce désir qu'à se réfléchir sur lui-même : privé d'espoir, donc d'histoire, il s'offrait de lui-même à

---

1. In *la Création chez Stendhal*, p. 177.
2. Dans une lettre à Métilde il dit encore : « Puis-je espérer à force d'amour de ranimer un cœur qui est peut-être mort pour cette passion ? ».
3. Le terme, nous le savons, était l'indicatif de tous les mépris de Métilde.
4. Comme l'a établi R. Vigneron, dans un article essentiel, « Stendhal, Métilde, et le livre *De l'Amour* », Modern Philology, 1963.
5. Par exemple quand il relit « la Consultation pour Banti » et se reproche sa « bêtise » d'alors ; cf. *Œuvres intimes*, Pléiade, pp. 1386 et 1389.

l'analyse, à l'examen « in vivo » de ses figures essentielles. A partir du traité « De l'Amour », qui comprend des fragments d'un journal intime, réel, ou possible, de l'amant rebuté, et qui allusivement renvoie à tant d'épisodes vécus, compris par les seuls initiés au beylisme, comme l'évocation du chapeau de satin blanc de Léonore, comme ce rideau soulevé un soir, par hasard, ou enfin l'évocation des visites si éprouvantes et si désespérantes, il est licite de reconstituer ce que fut ce moment décisif de l'existence de Beyle, et d'imaginer ce qu'aurait pu en être la confession véridique. Les romans mêmes y aident : les relations de Lucien Leuwen et de Mme de Chasteller ne sont-elles pas comme une illustration des lettres écrites à Métilde[1] ? Mais cette lecture complice et indiscrète, Stendhal l'a interdite : il n'a voulu livrer de son cœur que le schéma en quelque sorte physiologique. Quant aux sentiments de Métilde, ils nous échappent bien plus : fut-elle indifférente, pudique, ou méchante ? De parti pris Stendhal s'est efforcé de croire qu'elle l'aimait et le repoussait parce qu'elle l'aimait; seuls l'orgueil, la crainte, auraient arrêté sur ses lèvres le mot si attendu, « Hé bien oui, je vous aime, mais ayez pitié de moi », que dira Mme de Chasteller. Cette parenté de Métilde et des héroïnes des romans est troublante; peut-être n'est-elle déjà que la première héroïne de Stendhal. Les amantes des romans ne lui ressemblent pas, c'est elle qui leur ressemble. La Léonore qui paraît dans « De l'Amour », qui aime et refuse d'aimer, cette « maîtresse » au sens propre du terme, auquel Stendhal revient dans un des fragments, cette femme qu'il faut servir à jamais, et dont il faut à force de respects et de soumission, désarmer la colère, en qui il est permis de reconnaître la « Dame-demoiselle [2] » de l'aventure courtoise, n'est peut-être qu'un être de rêve, et de désir, la première incarnation d'un archétype féminin. Ce traité sur la cristallisation est lui-même né d'une cristallisation, et d'entrée de jeu, hésite entre le réel et le désir, entre l'aveu mystérieux du vécu et la confidence de l'idéal.

« De l'Amour » sans une certaine connaissance de la biographie beyliste semble donc arbitraire : car c'est un livre réellement dédié à Métilde, le « livre d'un amoureux », *made for Métilde*. Au lendemain d'une « défaite », le 4 novembre 1819 Stendhal avait commencé ce « Roman de Métilde » dont elle devait être l'unique lectrice, et où l'amant eût mieux que de vive voix, ou par une lettre qui ne serait pas lue, exprimé sa passion et justifié sa conduite. Le projet ne dura qu'un jour; mais l'idée de parler à Métilde sous le couvert d'une fiction ou d'un quelconque alibi lui tenait à cœur, puisque le brouillon d'une lettre à Métilde se présente comme une fausse citation de Marivaux[3], traduite, pour se mettre encore plus à distance, en italien; l'effort pour parler à Métilde, et pour parler de soi, est pour ainsi dire « un viol de la pudeur ». La recherche de la manière d'aborder « l'animal terrible », sans rien profaner, aboutit le 29 décembre 1819,

---

1. Cf. la mise au point de Brombert, *Stendhal et la voie oblique*, pp. 116 et sq., et Delacroix, *La Psychologie de Stendhal*, p. 163; P. Moreau, *Coup de foudre* et *Cristallisation* dans les romans de Stendhal.

2. Voir B. d'Astorg, *Le Mythe de la Dame à la Licorne*.

3. Publiée par V. del Litto, in *Divan*, 1940.

« day of genius », au projet de « De l'Amour. » La chronologie de
l'œuvre quelque peu embrouillée par des confusions d'Henri Martineau a été récemment établie par R. Vigneron, qui confirme que
chaque instant de la création est l'écho des relations avec Métilde,
comme si Stendhal, interrogeant en une quête anxieuse les démarches
de Métilde et les siennes, tirait la leçon du vécu. Stendhal (qui entre-
tient avec une certaine Luizina des relations décevantes [1]) vient d'être
condamné aux deux visites par mois : il tente de s'expliquer le
29 décembre, et sur des feuillets reliés avec un poème de Monti, il
écrit sa première classification des variétés de l'amour (il en voit trois,
puis quatre) et les premières notes sur l'Amour-passion. Il s'agit
alors de quelques pages pour Métilde : le manuscrit d'ailleurs, ou
certains chapitres, ont pu lui être soumis. En mars-avril 1820, la
première rédaction très éloignée de l'idée initiale est presque finie ;
en mars il ébauche, peut-être après une conversation avec Métilde,
l'étude essentielle sur Werther et Don Juan. Stendhal omet d'envoyer
le manuscrit en France, et le reprend, d'avril à juin, ajoutant en
particulier le journal de Salviati, qui peut être réellement daté
d'avril 1820. En juin encore il diffère l'envoi du texte, et travaille en
juillet au chapitre sur le Mariage ; ce n'est que le 25 septembre 1820
qu'il se sépare du manuscrit. C'est depuis longtemps un vrai livre, dans
lequel il prévoit des possibilités de coupures : les unes concernant
des faits trop personnels, les autres le chapitre des Fiascos, qui sautera
des exemplaires réservés aux dames, et qui en effet ne paraîtra qu'en
1853. Mais le manuscrit est égaré, et Stendhal n'en reprend possession
qu'en novembre 1821. En 1822, quand il reprit quelque goût à
l'existence, il corrige et complète son livre, ajoutant sans doute les
fragments et maximes, les chapitres sur l'Amour en Provence, sur les
mœurs arabes dont il doit la substance à Fauriel et à un livre de
Raynouard. Le 6 mai 1822 il signe un traité avec l'éditeur Mongie, et
corrige ses épreuves au courant de l'été dans la forêt de Montmorency,
ou dans le parc des Beugnot, à « Corbeil [2] ». Le livre est annoncé au
Journal de la Librairie le 17 août. L'accueil de la critique fut honorable,
mais décevant pour Stendhal, qui racontait plus tard que l'éditeur se
débarrassa des invendus en les livrant comme lest pour un navire.
Il considérait ce livre, selon R. Colomb, comme « son œuvre princi-
pale » et il rencontra près de ses amis une pénible incompréhension.
Delécluze se vante de lui avoir dit que sa brocheuse avait sûrement in-
terverti l'ordre de la pagination ; le salon Tracy fut glacé par l'ouvrage ;
« le vieil idéologue », nous dit sa belle-fille, « essaya de lire l'ouvrage,
n'y comprit rien, et déclara à l'auteur qu'il était absurde ». Bref ce
livre qu'il voulut toujours présenter comme le fruit d'une libre impro-
visation, comme écrit sur des cartes à jouer, ou un programme de
concert, selon la grande tradition des « moralistes » aristocratiques,
fut jugé d'un pédantisme bizarre et déconcertant. Il lui restait à le

---

1. L'histoire littéraire a de telles rencontres : le jour du génie, Stendhal se
découvre une blennorragie. Voir l'article de R. Vigneron.
2. Dans *Souvenirs d'Égotisme*, Stendhal déclare avoir corrigé les épreuves
de son livre à Corbeil dans le château de la comtesse Beugnot. Mais ce château
était en réalité situé à Bonneuil-sur-Marne.

louer lui-même — ce qu'il fit dans des « Puff-articles » qui demeurèrent
à l'état d'ébauches et, selon toute vraisemblance, dans un article paru
en anglais dans le *Paris Monthly Review* — et à l'amender : en 1824-
1825, aidé de V. Jacquemont, qui rédigea pour lui l' « Exemple de
l'amour en France dans la classe riche », il entreprit ce travail ; il
écrit alors une autre préface, et « Le Rameau de Salzbourg » (que
Jacquemont, en guise de test, lut à un polytechnicien parfaitement
inculte), destiné à clarifier dès le début la fameuse cristallisation. Il
devait y revenir en 1833, où il poussa le libraire Bohaire, qui avait
racheté le fonds Mongie, à relancer l'édition de 1822 et écrivit une
nouvelle préface, et en 1842 encore dans les derniers jours de sa vie où
il composa une dernière préface. En 1853 Romain Colomb publia chez
Michel Lévy une édition complète. Il avait ici et là corrigé l'édition
de 1822 et y avait incorporé, entre autres textes : « Le Rameau de
Salzbourg », « Ernestine », l' « Exemple de l'amour en France »,
« Des Fiasco » : cette version fit autorité, jusqu'au jour où les éditeurs,
comme H. Martineau, préférèrent revenir au texte de 1822 et utiliser
comme variantes les corrections de Colomb ou de Stendhal lui-même.

Discuté à ses débuts, « De l'Amour » le demeure encore chez la
critique moderne, qui se refuse à y voir le vrai livre que Stendhal
devait faire sur l'amour et les femmes. Le projet recèle en effet une
ambiguïté : monographie de l'amour, ou « portrait » de l'auteur, traité
d'idéologie, ou « apologie à l'Aimée [1] », ce livre le plus personnel est
dans son mouvement le plus détaché, comme si Stendhal s'interdisait
d'être lui-même et effaçait sa propre marque. C'est d'ailleurs à
peine un livre : on y annonce un plan systématique, un inventaire
de toutes les nuances du sentiment amoureux, selon les incidences du
tempérament, du climat, de l'état politique, de l'éducation, bref le
livre nous renvoie à Montesquieu, ou Cabanis, et puis ce plan est
vite renié ; Stendhal unit tous les inconvénients du système à ceux de
l'incohérence. C'est un « chef-d'œuvre de pointillé et d'observation »,
selon Barbey d'Aurevilly ; « un chaos de belles pages et de pensées
vigoureuses », dit Jean Prévost, où « les détails valent mieux que
l'ensemble ». Stendhal n'a pas su être soi et a raté le libre essai,
le recueil de Pensées qui était à la pointe de son talent. Il a en vain
voulu être logique, et à l'effort trop visible pour « lier » ses pensées,
répond cette « inhibition » que le critique ressent dans l'ouvrage [2].
Infidèle à lui-même et au sujet, il a été à l'encontre de son intuition-
nisme, de son art du coup d'œil, de la sentence, de la « définition
brusque » ; bref cet homme, qui ne comprend l'expérience que « capricieuse et sporadique », et qui « manquait à un rare degré du génie
dialectique et du sens des ensembles [3] », a beau s'évertuer, il se
fie trop à l'indémontré pour ne pas lasser très vite de toute démonstration. Pourquoi au fond un livre d'idéologie sur l'amour, pourquoi ressusciter ce vieux projet des années « scolaires » ? C'est
bien là que se situe la dissonance la plus sensible de l'œuvre :

1. Le mot est de J. Prévost, *op. cit.*, p. 174.
2. *Id.*, p. 181.
3. G. Blin, *Stendhal et les problèmes de la personnalité*, p. 523 ; voir le
chapitre « L'introspection » tout entier.

entre « le soupir » et la « vérité », entre la méthode, qu'il veut philosophique, et « cette manière de remplir » le plan décidé, qu'il voudrait
« poétique ». L'analyse est un « cache-tendresse », s'il en est, et par la
méfiance, l'inquisition contre soi, qu'elle implique, conduit droit au
fiasco de sentiment : ici au fiasco littéraire. « Napoléon analysé perd
75 % », disait Jacquemont en un langage beyliste ; mais l'amour
analysé ? La logique, positivisme incrédule, est par sa négativité,
d'intention sacrilège ; et cette nostalgie du pur donné, ce goût de
l' « écorché » psychique, Stendhal se l'est lui-même reproché. Plus
prudent d'ordinaire « si le grand jour risquait d'éblouir *les souvenirs
tendres* » il devenait « moins curieux d'ouvrir la raison à deux battants
sur *la douce partie de sa vie*[1] », et tenait à l'écart de toute prise ana-
lytique, et même de toute formulation, les moments de « perfection
sentimentale » par crainte de les « déflorer en les anatomisant ».
Oubliant que la sensation est « un absolu inanalysable autant qu'irré-
futable », il risque ici de connaître la punition de Psyché[2]. Plus
sceptique et plus lucide, il constate que le bonheur est lié au mystère :
« Il n'y a qu'une très petite partie de l'art d'être heureux qui soit une
science exacte. » Certes il n'est pas sans grandeur, ce départ abrupt,
et un peu cartésien de style, « Je cherche à me rendre compte de
cette passion... », qui rejetant tout contresens convenu ou confortable
ne se fie qu'à l'évidence tangible de ce qu'on vit. Mais le livre ferait
aussi bien penser aux efforts stérilisants du héros stendhalien, qui,
tel Octave, « essayait de se rappeler exactement ce qui venait de lui
arriver, essayait d'en tirer des conséquences... » ou, tel Sanfin, « analyse
tout ce qu'il éprouve ainsi qu'un homme couché dans un mauvais lit
d'auberge en sent tous les noyaux de pêche ». En vérité l'impérialisme
de la « logique » est aussi responsable de ce ton doctoral et infaillible :
le vrai et le démontré se confondent, comme si Stendhal croyait à la
fois à la certitude de ses lois et au déroulement implacable et presque
chimique des « réactions » psychologiques. Les mouvements du cœur
sont aussi ordonnés selon la logique d'une mise en équation, et enfermés
dans une terminologie que Stendhal, en bon disciple des idéologiques,
rêve de rendre aussi nette, aussi exclusive du « louche » que le langage
mathématique. L'appareil logique, la division en étapes, en genres, la
distinction des cas, les classements et dénombrements, l'usage même
du facteur numérique, qui résulte de la fascination mathématique de
Stendhal, aboutit, par cette volonté de tout « résoudre », à émietter
l'objet, dans « un crépitement de petits traits[3] » ; il n'est plus de fait
qu'isolé et numéroté, d'objet que classé sous étiquette ; ce cahier des
passions que Beyle projetait en 1802, il le fait donc ici, mais c'est un
herbier de plantes mortes, et mises en pièces.

Pourtant on ne peut méconnaître sans injustice en quoi ce recours à
l'analyse est pour Stendhal une épreuve nécessaire ; ces repères
rationnels et légaux ne sont que les échafaudages trop visibles d'une
recherche sur soi. Dans l'attitude réflexive s'insinue une tension

---

1. *Id.* p. 536.
2. Stendhal, *Pensées*, éd. du Divan, I, 9 ; cf. G. Durand, *le Décor mythique
de la Chartreuse de Parme*, pp. 200 et sq., sur le « complexe spectaculaire ».
3. Blin, p. 484.

bénéfique. Jadis elle ne se dissociait pas d'une stragégie : « l'art d'aimer, en d'autres termes, l'art de séduire », disait-il alors. La logique, c'est la vie, c'est le moyen de bien vivre, la réponse à la question première du beylisme, « comment agir sur soi-même pour agir infailliblement sur les autres [1] ? ». Stendhal écrit en 1803 « le Catéchisme d'un roué », bréviaire du séducteur, et s'habitue à réfléchir par écrit sur sa stratégie sentimentale qu'il s'agisse de séduire Mélanie, en 1805, quand il note : « J'ai besoin de méditer un peu sur ma conduite, je le fais, la plume à la main, c'est diminuer l'influence des passions sur les jugements qu'on porte sur soi », ou qu'il s'agisse d'attaquer Mme Daru, entreprise qui en 1811 exigea « la Consultation pour Banti ». « De l'Amour », c'est, plus pathétique, et plus désintéressée, la consultation de Salviati pour Léonore, où la préoccupation de la conquête s'estompe, ainsi que le souci d'établir l'image de soi-même ; Stendhal passe de la formulation de soi à la formulation d'une œuvre : d'un langage et de soi, simultanément. Encore est-ce au prix du même dédoublement, du même effort pour s'évaluer du dehors. L'expérience de Stendhal est que l'émotion, le désir, sont effusion et confusion : cette « liqué-faction des solides » qui le menace en présence de l'Aimée, et le rend muet et paralysé, ou cet « éréthisme » de la passion, qui n'est encore qu'un anéantissement du moi, ou encore l'expérience du bonheur, où se perdent mémoire et jugement, il en garde une nostal-gie certaine, mais il sait que le moi n'existe qu'au prix de la sépara-tion réflexive, de cette « chute », « la seule (...) que connaisse ce parfait athée [2] » ; romantique ambigu il n'oublie pas que l'individu se déploie dans le temps, et accède aux signes, par l'évasion, malheureuse certes, hors de la pure sensation. L'articulation du moi dans le langage de la raison a la valeur d'un sacrifice, d'une aliénation, dirait-on, mais aussi d'un sauvetage. Le désir ne s'exprime qu'au prix d'un renoncement : séduire, ou connaître, le confisque pour une part. Toute expression du désir est à côté du désir, cette erreur est la condition de sa vérité : situation que Stendhal vit avec déchirement, mais sans vertige régressif. Il recourt de lui-même à « un médiateur réaliste [3] », la logique, indispensable à l'aisance de l'égotiste. L'analyse instaure en lui-même un autre moi, rigoureux, fidèle aux faits, ennemi du vague, qui, ne se payant de mots ni de fumées, provoque le moi à l'effort, au caractère, à la vérité, au langage. Un bon ami à la rigueur, sage et positif, ce confident objectif si souvent demandé par Stendhal, et qui, dans « De l'Amour », surgit à titre de consolateur, tient ce rôle de médiateur. Plus simplement il conseille de « se faire soi-même son propre confident », de « consulter » par écrit, bref d'être à soi-même l'Autre rationnel. Ne l'oublions pas, « le rationalisme de Stendhal est avant tout le système d'un homme qui cherche à se défaire d'un très puissant *irrationnel* intérieur [4] ». L'idéologie est l'obstacle nécessaire, le défilé, grâce auquel le désir se constitue et s'exprime. Et « De l'Amour », dans sa maladresse et sa lourdeur est un premier essai de

1. Starobinski, *l'Œil vivant*, p. 216.
2. *Id.* p. 231.
3. Blin, p. 466.
4. Starobinski, *op. cit.*, p. 219.

mariage de la « tendresse » et de la « sécheresse », de la spontanéité et de la conscience, de la sensation, indistincte, et du signe, au pouvoir déterminant.

L'influence des idéologues ne se borne pas à la méthode : mis à part les emprunts essentiels de Stendhal aux moralistes, romanciers, mémorialistes des XVIIe et XVIIIe siècles, qui fournissent tant d'anecdotes et d'idées, Chamfort par exemple, qui est peut-être « la source » de l'idée de cristallisation, c'est à ses maîtres idéologues qu'il doit le plus. Que Tracy ait écrit lui-même un « De l'Amour » ne pouvait qu'encourager, sinon susciter, le projet de Stendhal. Tracy n'avait pas osé le publier en France, Jefferson n'avait pas osé le publier aux États-Unis; Stendhal qui l'avait peut-être reçu manuscrit de l'auteur en 1817 l'a lu dans la traduction italienne de G. Compagnoni [1] : la preuve semble faite qu'il l'eut entre les mains avant sa parution, et qu'il s'inspira des notes du traducteur [2]. A vrai dire il n'en retient que ce qui concerne le mariage et l'éducation féminine; Tracy ignore l'amour-passion, qu'il attribue, comme toute son école, à l'aberration d'une société factice et décadente, l'amour normal, né de la *nature* humaine, n'étant que la perfection de l'amitié embellie par le plaisir. Le philosophe, ennemi des préjugés, se préoccupe de rapprocher nature et culture, sentiment et institutions, idéal social et idéal sentimental, que Stendhal justement, n'appliquant sa logique qu'à l'illogisme de la passion, tend à disjoindre [3]. Plus indirectement, c'est Maine de Biran dont il a lu en 1805 le « Mémoire sur l'influence de l'habitude sur la Faculté de Penser » et qui est resté en profondeur un des inspirateurs essentiels de Stendhal [4], qu'il prolonge ici. Dès 1805 il apprenait dans son œuvre « l'idéologie de l'affectivité », à peine effleurée par Tracy, et il vérifiait en lui telle notation, « apprise en lisant Biran qui m'explique le mystère des passions ». La distinction perception-sensation est fondamentale pour sa vie intérieure : c'est grâce à ce *modèle* qu'il se rend compte à lui-même de tout expérience amoureuse; la conquête de Mélanie, de Mme Daru (celle de Métilde se situe dans leur prolongement), lui est intelligible dans le contexte biranien; conscient que le sentir, pure qualité, pure liberté, n'étant atteint que dans le temps, et l'effort, n'est atteint que déformé, il ne s'en place pas moins dans « De l'Amour » en position *perceptive*; peut-être envisage-t-il d'agir sur sa douleur : toute conscience affaiblit le sentiment, et le *retient* par la nuance de doute qu'elle y insinue. Il est ainsi une loi de dégradation de l'énergie du sentir, que Stendhal applique volontiers aux civilisations. Biran enfin qui avait défini la passion comme « une sorte de culte superstitieux rendu à un objet fantastique, ou qui dans sa réalité même sort du domaine de la faculté perceptive... » lui a appris que la sensation, étrangère au moi de la veille, de l'effort, du jugement, est au contraire proche de l'imaginaire.

---

1. Il fallut le retraduire en français : voir l'édition et la préface de Chinard, Belles Lettres, 1936.
2. Cf. V. del Litto, *la Vie intellectuelle de Stendhal*, 638-642; et Y. du Parc, « Destutt de Tracy, *Stendhal et De l'Amour* », Stendhal-Club, n° 8.
3. Voir Bourjade, Stendhal et Tracy, *Être et Penser*, 1936.
4. Sur cette influence, cf. Alciatore, *Stendhal et Maine de Biran*; Blin, *op. cit.*, pp. 429, 431, 441, 528-529.

La relation directe de la sensation et de l'image se retrouve dans la théorie de la cristallisation, et dans l'analyse de certaines associations et réminiscences involontaires. L'image, qu'elle reproduise spontanément le vécu, ou le prolonge sur le mode désidératif, demeure liée au système affectif. Faut-il mentionner encore l'apport de Cabanis à la théorie stendhalienne : dans ses « Rapports du Physique et du moral », il avait décrit le tempérament mélancolique [1], dans lequel Stendhal s'est reconnu ; les modalités de circulation du fluide vital font que chez le mélancolique « les volontés ne semblent aller à leur but que par des détours... les désirs prennent plutôt le caractère de la passion que celui du besoin » ; la volonté tend à s'introvertir, l'amour à se *dénaturer*, à s'égarer dans des penchants étranges, « dans les privations superstitieuses, ou sentimentales » ; l'humeur séminale « crée dans le sein de l'organe cérébral ces forces étonnantes trop souvent employées à poursuivre des fantômes, à systématiser des visions... ». Abandonnant le substrat physiologique, Stendhal décrit comme une sorte de complexe les singularités sexuelles du mélancolique. Le tempérament dont la composante essentielle est l'influence de l'humeur séminale, et de la dynamique sexuelle, donne sa couleur à toute l'affectivité. Ce que « De l'Amour », après l' « Histoire de la Peinture », affirme et démontre, c'est l'unité de l'énergie, c'est la parenté de l'amour et de l'art, du désir et du beau ; le même thème relie ces traités stendhaliens, qui sont comme les fragments d'une philosophie de l'énergie ; l'art comme l'amour renvoie aux forces cachées de l'homme ; Stendhal érotise la beauté, et « esthétise » l'Éros : sans force du désir, pas de génie ni de création. Et elle n'est pas étrangère à « De l'Amour », cette boutade : que la théorie du clair-obscur « tient de plus près aux cuisses de nos maîtresses. »

Les débuts du XIXᵉ siècle ont vu, avec Sénancour, Fourier, Tracy lui-même, et aussi Mme de Staël, de Villers, Chateaubriand, des essais de définition d'un nouvel « érotisme [2] » : le traité de Stendhal s'insère dans ce courant, l'amour n'y est pas seulement objet d'analyse, mais *valeur*, « la grande affaire, ou plutôt la seule de l'existence ». Il s'y révèle une « mystique », ou une courtoisie, par l'affirmation de la prééminence de l'Éros, et, derrière lui, de la féminité. « L'empire des femmes est beaucoup trop grand en France, l'empire de la Femme beaucoup trop restreint », se plaint Stendhal, qui oppose ainsi le pouvoir social et apparent de la femme à son pouvoir réel, celui de l'amour. Et d'abord l'analyste, renonçant à tous les thèmes du « contre-amour », se dépouille de tout *préjugé* masculin, de cet esprit de conquête qu'il réserve, non sans envie, au Français *sanguin* et *actif*, et se démarque de ce qu'il appelle « notre éducation d'école militaire ». L'aveu lui coûte, mais il le fait : qu'il n'a pas *eu* Léonore, qu'il n'est pas Don Juan, mais Werther. La nostalgie de la *conquête*, si visible dans ses conseils martiaux de tactique amoureuse, ou dans cette terrible note en marge de « la Chartreuse » : « Aimes-tu mieux avoir eu trois femmes ou avoir fait ce roman ? », est ici surmontée : l'amant transi se donne raison contre l'erreur donjuanesque. Assumant sans

---

1. Dans le VIᵉ Mémoire.
2. Voir Pierre Moreau, *Amours romantiques*, chap. I et II.

honte son rôle d'amant passionné et maltraité, il peut n'assigner qu'une
place fort restreinte à l' « amour physique »; ce n'est qu'un exemple
de l'amour, le plus lestement décrit, une paysanne à la chasse, une
bergère et un cavalier. S'agit-il de la possession, il en montre les
avatars, les angoisses, et à force de s'interroger sur le plaisir, tend au
bout du compte à l'exténuer. C'est bien lui qui dit, ou fait dire à ses
personnages : « N'est-ce que ça ? », ou qui prononce ce mot si redoutable : « Un homme après six mois de soin parvient à émettre une demi-
once d'une petite liqueur visqueuse : qu'importe au genre humain ?
Rien assurément, mais pour lui c'est le bonheur, c'est la vie. » La
profanation de l'amour, et le fiasco, semblent toujours doubler chez
Stendhal la religion de l'amour; mais le traité est voué à ce seul
culte, et là comme dans les romans, selon la remarque de Brombert,
« sex is juggled away [1] ». Qu'il y ait chez Stendhal « une angoisse
native devant l'éternel féminin » et une « pruderie médusante [2] » a
ici sa contrepartie : l'insistance sur les aspects imaginaires de l'amour;
la cristallisation est au centre du traité et en demeure la partie la plus
neuve. Complétant tous les moralistes qui ont vu dans l'amour un
principe d'erreur sur l'objet aimé, Stendhal affirme la nécessité de
cette erreur; le désir est de l'ordre du fantasme. Dans le désir il y a
« l'action directe » de l'objet, et l'action du signe; le premier cas, où
l'on n' « a pas le temps de désirer », où le désir ne se dirige que vers la
proie visible, est sans importance. Seule compte la relation qui passe
par l'imaginaire, où le désir est pris dans une légende et où l'amant
dépend totalement d'une image. Le désir confond la proie et son
ombre; l'objet aimé est la figure visible de la rêverie, la pointe avancée
d'une poursuite imaginaire. N'est donc significatif que le désir épanoui
en images; l'appréhension amoureuse ne se fait qu'au travers d'une
constellation symbolique. « Une duchesse n'a jamais que trente ans
pour un bourgeois » : dans toute forme d'amour le plaisir est déterminé
autant que déterminant; à la limite, dans l'amour de vanité, il s'abolit
comme dans l'amour-passion. Cet au-delà de l'objet aimé qui appelle
et provoque le désir, Stendhal en découvre l'existence, mais s'en tient
à cette description. Trop pressé d'opposer Werther à Don Juan, il
ne s'interroge ni sur leurs ressemblances, ni sur le sens de leur quête.

Par le même refus de toute spéculation, il ne se demande pas *qui*
l'on aime. Cet être que l'imagination construit ou reconnaît, dans
quelle mesure est-il taillé par le désir dans le réel ? L'essor de la
cristallisation semble parfois une simple approche de l'objet, parfois
une aventure beaucoup plus détachée et introvertie. La femme aimée
est soit l'image de la perfection, par la mauvaise foi du désir qui
torture le réel, soit la dispensatrice de tout plaisir, et de toute vie,
soit encore l'incarnation d'une menace angoissante : « Dans cette
passion terrible, toujours une chose imaginée est une chose existante. »
Le cas de Don Juan n'éclaircit rien : « Au lieu d'avoir comme Werther
des réalités qui se modèlent sur ses désirs, il a des désirs imparfaitement satisfaits par la froide réalité. » Quel est donc ce pouvoir du
désir sur le réel ? Dans « l'engouement », la cristallisation se défait,

---

1. Dans l'article, « Stendhal analyst or amorist », Yale French Studies, 1953.
2. Cf. G. Durand, *op. cit.*, pp. 111 et 112; voir aussi pp. 137-174.

parce que l'objet « ne renvoie pas la balle » : il ne supporte pas la métamorphose. Si la cristallisation se réduit à une demande de l'amant, Stendhal ne risque-t-il pas de confondre l'ouvrage de la passion, et celui de la vanité, qui, elle aussi, transfigure son objet ? « La vraie Mme de Rênal est celle que désire Julien, la vraie Mathilde est celle qu'il ne désire pas; dans le premier cas il s'agit de passion, dans le second de vanité. C'est donc bien la vanité qui métamorphose son objet [1]. » En fait la femme est active dans la cristallisation; elle est la médiatrice de toute réalité; la cristallisation, c'est une image appliquée sur elle-même, c'est aussi son rayonnement, la couleur qu'elle impose au monde; il s'agit, plus que d'idéaliser la femme, d'achever le monde selon elle. L'analyse de Stendhal implique cette vocation de la femme de libérer les désirs secrets de l'âme et de devenir la pensée de toute la nature. La femme réelle est le support et l'agent de la cristallisation. C'est l'autre que l'amour découvre : l'autre comme puissance d'émoi, comme centre mystérieux d'associations, de souvenirs, de promesses. Comme le dit le poète, « j'ai tant rêvé de toi que tu perds ta réalité »; la femme est toujours plus qu'elle-même. La théorie de Stendhal, comme toute pensée érotique, instaure la primauté de la Femme et la maîtrise du désir sur la représentation. A la limite, comme les surréalistes, il affirmerait que la Femme est l'inspiratrice de toute énergie, la créatrice de tout émerveillement; la parenté des grandes « courtoisies » conduirait à un parallèle entre « De l'Amour » et « l'Amour fou »; ils se rencontrent sur ce point, que l'amour résume un monde merveilleux *et* réel, qu'il écrit le réel « en lettres de désir ». Le secret de la cristallisation, et de sa magie, est la coïncidence miraculeuse de l'objectif et du subjectif.

Dès lors l'amour est la reconnaissance du destin. Ce que la cristallisation enveloppe, c'est la fatalité; l'amour n'a pas de raison, ni de fin, il est; et le lier à son succès, à tout succès, c'est le nier. Les formes inférieures de l'amour sont les seules explicables. La surprise de le découvrir, l'effort impossible pour lui résister, en sont les critères : Fabrice, qui a l'honnêteté de savoir qu'il n'aime pas, est le parangon du passionné. Hanté par la feinte, Stendhal s'inquiète autant de la certitude d'aimer que de la certitude d'être aimé. Dans cette perte de soi, se révèlent et le bonheur et la liberté : la vanité qui aime à mimer la passion ne veut pas miser cet enjeu, et faute de risquer la défaite, rate le gain; « les plaisirs de l'amour sont toujours en proportion de la crainte ». Par cette démarche sans retour le moi se dépouille de tout intérêt conscient et superficiel, et même de tout espoir possessif, et conquiert une vérité plus profonde sur soi, une finalité que seule ce jeu à qui perd gagne peut faire surgir. L'amour-goût, l'amour de vanité, outre qu'ils se laissent dicter du dehors, par le social, leurs formes et leur objet, refusent cette aventure de l'échange des destins. Le bonheur est inséparable d'une soumission à la destinée faite femme, pour le meilleur, et surtout pour le pire.

Car le sublime de l'amour est toujours marqué de dolorisme : l'insistance de Stendhal sur les rigueurs de l'Aimée, sur les périls et les souffrances de l'amant révèle que pour lui la passion est une

---

1. R. Girard, *Mensonge romantique, vérité romanesque*, p. 27.

« belle et désirable catastrophe [1] » selon la formule de Rougemont.
L'amant stendhalien trouve son plaisir à ne pas assouvir son désir, à
le nier sans fin ; que le premier serrement de main soit la plus boule-
versante des faveurs, que l'amant « aime mieux rêver à celle qu'il
aime que de recevoir d'une femme ordinaire tout ce qu'elle peut
donner », que le désir épouse le malheur et l'obstacle, et repousse la
tentation de s'accomplir, selon le « mythe » de l'amour-passion, révèle
une structure essentielle de l'affectivité beyliste, marquée par un
singulier appétit d'échec, ou pour le moins de passivité amoureuse.
L'idéalisation de la femme la rend désirable et inaccessible, le respect
et la crainte sont liées à toute sensation érotique, et le désir porte en
lui-même sa propre impossibilité. La cristallisation, qui conditionne
le désir, l'interdit. Que cette déréalisation de la femme soit à relier aux
thèmes incestueux si nombreux dans son œuvre est plausible. La
femme douée de trop de prestiges et de promesses ne sort jamais de
ce halo de colère qui l'entoure. Le désir terrifié et repentant se mue
en adoration ; l'amant qui sent en la femme une victime, non une
complice de son désir, est prêt à renoncer à sa victoire, à déserter le
combat, à ménager cet ennemi dont il aime la maîtrise et l'inflexi-
bilité ; « elle est à vous, ferez-vous le scélérat ? », se fait-il dire par un
ami de Métilde : à la nuance d'agression antiféminine, répond le
refus de la commettre. Analysant le désir, Stendhal tend tout de
suite à se demander comment il est reçu, pourquoi il serait reçu, et
s'épiant lui-même avec les yeux hostiles qu'il prête à l'aimée, la
faisant *juge* de soi, qu'elle fût Lucrèce ou Messaline (n'y a-t-il pas
cette remarque sur le sanguin, que menace le fiasco si entrant dans
le lit de Messaline il « vient à penser devant quel terrible juge il va
se montrer ? »), il se met à la défendre contre lui-même, à *passer de
l'autre côté*, et transfuge de la séduction, à déprécier son désir et
lui-même. Ses deux exemples, Werther et Don Juan, sont l'un
passif, l'autre agressif : il ne sort pas de l'alternative. Cet attentat,
il le réussit d'autant mieux qu'il aime moins : « Je songeais à avancer
parce que je ne l'aimais pas aussi passionnément qu'aujourd'hui. »
L'amour se mesure à la timidité, au respect écrasant, pour ne pas
dire au fiasco : « Plus un homme est éperdument amoureux, plus
grande est la violence qu'il est obligé de se faire pour oser toucher
aussi familièrement et risquer de fâcher un être qui, pour lui semblable à la Divinité, lui inspire à la fois l'extrême amour et le respect
extrême. » De là ce « côté voyeur [2] » de Stendhal, pour qui « le désir
implique distance et séparation insurmontable » ; à l'insu d'elle-
même, et de loin, la femme devient objet de désir. L'amant devant
l'aimée est subjugué et interdit ; il suppose l'aimée vertueuse, délicate, coléreuse, orgueilleuse : sans désir en un mot ; il n'en attend
qu'une sorte de *grâce*, il n'obtiendra rien que de sa « charité ».
Ainsi se justifie cette passivité médusée : « la force nécessaire pour
l'exécution tue le sentiment ». A la limite la séduction se règle
devant un tribunal suprême, où la faveur de l'aimée se mérite par le
renoncement à la virilité ; ainsi Stendhal fut-il chaste « pour mériter

1. *L'Amour et l'Occident*, Paris, Plon, 1956, p. 9.
2. Starobinski, *op. cit.*, p. 230.

devant Dieu que Métilde l'aimât ». Mais Métilde, « fantôme tendre, profondément triste, et qui par son apparition me disposait souverainement aux idées tendres, bonnes, justes, indulgentes », se dresse aussi, fantôme maléfique, image *trop* tendre, sur le seuil d'Alexandrine, si bien que la « pauvre fille » est « manquée ».

Stendhal est donc voué à redire après le poète : « Ahi, tanto amo la non amante amata. » Cette nostalgie sans fin a, de son propre aveu, une affinité avec la mort; ainsi confirme-t-il ce qu'a dit Rougemont du lien de la passion avec le désir de la mort. Le souhait de Julien de l'insensibilité de l'aimée, « Ah si je pouvais couvrir de baisers ces joues si pâles, et que tu ne le sentisses pas », révèle ce désir d'une *absence* radicale de la femme. Plus révélatrice encore est cette remarque à propos de l'histoire de Madonna Pia : « J'y trouvai une de ces figures superbes qui sont belles même dans le sein de la mort. » Stendhal jadis fut bouleversé par la description de la mort de Clorinde; c'est aussi bien au Tasse qu'il songe en 1806 en contemplant une petite fille morte avec un sentiment « tout saint et noble »; n'est-ce pas le même secret qu'il cherche à déchiffrer quand en Italie il s'intéresse aux enterrements où le cercueil est porté découvert [1], ou lorsqu'il s'attarde longuement à évoquer cette autre morte si belle et si lointaine, Béatrice Cenci ?

Werther et Don Juan subissent l'un et l'autre le pouvoir de la Femme. Tel est sans doute le postulat de « De l'Amour » : la suprématie de la féminité, de l'héroïne *sans merci;* en toute circonstance elle est privilégiée. D'avance il la veut intraitable, comme la princesse de Clèves, si proche de l'image qu'il se fait de Métilde, qui l'aimait et le fuyait parce qu'elle l'aimait. Que quelques objections contre l'orgueil féminin et la délicatesse outrée de certaines âmes, qu'il ne va jamais, comme Musset le fera, jusqu'à appeler de son nom, « la haine de l'amour, c'est-à-dire une sorte de rage et de rancune contre l'objet aimé par la seule raison qu'il a su se faire aimer », ne fassent pas illusion. « Une maîtresse désirée trois ans est réellement maîtresse dans toute la force du terme : on ne l'aborde qu'en tremblant. » Ce jeu de mots est essentiel : qu'il évoque l'époque médiévale et sa législation non écrite contre l'homme, ou l'époque monarchique où la femme est juge de tout mérite, ou l'Italie où la femme a le pouvoir de *punir,* c'est toujours à la souveraineté féminine qu'il revient. S'il décrit le « plaisir délicieux de serrer dans ses bras une femme qui nous a fait beaucoup de mal, qui a été notre cruelle ennemie pendant longtemps, et qui est prête à l'être encore », il nous éclaire davantage cette alliance du désir et de la soumission; Mathilde, Mme de Chasteller, Clelia seront aimées ainsi, comme le furent en rêve les Amazones guerrières, Bradamante et Clorinde, comme le fut plus étrangement, selon un aveu de « Brulard » auquel on ne prend pas assez garde, la tante Séraphie si détestée, mais dont les jambes lui firent tant d'impression : « Je me figurais un *plaisir délicieux* à serrer dans mes bras cette ennemie acharnée ». Cette hostilité n'est bien sûr que représailles contre la tyrannie masculine. Amazone énergique, Ange de pudeur

---

1. Voir des exemples de ce goût chez les autres romantiques *in* Mario Praz, *La carne, la morte, e il diavolo nelle letteratura romantica,* p. 116.

et d'orgueil, ou catin sublime, comme Catherine II formée à la dure
école « du danger et du catinisme », la femme est toujours douée de la
puissance : puissance passionnelle, puissance poétique, puissance
logique, lorsqu'elle s'approprie la logique masculine, comme Stendhal
voulut persuader sa sœur Pauline de le faire ; en vérité comme l'indi-
querait cette étonnante formule, « tous les génies qui naissent femmes »,
la femme pourrait résumer et contenir toute l'humanité. Comme
dans tant d'autres textes romantiques, le mythe de l'androgyne est
présent dans le traité stendhalien.

Il y a donc chez Stendhal une partialité proprement *féministe*, qui
s'étend naturellement au domaine des mœurs et des institutions.
Pour ce représentant de la gauche sensualiste la féminité est pour une
part acquise, donc révocable. La pruderie, l'hypocrisie, l'inculture,
l'orgueil même sont les conséquences de la politique masculine. La
féminité par-delà ces erreurs oppressives peut se rapprocher de sa
vraie vocation. Aussi Stendhal emprunte-t-il à Tracy, tout en l'édul-
corant, un programme réformateur, qui sur trois points essentiels,
libre choix pour le mariage, divorce possible, culture féminine,
rejoint l'enseignement de son maître [1]. Moins hardi que lui, il
affaiblit ses projets, et dans le cas du divorce, les rend franchement
baroques, plus soucieux, semble-t-il, d'établir une égalité de l'homme
et de la femme dans l'amour que dans le mariage, ou la vie sociale.
Réclamant « au nom du bonheur individuel l'émancipation des
femmes », désirant trouver dans l'aimée une égale, il souhaite, selon
Simone de Beauvoir, « une maîtresse intelligente, cultivée, libre
d'esprit et de mœurs [2]. » Comme sociologue, qui étudie l'amour en
Europe, « ce Gaudissart descendu au Grand Hôtel de l'Europe et
de l'Amour [3] » est donc amené à la cause féministe. Il ne faut pas l'y
annexer, car Simone de Beauvoir qui affirme contre l'évidence que
Stendhal refuse « la fausse poésie des mythes », que ses héroïnes sont
« sans mystère », bref que son « romanesque du vrai » élimine « le
mystère féminin », néglige les inquiétudes et les contradictions de
Stendhal. La carte de l'Europe amoureuse qu'il dessine est l'inverse
de la carte du progrès politique. Intégrée à la vie rationnelle, la femme
devient stérile sur le plan de l'imaginaire : en témoigne la mort de
l'amour là où règne la liberté. Ce conflit du progrès et des mythes du
cœur, « De l'Amour » l'exprime en opposant l'émancipation de la
femme et sa puissance affective ; l'univers romanesque de Stendhal
l'exprime bien plus encore. La femme élue par le désir y est toujours
la moins libre, la plus prisonnière des traditions, de celles-là mêmes que
l'idéologue refuse : noblesse, dévotion, honneur. Toute héroïne est
d'Ancien Régime, ou issue de ce monde encore archaïque qu'est
l'Italie. La prison des préjugés semble nécessaire à l'attirance féminine, comme si le désir par prédilection se tournait vers l'image du
passé. La femme demeure proche des valeurs de foi et de tradition [4].

---

1. Il utilise aussi un article de Th. Broadbent, paru dans l'*Edinburgh
Review* en 1810.
2. Cf. *le Deuxième Sexe*, I, pp. 377, 381, 393.
3. Le mot est de Valéry.
4. Simone de Beauvoir, qui ressent cette contradiction (cf. p. 371), s'en

« Si la femme n'est pas surréelle, elle n'est pas réelle [1] » : et les affirmations simplistes de l'éxégète existentialiste oublient la complexité de la libre réflexion de Stendhal sur le monde moderne. Se situant dans « De l'Amour » au carrefour des différentes Europes, comme au carrefour des époques, Stendhal s'interroge sur les relations de l'individualité et de la démocratie montante. Par une intuition qui devance celle de Tocqueville, il ressent leur conflit, la divergence de l'énergie et de la rationalité sociale. Ce refus de toute valeur univoque de l'histoire rend sans doute sa capture si difficile aux esprits partisans.

Michel CROUZET

tire par une pirouette : ces femmes ont des « vertus inutiles et charmantes » parce qu'elles sont « mystifiées ». Elles n'en ont que plus de mérite à émerger, des ténèbres !

1. Nelli, *l'Amour et les mythes du cœur*, p. 172.

DE

PAR L'AUTEUR
DE L'HISTOIRE DE LA PEINTURE EN ITALIE
ET DES VIES DE HAYDN,
MOZART ET MÉTASTASE

*That you should be made a fool of by
a young woman, why, it is many an honest
man's case.*

The Pirate, tome III, page 77.

PRÉFACE

C'est en vain qu'un auteur sollicite l'indulgence du public, le fait de la publication est là pour démentir cette modestie prétendue. Il a meilleure grâce de s'en remettre à la justice, à la patience et à l'impartialité de ses lecteurs. Mais c'est surtout à cette dernière disposition que l'auteur du présent ouvrage en appelle. Ayant souvent ouï parler en France d'écrits, d'opinions, de sentiments *vraiment français*, il a raison de craindre que présentant les faits vraiment comme ils sont, et ne montrant d'estime que pour les sentiments et les opinions *vrais partout*, il n'ait armé contre lui cette passion exclusive que nous voyons ériger en vertu depuis quelque temps, quoique son caractère soit fort équivoque. En effet, que deviendraient l'histoire, la morale, la science même, et les lettres, s'il les fallait vraiment allemandes, vraiment russes ou italiennes, vraiment espagnoles ou anglaises, aussitôt qu'on aurait franchi le Rhin, les montagnes ou la Manche ? Que penser de cette justice et de cette vérité géographique ? Lorsque nous voyons des expressions telles que celles de *dévouement vraiment espagnol, vertus vraiment anglaises* employées sérieusement dans les discours des patriotes étrangers, il serait bien temps de se défier du sentiment qui en dicte autre part de toutes semblables. A Constantinople et chez tous les peuples barbares, cette partialité aveugle et exclusive pour son pays est une fureur qui veut du sang; chez les peuples lettrés, c'est une vanité souffrante, malheureuse, inquiète, aux abois dès qu'on la blesse le moins du monde.

Extrait de la préface du *Voyage en Suisse*, de M. Simond, pages 7 et 8.

LIVRE PREMIER

CHAPITRE PREMIER

DE L'AMOUR

Je cherche à me rendre compte de cette passion dont tous les développements sincères ont un caractère de beauté.

Il y a quatre amours différents :

1º L'amour-passion, celui de la religieuse portugaise, celui d'Héloïse pour Abélard, celui du capitaine de Vésel, du gendarme de Cento.

2º L'amour-goût, celui qui régnait à Paris vers 1760, et que l'on trouve dans les mémoires et romans de cette époque, dans Crébillon, Lauzun, Duclos, Marmontel, Chamfort, Mme d'Épinay, etc., etc.

C'est un tableau où, jusqu'aux ombres, tout doit être couleur de rose, où il ne doit entrer rien de désagréable sous aucun prétexte, et sous peine de manquer d'usage, de bon ton, de délicatesse, etc. Un homme bien né sait d'avance tous les procédés qu'il doit avoir et rencontrer dans les diverses phases de cet amour; rien n'y étant passion et imprévu, il a souvent plus de délicatesse que l'amour véritable, car il a toujours beaucoup d'esprit; c'est une froide et jolie miniature comparée à un tableau des Carraches, et tandis que l'amour-passion nous emporte au travers de tous nos intérêts, l'amour-goût sait toujours s'y conformer. Il est vrai que, si l'on ôte la vanité à ce pauvre amour, il en reste bien peu de chose; une fois privé de vanité, c'est un convalescent affaibli qui peut à peine se traîner.

3º L'amour-physique.

A la chasse, trouver une belle et fraîche paysanne qui fuit dans le bois. Tout le monde connaît l'amour fondé sur ce genre de plaisirs; quelque sec et malheureux que soit le caractère, on commence par là à seize ans.

4° L'amour de vanité.

L'immense majorité des hommes, surtout en France, désire et a une femme à la mode, comme on a un joli cheval, comme chose nécessaire au luxe d'un jeune homme. La vanité plus ou moins flattée, plus ou moins piquée, fait naître des transports. Quelquefois il y a l'amour-physique, et encore pas toujours; souvent il n'y a pas même le plaisir-physique. Une duchesse n'a jamais que trente ans pour un bourgeois, disait la duchesse de Chaulnes; et les habitués de la cour de cet homme juste, le roi Louis de Hollande, se rappellent encore avec gaieté une jolie femme de la Haye, qui ne pouvait se résoudre à ne pas trouver charmant un homme qui était duc ou prince. Mais, fidèle au principe monarchique, dès qu'un prince arrivait à la cour, on renvoyait le duc : elle était comme la décoration du corps diplomatique.

Le cas le plus heureux de cette plate relation est celui où le plaisir physique est augmenté par l'habitude. Les souvenirs la font alors ressembler un peu à l'amour; il y a la pique d'amour-propre et la tristesse quand on est quitté; et les idées de roman vous prenant à la gorge, on croit être amoureux et mélancolique, car la vanité aspire à se croire une grande passion. Ce qu'il y a de sûr, c'est qu'à quelque genre d'amour que l'on doive les plaisirs, dès qu'il y a exaltation de l'âme, ils sont vifs et leur souvenir entraînant; et dans cette passion, au contraire de la plupart des autres, le souvenir de ce que l'on a perdu paraît toujours au-dessus de ce qu'on peut attendre de l'avenir.

Quelquefois, dans l'amour de vanité, l'habitude ou le désespoir de trouver mieux produit une espèce d'amitié la moins aimable de toutes les espèces; elle se vante de sa *sûreté*, etc. *.

Le plaisir physique, étant dans la nature, est connu de tout le monde, mais n'a qu'un rang subordonné aux yeux des âmes tendres et passionnées. Ainsi, si elles ont des ridicules dans le salon, si souvent les gens du monde, par leurs intrigues, les rendent malheureuses, en revanche elles connaissent des plaisirs à jamais inacces-

---

* Dialogue connu de Pont de Veyle avec Mme Du Deffand, au coin du feu.

sibles aux cœurs qui ne palpitent que pour la vanité ou pour l'argent.

Quelques femmes vertueuses et tendres n'ont presque pas d'idée des plaisirs physiques ; elles s'y sont rarement exposées, si l'on peut parler ainsi, et même alors les transports de l'amour-passion ont presque fait oublier les plaisirs du corps.

Il est des hommes victimes et instruments d'un orgueil infernal, d'un orgueil à l'Alfieri. Ces gens, qui peut-être sont cruels, parce que, comme Néron, ils tremblent toujours, jugeant tous les hommes d'après leur propre cœur, ces gens, dis-je, ne peuvent atteindre au plaisir physique qu'autant qu'il est accompagné de la plus grande jouissance d'orgueil possible, c'est-à-dire qu'autant qu'ils exercent des cruautés sur la compagne de leurs plaisirs. De là les horreurs de *Justine*. Ces hommes ne trouvent pas à moins le sentiment de la sûreté.

Au reste, au lieu de distinguer quatre amours différents, on peut fort bien admettre huit ou dix nuances. Il y a peut-être autant de façons de sentir parmi les hommes que de façons de voir, mais ces différences dans la nomenclature ne changent rien aux raisonnements qui suivent. Tous les amours qu'on peut voir ici-bas naissent, vivent et meurent, ou s'élèvent à l'immortalité, suivant les mêmes lois *.

---

* Ce livre est traduit librement d'un manuscrit italien de M. Lisio Visconti, jeune homme de la plus haute distinction, qui vient de mourir à Volterre, sa patrie. Le jour de sa mort imprévue, il permit au traducteur de publier son essai sur l'Amour, s'il trouvait moyen de le réduire à une forme honnête.

Castel Fiorentino, 10 juin 1819.

CHAPITRE II

DE LA NAISSANCE DE L'AMOUR

Voici ce qui se passe dans l'âme :

1º L'admiration.

2º On se dit : Quel plaisir de lui donner des baisers, d'en recevoir, etc. !

3º L'espérance.

On étudie les perfections ; c'est à ce moment qu'une femme devrait se rendre, pour le plus grand plaisir physique possible. Même chez les femmes les plus réservées, les yeux rougissent au moment de l'espérance. la passion est si forte, le plaisir si vif qu'il se trahit par des signes frappants.

4º L'amour est né.

Aimer, c'est avoir du plaisir à voir, toucher, sentir par tous les sens, et d'aussi près que possible un objet aimable et qui nous aime.

5º La première cristallisation commence.

On se plaît à orner de mille perfections une femme de l'amour de laquelle on est sûr ; on se détaille tout son bonheur avec une complaisance infinie. Cela se réduit à s'exagérer une propriété superbe, qui vient de nous tomber du ciel, que l'on ne connaît pas, et de la possession de laquelle on est assuré.

Laissez travailler la tête d'un amant pendant vingt-quatre heures, et voici ce que vous trouverez :

Aux mines de sel de Salzbourg, on jette, dans les profondeurs abandonnées de la mine, un rameau d'arbre effeuillé par l'hiver ; deux ou trois mois après on le retire couvert de cristallisations brillantes : les plus petites branches, celles qui ne sont pas plus grosses que la patte d'une mésange, sont garnies d'une infinité de diamants, mobiles et éblouissants; on ne peut plus reconnaître le rameau primitif.

Ce que j'appelle cristallisation, c'est l'opération de l'esprit, qui tire de tout ce qui se présente la découverte que l'objet aimé a de nouvelles perfections.

Un voyageur parle de la fraîcheur des bois d'orangers à Gênes, sur le bord de la mer, durant les jours brûlants de l'été; quel plaisir de goûter cette fraîcheur avec elle!

Un de vos amis se casse le bras à la chasse; quelle douceur de recevoir les soins d'une femme qu'on aime! Être toujours avec elle et la voir sans cesse vous aimant ferait presque bénir la douleur; et vous partez du bras cassé de votre ami, pour ne plus douter de l'angélique bonté de votre maîtresse. En un mot, il suffit de penser à une perfection pour la voir dans ce qu'on aime.

Ce phénomène, que je me permets d'appeler la *cristallisation*, vient de la nature qui nous commande d'avoir du plaisir et qui nous envoie le sang au cerveau, du sentiment que les plaisirs augmentent avec les perfections de l'objet aimé, et de l'idée : elle est à moi. Le sauvage n'a pas le temps d'aller au delà du premier pas. Il a du plaisir, mais l'activité de son cerveau est employée à suivre le daim qui fuit dans la forêt, et avec la chair duquel il doit réparer ses forces au plus vite, sous peine de tomber sous la hache de son ennemi.

A l'autre extrémité de la civilisation, je ne doute pas qu'une femme tendre n'arrive à ce point, de ne trouver le plaisir physique qu'auprès de l'homme qu'elle aime *. C'est le contraire du sauvage. Mais parmi les nations civilisées la femme a du loisir, et le sauvage est si près de ses affaires, qu'il est obligé de traiter sa femelle comme une bête de somme. Si les femelles de beaucoup d'animaux sont plus heureuses, c'est que la subsistance des mâles est plus assurée.

Mais quittons les forêts pour revenir à Paris. Un homme passionné voit toutes les perfections dans ce qu'il aime; cependant l'attention peut encore être distraite, car l'âme se rassasie de tout ce qui est uniforme, même du bonheur parfait **.

---

* Si cette particularité ne se présente pas chez l'homme, c'est qu'il n'a pas la pudeur à sacrifier pour un instant.

** Ce qui veut dire que la même nuance d'existence ne donne qu'un instant de bonheur parfait; mais la manière d'être d'un homme passionné change dix fois par jour.

Voici ce qui survient pour fixer l'attention :

6º Le doute naît.

Après que dix ou douze regards, ou toute autre série d'actions qui peuvent durer un moment comme plusieurs jours, ont d'abord donné et ensuite confirmé les espérances, l'amant, revenu de son premier étonnement et s'étant accoutumé à son bonheur, ou guidé par la théorie qui, toujours basée sur les cas les plus fréquents, ne doit s'occuper que des femmes faciles, l'amant, dis-je, demande des assurances plus positives, et veut pousser son bonheur.

On lui oppose de l'indifférence *, de la froideur ou même de la colère, s'il montre trop d'assurance; en France, une nuance d'ironie qui semble dire : « Vous vous croyez plus avancé que vous ne l'êtes. » Une femme se conduit ainsi, soit qu'elle se réveille d'un moment d'ivresse et obéisse à la pudeur, qu'elle tremble d'avoir enfreinte, soit simplement par prudence ou par coquetterie.

L'amant arrive à douter du bonheur qu'il se promettait; il devient sévère sur les raisons d'espérer qu'il a cru voir.

Il veut se rabattre sur les autres plaisirs de la vie, *il les trouve anéantis*. La crainte d'un affreux malheur le saisit, et avec elle l'attention profonde.

7º Seconde cristallisation.

Alors commence la seconde cristallisation produisant pour diamants des confirmations à cette idée :

Elle m'aime.

A chaque quart d'heure de la nuit qui suit la naissance des doutes, après un moment de malheur affreux, l'amant se dit : Oui, elle m'aime; et la cristallisation se tourne à découvrir de nouveaux charmes; puis le doute à l'œil hagard s'empare de lui, et l'arrête en sursaut. Sa poitrine oublie de respirer; il se dit : Mais est-ce qu'elle m'aime ? Au milieu de ces alternatives déchirantes et délicieuses, le pauvre amant sent vivement :

---

* Ce que les romans du XVIIᵉ siècle appelaient le *coup de foudre*, qui décide du destin du héros et de sa maîtresse, est un mouvement de l'âme qui, pour avoir été gâté par un nombre infini de barbouilleurs, n'en existe pas moins dans la nature; il provient de l'impossibilité de cette manœuvre défensive. La femme qui aime trouve trop de bonheur dans le sentiment qu'elle éprouve, pour pouvoir réussir à feindre; ennuyée de la prudence, elle néglige toute précaution et se livre en aveugle au bonheur d'aimer. La défiance rend le coup de foudre impossible.

Elle me donnerait des plaisirs qu'elle seule au monde peut me donner.

C'est l'évidence de cette vérité, c'est ce chemin sur l'extrême bord d'un précipice affreux, et touchant de l'autre main le bonheur parfait, qui donne tant de supériorité à la seconde cristallisation sur la première.

L'amant erre sans cesse entre ces trois idées :

1º Elle a toutes les perfections ;

2º Elle m'aime ;

3º Comment faire pour obtenir d'elle la plus grande preuve d'amour possible ?

Le moment le plus déchirant de l'amour jeune encore est celui où il s'aperçoit qu'il a fait un faux raisonnement et qu'il faut détruire tout un pan de cristallisation.

On entre en doute de la cristallisation elle-même.

CHAPITRE III

DE L'ESPÉRANCE

Il suffit d'un très petit degré d'espérance pour causer la naissance de l'amour.

L'espérance peut ensuite manquer au bout de deux ou trois jours, l'amour n'en est pas moins né.

Avec un caractère décidé, téméraire, impétueux et une imagination développée par les malheurs de la vie,

Le degré d'espérance peut être plus petit;

Elle peut cesser plus tôt, sans tuer l'amour.

Si l'amant a eu des malheurs, s'il a le caractère tendre et pensif, s'il désespère des autres femmes, s'il a une admiration vive pour celle dont il s'agit, aucun plaisir ordinaire ne pourra le distraire de la seconde cristallisation. Il aimera mieux rêver à la chance la plus incertaine de lui plaire un jour que recevoir d'une femme vulgaire tout ce qu'elle peut accorder.

Il aurait besoin qu'à cette époque, et non plus tard, notez bien, la femme qu'il aime tuât l'espérance d'une manière atroce et le comblât de ces mépris publics qui ne permettent plus de revoir les gens.

La naissance de l'amour admet de beaucoup plus longs délais entre toutes ces époques.

Elle exige beaucoup plus d'espérance, et une espérance beaucoup plus soutenue, chez les gens froids, flegmatiques, prudents. Il en est de même des gens âgés.

Ce qui assure la durée de l'amour, c'est la seconde cristallisation pendant laquelle on voit à chaque instant qu'il s'agit d'être aimé ou de mourir. Comment, après cette conviction de toutes les minutes, tournée en habitude par plusieurs mois d'amour, pouvoir seulement soutenir la pensée de cesser d'aimer ? Plus un caractère est fort, moins il est sujet à l'inconstance.

Cette seconde cristallisation manque presque tout à fait dans les amours inspirées par les femmes qui se rendent trop vite.

Dès que les cristallisations ont opéré, surtout la seconde, qui de beaucoup est la plus forte, les yeux indifférents ne reconnaissent plus la branche d'arbre;

Car, 1º elle est ornée de perfections ou de diamants qu'ils ne voient pas;

2º Elle est ornée des perfections qui n'en sont pas pour eux.

La perfection de certains charmes dont lui parle un ancien ami de sa belle, et une certaine nuance de vivacité aperçue dans ses yeux, sont un diamant de la cristallisation * de del Rosso. Ces idées aperçues dans une soirée le font rêver toute une nuit.

Une repartie imprévue qui me fait voir plus claire-

---

* J'ai appelé cet essai un livre d'idéologie. Mon but a été d'indiquer que, quoiqu'il s'appelât l'*Amour*, ce n'était pas un roman, et que surtout il n'était pas amusant comme un roman. Je demande pardon aux philosophes d'avoir pris le mot *idéologie* : mon intention n'est certainement pas d'usurper un titre qui serait le droit d'un autre. Si l'idéologie est une description détaillée des idées et de toutes les parties qui peuvent les composer, le présent livre est une description détaillée et minutieuse de tous les sentiments qui composent la passion nommée l'*amour*. Ensuite je tire quelques conséquences de cette description, par exemple, la manière de guérir l'amour. Je ne connais pas de mot pour dire, en grec, discours sur les sentiments, comme idéologie indique discours sur les idées. J'aurais pu me faire inventer un mot par quelqu'un de mes amis savants, mais je suis déjà assez contrarié d'avoir dû adopter le mot nouveau de *cristallisation*, et il est fort possible que si cet essai trouve des lecteurs, ils ne me passent pas ce mot nouveau. J'avoue qu'il y aurait eu du talent littéraire à l'éviter; je m'y suis essayé, mais sans succès. Sans ce mot qui, suivant moi, exprime le principal phénomène de cette folie nommée amour, *folie* cependant qui procure à l'homme les plus grands plaisirs qu'il soit donné aux êtres de son espèce de goûter sur la terre, sans l'emploi de ce mot qu'il fallait sans cesse remplacer par une périphrase fort longue, la description que je donne de ce qui se passe dans la tête et dans le cœur de l'homme amoureux devenait obscure, lourde, ennuyeuse, même pour moi qui suis l'auteur : qu'aurait-ce été pour le lecteur ?

J'engage donc le lecteur qui se sentira trop choqué par ce mot de *cristallisation* à fermer le livre. Il n'entre pas dans mes vœux, et sans doute fort heureusement pour moi, d'avoir beaucoup de lecteurs. Il me serait doux de plaire beaucoup à trente ou quarante personnes de Paris que je ne verrai jamais, mais que j'aime à la folie, sans les connaître. Par exemple, quelque jeune Mme Roland, lisant en cachette quelque volume qu'elle cache bien vite au moindre bruit, dans les tiroirs de l'établi de son père, lequel est graveur de boîtes de montre. Une âme comme celle de Mme Roland me pardonnera, je l'espère, non seulement le mot de *cristallisation* employé pour exprimer cet

ment une âme tendre, généreuse, ardente, ou, comme dit le vulgaire, *romanesque* *, et mettant au-dessus du bonheur des rois le simple plaisir de se promener seule avec son amant à minuit, dans un bois écarté, me donne aussi à rêver toute une nuit **.

Il dira que ma maîtresse est une prude; je dirai que la sienne est une *fille*.

acte de folie qui nous fait apercevoir toutes les beautés, tous les genres de perfection dans la femme que nous commençons à aimer, mais encore plusieurs ellipses trop hardies. Il n'y a qu'à prendre un crayon et écrire entre [les] lignes les cinq ou six mots qui manquent.

* Toutes ces actions eurent d'abord à mes yeux cet air céleste qui sur-le-champ fait d'un homme un être à part, le différencie de tous les autres. Je croyais lire dans ses yeux cette soif d'un bonheur plus sublime, cette mélancolie non avouée qui aspire à quelque chose de mieux que ce que nous trouvons ici-bas, et qui, dans toutes les situations où la fortune et les révolutions peuvent placer une âme romanesque

> ... Still prompts the celestial sight,
> For which we wish to live, or dare to die.
> *Ultima lettera di Bianca a sua madre. Forli*, 1817.

** C'est pour *abréger* et pouvoir peindre l'intérieur des âmes, que l'auteur rapporte, en employant la formule du *je*, plusieurs sensations qui lui sont étrangères, il n'avait rien de personnel qui méritât d'être cité.

CHAPITRE IV

Dans une âme parfaitement indifférente, une jeune fille habitant un château isolé au fond d'une campagne, le plus petit étonnement peut amener une petite admiration, et, s'il survient la plus légère espérance, elle fait naître l'amour et la cristallisation.

Dans ce cas, l'amour plaît d'abord comme amusant.

L'étonnement et l'espérance sont puissamment secondés par le besoin d'amour et la mélancolie que l'on a à seize ans. On sait assez que l'inquiétude de cet âge est une soif d'aimer, et le propre de la soif est de n'être pas excessivement difficile sur la nature du breuvage que le hasard lui présente.

Récapitulons les sept époques de l'amour; ce sont :

1º L'admiration.

2º Quel plaisir, etc.

3º L'espérance.

4º L'amour est né.

5º Première cristallisation.

6º Le doute paraît.

7º Seconde cristallisation.

Il peut s'écouler un an entre le nº 1 et le nº 2.

Un mois entre le nº 2 et le nº 3; si l'espérance ne se hâte pas de venir, l'on renonce insensiblement au nº 2, comme donnant du malheur.

Un clin d'œil entre le nº 3 et le nº 4.

Il n'y a pas d'intervalle entre le nº 4 et le nº 5. Ils ne sauraient être séparés que par l'intimité.

Il peut s'écouler quelques jours suivant le degré d'impétuosité et les habitudes de hardiesse du caractère entre les nºs 5 et 6; et il n'y a pas d'intervalle entre le 6 et le 7.

CHAPITRE V

L'homme n'est pas libre de ne pas faire ce qui lui fait plus de plaisir que toutes les autres actions possibles *.

L'amour est comme la fièvre, il naît et s'éteint sans que la volonté y ait la moindre part. Voilà une des principales différences de l'amour-goût et de l'amour-passion, et l'on ne peut s'applaudir des belles qualités de ce qu'on aime, que comme d'un hasard heureux.

Enfin, l'amour est de tous les âges : voyez la passion de Mme Du Deffand pour le peu gracieux Horace Walpole. L'on se souvient peut-être encore à Paris d'un exemple plus récent, et surtout plus aimable.

Je n'admets en preuve des grandes passions que celles de leurs conséquences qui sont ridicules. Par exemple, la timidité, preuve de l'amour; je ne parle pas de la mauvaise honte au sortir du collège.

* La bonne éducation, à l'égard des crimes, est de donner des remords qui, prévus, mettent un poids dans la balance.

CHAPITRE VI

LE RAMEAU DE SALZBOURG

La cristallisation ne cesse presque jamais en amour. Voici son histoire : Tant qu'on n'est pas bien avec ce qu'on aime, il y a la cristallisation à *solution imaginaire* : ce n'est que par l'imagination que vous êtes sûr que telle perfection existe chez la femme que vous aimez. Après l'intimité, les craintes sans cesse renaissantes sont apaisées par des solutions plus réelles. Ainsi le bonheur n'est jamais uniforme que dans sa source. Chaque jour a une fleur différente.

Si la femme aimée cède à la passion qu'elle ressent et tombe dans la faute énorme de tuer la crainte par la vivacité de ses transports *, la cristallisation cesse un instant, mais quand l'amour perd de sa vivacité, c'est-à-dire de ses craintes, il acquiert le charme d'un entier abandon, d'une confiance sans bornes; une douce habitude vient émousser toutes les peines de la vie, et donner aux jouissances un autre genre d'intérêt.

Êtes-vous quitté, la cristallisation recommence; et chaque acte d'admiration, la vue de chaque bonheur qu'elle peut vous donner et auquel vous ne songiez plus, se termine par cette réflexion déchirante : « Ce bonheur si charmant, je ne le reverrai *jamais!* et c'est par ma faute que je le perds! » Que si vous cherchez le bonheur dans des sensations d'un autre genre, votre cœur se refuse à les sentir. Votre imagination vous peint bien la position physique, elle vous met bien sur un cheval rapide, à la chasse, dans les bois du Devonshire **; mais vous voyez, vous sentez évidemment que

---

* Diane de Poitiers, dans la *Princesse de Clèves.*
** Car, si vous pouviez vous imaginer là un bonheur, la cristallisation aurait déféré à votre maîtresse le privilège exclusif de vous donner ce bonheur.

vous n'y auriez aucun plaisir. Voilà l'erreur d'optique qui produit le coup de pistolet.

Le jeu a aussi sa cristallisation provoquée par l'emploi à faire de la somme que vous allez gagner.

Les jeux de la cour, si regrettés par les nobles, sous le nom de légitimité, n'étaient si attachants que par la cristallisation qu'ils provoquaient. Il n'y avait pas de courtisan qui ne rêvât la fortune rapide d'un Luynes ou d'un Lauzun, et de femme aimable qui ne vît en perspective le duché de Mme de Polignac. Aucun gouvernement raisonnable ne peut redonner cette cristallisation. Rien n'est anti-imagination comme le gouvernement des États-Unis d'Amérique. Nous avons vu que leurs voisins les sauvages ne connaissent presque pas la cristallisation. Les Romains n'en avaient guère d'idée et ne la trouvaient que pour l'amour physique.

La haine a sa cristallisation; dès qu'on peut espérer de se venger, on recommence de haïr.

Si toute croyance où il y a de l'*absurde* ou du *non-démontré* tend toujours à mettre à la tête du parti les gens les plus absurdes, c'est encore un des effets de la *cristallisation*. Il y a cristallisation même en mathématiques (voyez les neutoniens en 1740), dans les têtes qui ne peuvent pas à tout moment se rendre présentes toutes les parties de la démonstration de ce qu'elles croient.

Voyez en preuve la destinée des grands philosophes allemands dont l'immortalité tant de fois proclamée, ne peut jamais aller au delà de trente ou quarante ans.

C'est parce qu'on ne peut se rendre compte du *pourquoi* de ses sentiments, que l'homme le plus sage est fanatique en musique.

On ne peut pas à volonté se prouver qu'on a raison contre tel contradicteur.

CHAPITRE VII

DES DIFFÉRENCES ENTRE LA NAISSANCE
DE L'AMOUR DANS LES DEUX SEXES

Les femmes s'attachent par les faveurs. Comme les dix-neuf vingtièmes de leurs rêveries habituelles sont relatives à l'amour, après l'intimité, ces rêveries se groupent autour d'un seul objet; elles se mettent à justifier une démarche aussi extraordinaire, aussi décisive, aussi contraire à toutes les habitudes de pudeur. Ce travail n'existe pas chez les hommes; ensuite l'imagination des femmes détaille à loisir des instants si délicieux.

Comme l'amour fait douter des choses les plus démontrées, cette femme qui, avant l'intimité, était si sûre que son amant est un homme au-dessus du vulgaire, aussitôt qu'elle croit n'avoir plus rien à lui refuser, tremble qu'il n'ait cherché qu'à mettre une femme de plus sur sa liste.

Alors seulement paraît la seconde cristallisation qui, parce que la crainte l'accompagne, est de beaucoup la plus forte *.

Une femme croit de reine s'être faite esclave. Cet état de l'âme et de l'esprit est aidé par l'ivresse nerveuse que font naître des plaisirs d'autant plus sensibles qu'ils sont plus rares. Enfin une femme, à son métier à broder, ouvrage insipide et qui n'occupe que les mains, songe à son amant, tandis que celui-ci, galopant dans la plaine avec son escadron, est mis aux arrêts s'il fait faire un faux mouvement.

Je croirais donc que la seconde cristallisation est beaucoup plus forte chez les femmes parce que la crainte

* Cette seconde cristallisation manque chez les femmes faciles qui sont bien loin de toutes ces idées romanesques.

est plus vive : la vanité, l'honneur sont compromis, du moins les distractions sont-elles plus difficiles.

Une femme ne peut être guidée par l'habitude d'être raisonnable, que moi, homme, je contracte forcément à mon bureau, en travaillant, six heures tous les jours, à des choses froides et raisonnables. Même hors de l'amour, elles ont du penchant à se livrer à leur imagination, et de l'exaltation habituelle; la disparition des défauts de l'objet aimé doit donc être plus rapide.

Les femmes préfèrent les émotions à la raison; c'est tout simple : comme, en vertu de nos plats usages, elles ne sont chargées d'aucune affaire dans la famille, *la raison ne leur est jamais utile*, elles ne l'éprouvent jamais bonne à quelque chose.

Elle leur est, au contraire, *toujours nuisible*, car elle ne leur apparaît que pour les gronder d'avoir eu du plaisir hier, ou pour leur commander de n'en plus avoir demain.

Donnez à régler à votre femme vos affaires avec les fermiers de deux de vos terres, je parie que les registres seront mieux tenus que par vous, et alors, triste despote, vous aurez au moins le *droit* de vous plaindre, puisque vous n'avez pas le talent de vous faire aimer. Dès que les femmes entreprennent des raisonnements généraux, elles font de l'amour sans s'en apercevoir. Dans les choses de détail, elles se piquent d'être plus sévères et plus exactes que les hommes. La moitié du petit commerce est confié aux femmes, qui s'en acquittent mieux que leurs maris. C'est une maxime connue que si l'on parle d'affaires avec elles, on ne saurait avoir trop de gravité.

C'est qu'elles sont toujours et partout avides d'émotion : voyez les plaisirs de l'enterrement en Écosse.

CHAPITRE VIII

*This was her favoured fairy
realm, and here she erected
her aerial palaces.*

Lammermoor, I, 70.

Une jeune fille de dix-huit ans, n'a pas assez de cristallisation en son pouvoir, forme des désirs trop bornés par le peu d'expérience qu'elle a des choses de la vie, pour être en état d'aimer avec autant de passion qu'une femme de vingt-huit.

Ce soir j'exposais cette doctrine à une femme d'esprit qui prétend le contraire. « L'imagination d'une jeune fille n'étant glacée par aucune expérience désagréable, et le feu de la première jeunesse se trouvant dans toute sa force, il est possible qu'à propos d'un homme quelconque, elle se crée une image ravissante. Toutes les fois qu'elle rencontrera son amant, elle jouira, non de ce qu'il est en effet, mais de cette image délicieuse qu'elle se sera créée.

« Plus tard, détrompée de cet amant et de tous les hommes, l'expérience de la triste réalité a diminué chez elle le pouvoir de la cristallisation, la méfiance a coupé les ailes à l'imagination. A propos de quelque homme que ce soit, fût-il un prodige, elle ne pourra plus se former une image aussi entraînante; elle ne pourra donc plus aimer avec le même feu que dans la première jeunesse. Et comme en amour on ne jouit que de l'illusion qu'on se fait, jamais l'image qu'elle pourra se créer à vingt-huit ans n'aura le brillant et le sublime de celle sur laquelle était fondé le premier amour à seize, et le second amour semblera toujours d'une espèce dégénérée. » — « Non madame, la présence de la méfiance qui n'existait pas à seize ans, est évidemment ce qui doit donner une couleur différente à ce second amour. Dans la première jeunesse, l'amour est comme un fleuve immense qui entraîne tout dans son cours, et auquel on sent qu'on ne saurait résister. Or une âme tendre se connaît à vingt-huit ans; elle sait que si pour elle il est encore du bonheur dans la vie, c'est à l'amour qu'il faut le demander; il s'établit, dans ce pauvre cœur agité, une lutte terrible entre l'amour et la méfiance. La cristallisation avance lentement; mais celle qui sort victorieuse de cette épreuve terrible, où l'âme exécute tous ses mouvements à la vue continue du plus affreux danger, est mille fois plus brillante et plus solide que la cristallisation de seize ans, où par le privilège de l'âge, tout était gaieté et bonheur.

« Donc l'amour doit être moins gai et plus passionné *. »

Cette conversation (Bologne, 9 mars 1820) qui contredit un point qui me semblait si clair, me fait penser de plus en plus qu'un homme ne peut presque rien dire de sensé sur ce qui se passe au fond du cœur d'une femme tendre; quant à une coquette c'est différent : nous avons aussi des sens et de la vanité.

La dissemblance entre la naissance de l'amour chez les deux sexes doit provenir de la nature de l'espérance qui n'est pas la même. L'un attaque et l'autre défend; l'un demande et l'autre refuse; l'un est hardi, l'autre très timide.

L'homme se dit : Pourrai-je lui plaire ? voudra-t-elle m'aimer ?

La femme : N'est-ce point par jeu qu'il me dit qu'il m'aime ? est-ce un caractère solide ? peut-il se répondre à soi-même de la durée de ses sentiments ? C'est ainsi que beaucoup de femmes regardent et traitent comme un enfant un jeune homme de vingt-trois ans; s'il a fait six campagnes, tout change pour lui, c'est un jeune héros.

Chez l'homme l'espoir dépend simplement des actions de ce qu'il aime; rien de plus aisé à interpréter. Chez les femmes l'espérance doit être fondée sur des considérations morales très difficiles à bien apprécier. La plupart des hommes sollicitent une preuve d'amour qu'ils regardent comme dissipant tous les doutes; les femmes ne sont pas assez heureuses pour pouvoir trouver une telle preuve; et il y a ce malheur dans la vie, que ce qui fait la sécurité et le bonheur de l'un des amants, fait le danger et presque l'humiliation de l'autre.

---

* Épicure disait que le discernement est nécessaire à la possession du plaisir.

En amour, les hommes courent le hasard du tourment secret de l'âme, les femmes s'exposent aux plaisanteries du public; elles sont plus timides, et d'ailleurs, l'opinion est beaucoup plus pour elles, car *sois considérée, il le faut* *.

Elles n'ont pas un moyen sûr de subjuguer l'opinion en exposant un instant leur vie.

Les femmes doivent donc être beaucoup plus méfiantes. En vertu de leurs habitudes, tous les mouvements intellectuels qui forment les époques de la naissance de l'amour, sont chez elles plus doux, plus timides, plus lents, moins décidés; il y a donc plus de dispositions à la constance; elles doivent se désister moins facilement d'une cristallisation commencée.

Une femme, en voyant son amant, réfléchit avec rapidité ou se livre au bonheur d'aimer, bonheur dont elle est tirée désagréablement s'il fait la moindre attaque, car il faut quitter tous les plaisirs pour courir aux armes.

Le rôle de l'amant est plus simple; il regarde les yeux de ce qu'il aime, un seul sourire peut le mettre au comble du bonheur, et il cherche sans cesse à l'obtenir **. Un homme est humilié de la longueur du siège; elle fait au contraire la gloire d'une femme.

Une femme est capable d'aimer et, dans un an entier, de ne dire que dix ou douze mots à l'homme qu'elle préfère. Elle tient note au fond de son cœur du nombre de fois qu'elle l'a vu; elle est allée deux fois avec lui au spectacle, deux autres fois elle s'est trouvée à dîner avec lui, il l'a saluée trois fois à la promenade.

Un soir, à un petit jeu, il lui a baisé la main; on remarque que depuis elle ne permet plus, sous aucun prétexte et même au risque de paraître singulière, qu'on lui baise la main.

Dans un homme, on appellerait cette conduite de l'amour féminin, nous disait Léonore.

---

* On se rappelle la maxime de Beaumarchais : « La nature dit à la femme, sois belle si tu peux, sage si tu veux, mais sois considérée, il le faut. » Sans considération, en France point d'admiration, partant point d'amour.

**
> *Quando leggemmo il disiato riso*
> *Esser baciato da cotanto amante,*
> *Questi che mai da me non fia diviso,*
> *La bocca mi bacio tutto tremante.*

> *Francesca da Rimini.* DANTE.

CHAPITRE IX

Je fais tous les efforts possibles pour être *sec*. Je veux imposer silence à mon cœur qui croit avoir beaucoup à dire. Je tremble toujours de n'avoir écrit qu'un soupir, quand je crois avoir noté une vérité.

CHAPITRE X

Pour preuve de la cristallisation, je me contenterai de rappeler l'anecdote suivante *.

Une jeune personne entend dire qu'Édouard, son parent qui va revenir de l'armée, est un jeune homme de la plus grande distinction; on lui assure qu'elle en est aimée sur sa réputation; mais il voudra probablement la voir avant de se déclarer et de la demander à ses parents. Elle aperçoit un jeune étranger à l'église, elle l'entend appeler Édouard, elle ne pense plus qu'à lui, elle l'aime. Huit jours après, arrive le véritable Édouard, ce n'est pas celui de l'église, elle pâlit, et sera pour toujours malheureuse si on la force à l'épouser.

Voilà ce que les pauvres d'esprit appellent une des déraisons de l'amour.

Un homme généreux comble une jeune fille malheureuse des bienfaits les plus délicats; on ne peut pas avoir plus de vertus, et l'amour allait naître, mais il porte un chapeau mal retapé, et elle le voit monter à cheval d'une manière gauche; la jeune fille s'avoue en soupirant, qu'elle ne peut répondre aux empressements qu'il lui témoigne.

Un homme fait la cour à la femme du monde la plus honnête; elle apprend que ce monsieur a eu des malheurs physiques et ridicules : il lui devient insupportable. Cependant elle n'avait nul dessein de se jamais donner à lui, et ces malheurs secrets ne nuisent en rien à son esprit et à son amabilité. C'est tout simplement que la cristallisation est rendue impossible.

Pour qu'un être humain puisse s'occuper avec délices à diviniser un objet aimable, qu'il soit pris dans la forêt des Ardennes ou au bal de Coulon, il faut d'abord qu'il lui semble parfait, non pas sous tous les rapports possibles, mais sous tous les rapports qu'il voit actuellement; il ne lui semblera parfait à tous égards, qu'après

* *Empoli, juin 1819.*

plusieurs jours de la seconde cristallisation. C'est tout simple, il suffit alors d'avoir l'idée d'une perfection pour la voir dans ce qu'on aime.

On voit en quoi la *beauté* est nécessaire à la naissance de l'amour. Il faut que la laideur ne fasse pas obstacle. L'amant arrive bientôt à trouver belle sa maîtresse telle qu'elle est, sans songer à la *vraie beauté*.

Les traits qui forment la vraie beauté, lui promet-traient s'il les voyait, et si j'ose m'exprimer ainsi, une quantité de bonheur que j'exprimerai par le nombre un, et les traits de sa maîtresse tels qu'ils sont lui promettent mille unités de bonheur.

Avant la naissance de l'amour, la beauté est néces-saire comme *enseigne;* elle prédispose à cette passion par les louanges qu'on entend donner à ce qu'on aimera. Une admiration très vive rend la plus petite espérance décisive.

Dans l'amour-goût, et peut-être dans les premières cinq minutes de l'amour-passion, une femme en prenant un amant tient plus de compte de la manière dont les autres femmes voient cet homme, que de la manière dont elle le voit elle-même.

De là les succès des princes et des officiers *.

Les jolies femmes de la cour du vieux Louis XIV étaient amoureuses de ce prince.

Il faut bien se garder de présenter des facilités à l'espérance, avant d'être sûr qu'il y a de l'admiration. On ferait naître la fadeur, qui rend à jamais l'amour impossible, ou du moins que l'on ne peut guérir que par la pique d'amour-propre.

On ne sympathise pas avec le *niais*, ni avec le sourire à tout venant; de là, dans le monde, la nécessité d'un vernis de rouerie; c'est la noblesse des manières. On ne cueille pas même le *rire* sur une plante trop avilie. En amour, notre vanité dédaigne une victoire trop facile, et, dans tous les genres, l'homme n'est pas sujet à s'exagérer le prix de ce qu'on lui offre.

---

* *Those who remarked in the countenance of this young hero a dissolute audacity mingled with extreme haughtiness and indifference to the feelings of others, could not yet deny to his countenance that sort of comeliness which belongs to an open set of features, well formed by nature, modelled by art to the usual rules of courtesy, yet so far frank and honest, that they seemed as if they disclaimed to conceal the natural working of the soul. Such an expression is often mistaken for* manly frankness, *when in truth it arises from the reckless indifference of a libertine disposition, conscious of* supe-riority of birth, of wealth, *or of some other adventitious advantage totally unconnected with personal merit.* Ivanhoe, tome I, p. 145.

CHAPITRE XI

Une fois la cristallisation commencée, l'on jouit avec délices de chaque nouvelle beauté que l'on découvre dans ce qu'on aime.

Mais qu'est-ce que la beauté ? C'est une nouvelle aptitude à vous donner du plaisir.

Les plaisirs de chaque individu sont différents, et souvent opposés : cela explique fort bien comment ce qui est beauté pour un individu est laideur pour un autre (exemple concluant de Del Rosso et de Lisio, le 1er janvier 1820).

Pour découvrir la nature de la beauté, il convient de rechercher quelle est la nature des plaisirs de chaque individu; par exemple, il faut à Del Rosso une femme qui souffre quelques mouvements hasardés, et qui par ses sourires, autorise des choses fort gaies; une femme qui, à chaque instant, tienne les plaisirs physiques devant son imagination, et qui excite à la fois le genre d'amabilité de Del Rosso, et lui permette de la déployer.

Del Rosso entend par amour, apparemment l'amour-physique, et Lisio l'amour-passion. Rien de plus évident qu'ils ne doivent pas être d'accord sur le mot beauté *.

La beauté que vous découvrez étant donc une nouvelle aptitude à vous donner du plaisir, et les plaisirs variant comme les individus.

La cristallisation formée dans la tête de chaque homme doit porter la *couleur* des plaisirs de cet homme.

La cristallisation de la maîtresse d'un homme, ou sa BEAUTÉ, n'est autre chose que la collection de TOUTES LES SATISFACTIONS de tous les désirs qu'il a pu former successivement à son égard.

---

* Ma *beauté*, promesse d'un caractère utile à mon âme, est au-dessus de l'attraction des sens; cette attraction n'est qu'une espèce particulière. 1815.

CHAPITRE XII

Pourquoi jouit-on avec délices de chaque nouvelle beauté que l'on découvre dans ce qu'on aime ?

C'est que chaque nouvelle beauté vous donne la satisfaction pleine et entière d'un désir. Vous la voulez tendre, elle est tendre; ensuite vous la voulez fière comme l'Emilie de Corneille, et, quoique ces qualités soient probablement incompatibles, elle paraît à l'instant avec une âme romaine. Voilà la raison morale pour laquelle l'amour est la plus forte des passions. Dans les autres, les désirs doivent s'accommoder aux froides réalités; ici ce sont les réalités qui s'empressent de se modeler sur les désirs; c'est donc celle des passions où les désirs violents ont les plus grandes jouissances.

Il y a des conditions générales de bonheur qui étendent leur empire sur toutes les satisfactions de désirs particuliers.

1º Elle semble votre propriété, car c'est vous seul qui pouvez la rendre heureuse.

2º Elle est juge de votre mérite. Cette condition était fort importante dans les cours galantes et chevaleresques de François Iᵉʳ et de Henri II, et à la cour élégante de Louis XV. Sous un gouvernement constitutionnel et raisonneur, les femmes perdent toute cette branche d'influence.

3º Pour les cœurs romanesques, plus elle aura l'âme sublime, plus seront célestes et dégagés de la fange de toutes les considérations vulgaires les plaisirs que vous trouverez dans ses bras.

La plupart des jeunes Français de dix-huit ans sont élèves de J.-J. Rousseau; cette condition de bonheur est importante pour eux.

Au milieu d'opérations si décevantes pour le désir du bonheur, la tête se perd.

Du moment qu'il aime, l'homme le plus sage ne voit plus aucun objet *tel qu'il est*. Il s'exagère en moins ses propres avantages, et en plus les moindres faveurs de l'objet aimé. Les craintes et les espoirs prennent à l'instant quelque chose de *romanesque* (de *wayward*). Il n'attribue plus rien au hasard; il perd le sentiment de la probabilité; une chose imaginée est une chose existante pour l'effet sur son bonheur *.

Une marque effrayante que la tête se perd, c'est qu'en pensant à quelque petit fait, difficile à observer, vous le voyez blanc, et vous l'interprétez en faveur de votre amour; un instant après vous vous apercevez qu'en effet il était noir, et vous le trouvez encore concluant en faveur de votre amour.

C'est alors qu'une âme en proie aux incertitudes mortelles sent vivement le besoin d'un ami; mais pour un amant il n'est plus d'ami. On savait cela à la cour. Voilà la source du seul genre d'indiscrétion qu'une femme délicate puisse pardonner.

---

* Il y a une cause physique, un commencement de folie, une affluence du sang au cerveau, un désordre dans les nerfs et dans le centre cérébral. Voir le courage éphémère des cerfs et la couleur des pensées d'un *soprano*. En 1922, la physiologie nous donnera la description de la partie physique de ce phénomène. Je le recommande à l'attention de M. Edwards.

CHAPITRE XIII

DU PREMIER PAS, DU GRAND MONDE, DES MALHEURS

Ce qu'il y a de plus étonnant dans la passion de l'amour, c'est le premier pas, c'est l'extravagance du changement qui s'opère dans la tête d'un homme.

Le grand monde, avec ses fêtes brillantes, sert l'amour comme favorisant ce *premier pas*.

Il commence par changer l'admiration simple (nº 1) en admiration tendre (nº 2) : Quel plaisir de lui donner des baisers, etc.

Une valse rapide, dans un salon éclairé de mille bougies, jette dans les jeunes cœurs une ivresse qui éclipse la timidité, augmente la conscience des forces et leur donne enfin l'*audace d'aimer*. Car voir un objet très aimable ne suffit pas; au contraire, l'extrême amabilité décourage les âmes tendres, il faut le voir, sinon vous aimant *, du moins dépouillé de sa majesté.

Qui s'avise de devenir amoureux d'une reine, à moins qu'elle ne fasse des avances ** ?

Rien n'est donc plus favorable à la naissance de l'amour, que le mélange d'une solitude ennuyeuse et de quelques bals rares et longtemps désirés; c'est la conduite des bonnes mères de famille qui ont des filles.

Le vrai grand monde tel qu'on le trouvait à la cour de France ***, et qui je crois n'existe plus depuis 1780 ****,

---

* De là la possibilité des passions à origine factice, celles-ci, et celle de Bénédict et Béatrix (Shakespeare).

** Voir les Amours de Struenzée dans *les Cours du Nord*, de Brown, 3 vol., 1819.

*** Voir les *Lettres* de Mme Du Deffand, de Mlle de Lespinasse, les *Mémoires* de Bezenval, de Lauzun, de Mme d'Épinay, le *Dictionnaire des Étiquettes* de Mme de Genlis, les *Mémoires* de Dangeau, d'Horace Walpole.

**** Si ce n'est peut-être à la cour de Pétersbourg.

était peu favorable à l'amour, comme rendant presque impossibles la *solitude* et le loisir, indispensables pour le travail des cristallisations.

La vie de la cour donne l'habitude de voir et d'exécuter un grand nombre de *nuances*, et la plus petite nuance peut être le commencement d'une admiration et d'une passion *.

Quand les malheurs propres de l'amour sont mêlés d'autres malheurs (de malheurs de *vanité*, si votre maîtresse offense votre juste fierté, vos sentiments d'honneur et de dignité personnelle; de malheurs de santé, d'argent, de persécution politique, etc.), ce n'est qu'en apparence que l'amour est augmenté par ces contretemps; comme ils occupent à autre chose l'imagination, ils empêchent, dans l'amour espérant, les cristallisations, et, dans l'amour heureux, la naissance des petits doutes. La douceur de l'amour et sa folie reviennent quand ces malheurs ont disparu.

Remarquez que les malheurs favorisent la naissance de l'amour chez les caractères légers ou insensibles; et qu'après sa naissance, si les malheurs sont antérieurs, ils favorisent l'amour en ce que l'imagination, rebutée des autres circonstances de la vie qui ne fournissent que des images tristes, se jette tout entière à opérer la cristallisation.

---

* Voir Saint-Simon et *Werther*. Quelque tendre et délicat que soit un solitaire, son âme est distraite, une partie de son imagination est employée à prévoir la société. La force de caractère est un des charmes qui séduisent le plus les cœurs vraiment féminins. De là le succès des jeunes officiers fort graves. Les femmes savent fort bien faire la différence de la violence des mouvements de passion, qu'elles sentent si possibles dans leurs cœurs, à la force de caractère; les femmes les plus distinguées sont quelquefois dupes d'un peu de charlatanisme en ce genre. On peut s'en servir sans nulle crainte, aussitôt que l'on s'aperçoit que la cristallisation a commencé.

CHAPITRE XIV

Voici un effet qui me sera contesté, et que je ne présente qu'aux hommes, dirai-je, assez malheureux pour avoir aimé avec passion pendant de longues années, et d'un amour contrarié par des obstacles invincibles.

La vue de tout ce qui est extrêmement beau, dans la nature et dans les arts, rappelle le souvenir de ce qu'on aime, avec la rapidité de l'éclair. C'est que, par le mécanisme de la branche d'arbre garnie de diamants dans la mine de Salzbourg, tout ce qui est beau et sublime au monde fait partie de la beauté de ce qu'on aime, et cette vue imprévue du bonheur à l'instant remplit les yeux de larmes. C'est ainsi que l'amour du beau et l'amour se donnent mutuellement la vie.

L'un des malheurs de la vie, c'est que ce bonheur de voir ce qu'on aime et de lui parler ne laisse pas de souvenirs distincts. L'âme est apparemment trop troublée par ses émotions, pour être attentive à ce qui les cause ou à ce qui les accompagne. Elle est la sensation elle-même. C'est peut-être parce que ces plaisirs ne peuvent pas être usés par des rappels à volonté, qu'ils se renouvellent avec tant de force, dès que quelque objet vient nous tirer de la rêverie consacrée à la femme que nous aimons, et nous la rappeler plus vivement par quelque nouveau rapport *.

Un vieil architecte sec la rencontrait tous les soirs dans le monde. Entraîné par le *naturel* et sans faire attention à ce que je lui disais **, un jour je lui en fis un éloge tendre et pompeux, et elle se moqua de moi. Je n'eus pas la force de lui dire : Il vous voit chaque soir.

Cette sensation est si puissante qu'elle s'étend jusqu'à la personne de mon ennemie qui l'approche sans

** Les parfums.
** Voir la note ** de la page 40.

cesse. Quand je la vois, elle me rappelle tant Léonore,
que je ne puis la haïr dans ce moment, quelque effort
que j'y fasse.

L'on dirait que par une étrange bizarrerie du cœur,
la femme aimée communique plus de charme qu'elle
n'en a elle-même. L'image de la ville lointaine où on
la vit un instant * jette une plus profonde et plus douce
rêverie que sa présence elle-même. C'est l'effet des
rigueurs.

La rêverie de l'amour ne peut se noter. Je remarque
que je puis relire un bon roman tous les trois ans avec
le même plaisir. Il me donne des sentiments conformes
au genre de goût tendre qui me domine dans le moment,
ou me procure de la variété dans mes idées, si je ne
sens rien. Je puis aussi écouter avec plaisir la même
musique, mais il ne faut pas que la mémoire cherche à
se mettre de la partie. C'est l'imagination uniquement
qui doit être affectée; si un opéra fait plus de plaisir
à la vingtième représentation, c'est que l'on comprend
mieux la musique, ou qu'il rappelle la sensation du premier jour.

Quant aux nouvelles vues qu'un roman suggère pour
la connaissance du cœur humain, je me rappelle fort
bien les anciennes; j'aime même à les trouver notées
en marge. Mais ce genre de plaisir s'applique aux
romans, comme m'avançant dans la connaissance de
l'homme, et nullement à la rêverie qui est le vrai plaisir
du roman. Cette rêverie est innotable. La noter, c'est
la tuer pour le présent, car l'on tombe dans l'analyse
philosophique du plaisir; c'est la tuer encore plus sûrement pour l'avenir, car rien ne paralyse l'imagination
comme l'appel à la mémoire. Si je trouve en marge une
note peignant ma sensation en lisant *Old Mortality* à
Florence, il y a trois ans, à l'instant je suis plongé dans
l'histoire de ma vie, dans l'estime du degré de bonheur
aux deux époques, dans la plus haute philosophie, en un
mot, et adieu pour longtemps le laisser-aller des sensations tendres.

Tout grand poète ayant une vive imagination est
timide, c'est-à-dire qu'il craint les hommes pour les
interruptions et les troubles qu'ils peuvent apporter

---

*   *... Nessum maggior dolore*
Che ricordarsi del tempo felice
Nella miseria.

Dante, *Francesca.*

à ses délicieuses rêveries. C'est pour son *attention* qu'il tremble. Les hommes, avec leurs intérêts grossiers, viennent le tirer des jardins d'Armide, pour le pousser dans un bourbier fétide, et ils ne peuvent guère le rendre attentif à eux qu'en l'irritant. C'est par l'habitude de nourrir son âme de rêveries touchantes, et par son horreur pour le vulgaire, qu'un grand artiste est si près de l'amour.

Plus un homme est grand artiste, plus il doit désirer les titres et les décorations, comme rempart.

CHAPITRE XV

L'on rencontre, au milieu de la passion la plus violente et la plus contrariée, des moments où l'on croit tout à coup ne plus aimer; c'est comme une source d'eau douce au milieu de la mer. On n'a presque plus de plaisir à songer à sa maîtresse; et, quoique accablé de ses rigueurs, l'on se trouve encore plus malheureux de ne plus prendre intérêt à rien dans la vie. Le néant le plus triste et le plus découragé succède à une manière d'être agitée sans doute, mais qui présentait toute la nature sous un aspect neuf, passionné, intéressant.

C'est que la dernière visite que vous avez faite à ce que vous aimez vous a mis dans une position sur laquelle, une autre fois, votre imagination a moissonné tout ce qu'elle peut donner de sensations. Par exemple, après une période de froideur, elle vous traite moins mal, et vous laisse concevoir exactement le même degré d'espérance, et par les mêmes signes extérieurs, qu'à une autre époque; tout cela peut-être sans qu'elle s'en doute. L'imagination trouvant en son chemin la mémoire et ses tristes avis, la cristallisation * cesse à l'instant.

---

* On me conseille d'abord d'ôter ce mot, ou, si je ne puis y parvenir, faute de talent littéraire, de rappeler souvent que j'entends par *cristallisation* une certaine fièvre d'imagination, laquelle rend méconnaissable un objet le plus souvent assez ordinaire, et en fait un être à part. Dans les âmes qui ne connaissent d'autre chemin que la vanité pour arriver au bonheur, il est nécessaire que l'homme qui cherche à exciter cette fièvre mette fort bien sa cravate et soit constamment attentif à mille détails qui excluent tout laisser-aller. Les femmes de la société avouent l'effet, tout en niant ou ne voyant pas la cause.

CHAPITRE XVI

Dans un petit port dont j'ignore le nom près Perpignan, 25 février 1822 *.

Je viens d'éprouver ce soir que la musique, quand elle est parfaite, met le cœur exactement dans la même situation où il se trouve quand il jouit de la présence de ce qu'il aime; c'est-à-dire qu'elle donne le bonheur apparemment le plus vif qui existe sur cette terre.

S'il en était ainsi pour tous les hommes, rien au monde ne disposerait plus à l'amour.

Mais j'ai déjà noté à Naples, l'année dernière, que la musique parfaite, comme la pantomime parfaite **, me fait songer à ce qui forme actuellement l'objet de mes rêveries, et me fait venir des idées excellentes; à Naples, c'était sur le moyen d'armer les Grecs.

Or, ce soir, je ne puis me dissimuler que j'ai le malheur *of being too great an admirer of milady L.*

Et peut-être que la musique parfaite que j'ai eu le bonheur de rencontrer, après deux ou trois mois de privation, quoique allant tous les soirs à l'Opéra, n'a produit tout simplement que son effet anciennement reconnu, je veux dire celui de faire songer vivement à ce qui occupe.

— 4 mars, huit jours après.

Je n'ose ni effacer ni approuver l'observation précédente. Il est sûr que, quand je l'écrivais, je la lisais dans mon cœur. Si je la mets en doute aujourd'hui, c'est peut-être que j'ai perdu le souvenir de ce que je voyais alors.

L'habitude de la musique et de sa rêverie prédispose à l'amour. Un air tendre et triste, pourvu qu'il ne

---

* Copie du journal de Lisio.

** *Othello* et *la Vestale*, ballets de Vigano, exécutés par la Pallerini et Molinari.

soit pas trop dramatique, que l'imagination ne soit
pas forcée de songer à l'action, excitant purement à
la rêverie de l'amour, est délicieux pour les âmes tendres
et malheureuses : par exemple, le trait prolongé de
clarinette, au commencement du quartetto de *Bianca
e Faliero*, et le récit de la Camporesi vers le milieu du
quartetto.

L'amant qui est bien avec ce qu'il aime, jouit avec
transport du fameux duetto d'*Armida e Rinaldo* de Rossini, qui peint si juste les petits doutes de l'amour
heureux, et les moments de délices qui suivent les
raccommodements. Le morceau instrumental qui est
au milieu du duetto, au moment où Rinaldo veut fuir,
et qui représente d'une manière si étonnante le combat
des passions, lui semble avoir une influence physique
sur son cœur, et le toucher réellement. Je n'ose dire ce
que je sens à cet égard; je passerais pour fou auprès des
gens du Nord.

CHAPITRE XVII

LA BEAUTÉ DÉTRÔNÉE PAR L'AMOUR

Albéric rencontre dans une loge une femme plus belle que sa maîtresse : je supplie qu'on me permette une évaluation mathématique, c'est-à-dire dont les traits promettent trois unités de bonheur au lieu de deux (je suppose que la beauté parfaite donne une quantité de bonheur exprimée par le nombre quatre).

Est-il étonnant qu'il leur préfère les traits de sa maîtresse, qui lui promettent cent unités de bonheur ? Même les petits défauts de sa figure, une marque de petite-vérole, par exemple, donnent de l'attendrissement à l'homme qui aime, et le jettent dans une rêverie profonde, lorsqu'il les aperçoit chez une autre femme ; que sera-ce chez sa maîtresse ? C'est qu'il a éprouvé mille sentiments en présence de cette marque de petite-vérole, que ces sentiments sont pour la plupart délicieux, sont tous du plus haut intérêt, et que, quels qu'ils soient, ils se renouvellent avec une incroyable vivacité, à la vue de ce signe, même aperçu sur la figure d'une autre femme.

Si l'on parvient ainsi à préférer et à aimer la *laideur*, c'est que dans ce cas la laideur est beauté *. Un homme aimait à la passion une femme très maigre et marquée de petite-vérole ; la mort la lui ravit. Trois ans après, à Rome, admis dans la familiarité de deux femmes, l'une plus belle que le jour, l'autre maigre, marquée de petite-vérole, et par là, si vous voulez, assez laide ; je le vois aimer la laide au bout de huit jours qu'il emploie à effacer sa laideur par ses souvenirs ; et, par

* La beauté n'est que la *promesse* du bonheur. Le bonheur d'un Grec était différent du bonheur d'un Français de 1822. Voyez les yeux de la Vénus de Médicis et comparez-les aux yeux de la Madeleine de Pordenone (chez M. de Sommariva).

une coquetterie bien pardonnable, la moins jolie ne manqua pas de l'aider en lui fouettant un peu le sang, chose utile à cette opération *. Un homme rencontre une femme, et est choqué de sa laideur; bientôt, si elle n'a pas de prétentions, sa physionomie lui fait oublier les défauts de ses traits, il la trouve aimable et conçoit qu'on puisse l'aimer; huit jours après il a des espérances, huit jours après on les lui retire, huit jours après il est fou.

---

* Si l'on est sûr de l'amour d'une femme, on examine si elle est plus ou moins belle; si l'on doute de son cœur, on n'a pas le temps de songer à sa figure.

CHAPITRE XVIII

On remarque au théâtre une chose analogue envers les acteurs chéris du public; les spectateurs ne sont plus sensibles à ce qu'ils peuvent avoir de beauté ou de laideur réelle. Le Kain, malgré sa laideur remarquable, faisait des passions à foison; Garrick aussi, par plusieurs raisons; mais d'abord parce qu'on ne voyait plus la beauté réelle de leurs traits ou de leurs manières, mais bien celle que depuis longtemps l'imagination était habituée à leur prêter, en reconnaissance et en souvenir de tous les plaisirs qu'ils lui avaient donnés; et par exemple, la figure seule d'un acteur comique fait rire dès qu'il entre en scène.

Une jeune fille qu'on menait au Français pour la première fois pouvait bien sentir quelque éloignement pour Le Kain durant la première scène; mais bientôt il la faisait pleurer ou frémir; et comment résister aux rôles de Tancrède * ou d'Orosmane? Si pour elle la laideur était encore un peu visible, les transports de tout un public, et l'effet *nerveux* qu'ils produisent sur un jeune cœur **, parvenaient bien vite à l'éclipser. Il ne restait plus de la laideur que le nom, et pas même

---

* Voir Mme de Staël, dans *Delphine*, je crois : voilà l'artifice des femmes peu jolies.

** C'est à cette sympathie nerveuse que je serais tenté d'attribuer l'effet prodigieux et incompréhensible de la musique à la mode (à Dresde, pour Rossini, 1821). Dès qu'elle n'est plus de mode, elle n'en devient pas plus mauvaise pour cela, et cependant elle ne fait plus d'effet sur les cœurs de bonne foi des jeunes filles. Elle leur plaisait peut-être aussi, comme excitant les transports des jeunes gens.

Mme de Sévigné (Lettre 202, le 6 mai 1672) dit à sa fille :

« Lully avait fait un dernier effort de toute la musique du roi; ce beau *Miserere* y était encore augmenté; il y eut un *Libera* où tous les yeux étaient pleins de larmes. »

On ne peut pas plus douter de la vérité de cet effet, que disputer l'esprit ou la délicatesse à Mme de Sévigné. La musique de Lully qui la charmait ferait fuir à cette heure; alors cette musique encourageait la *cristallisation*, elle la rend impossible aujourd'hui.

le nom, car l'on entendait des femmes enthousiastes de Le Kain s'écrier : Qu'il est beau !

Rappelons-nous que la *beauté* est l'expression du caractère, ou, autrement dit, des habitudes morales, et qu'elle est par conséquent exempte de toute passion. Or c'est de la *passion* qu'il nous faut ; la beauté ne peut nous fournir que des *probabilités* sur le compte d'une femme, et encore des probabilités sur ce qu'elle est de sang-froid ; et les regards de votre maîtresse marquée de petite-vérole sont une réalité charmante qui anéantit toutes les probabilités possibles.

CHAPITRE XIX

SUITE DES EXCEPTIONS A LA BEAUTÉ

Les femmes spirituelles et tendres, mais à sensibilité timide et méfiante, qui le lendemain du jour où elles ont paru dans le monde repassent mille fois en revue et avec une timidité souffrante ce qu'elles ont pu dire ou laisser deviner; ces femmes-là, dis-je, s'accoutument facilement au manque de beauté chez les hommes, et ce n'est presque pas un obstacle à leur donner de l'amour.

C'est par le même principe qu'on est presque indifférent pour le degré de beauté d'une maîtresse adorée, et qui vous comble de rigueurs. Il n'y a presque plus de cristallisation de beauté; et quand l'ami guérisseur vous dit qu'elle n'est pas jolie, on en convient presque, et il croit avoir fait un grand pas.

Mon ami, le brave capitaine Trab, me peignait ce soir ce qu'il avait senti autrefois en voyant Mirabeau.

Personne en regardant ce grand homme n'éprouvait par les yeux un sentiment désagréable, c'est-à-dire ne le trouvait laid. Entraîné par ses paroles foudroyantes on n'était attentif, on ne trouvait du plaisir à être attentif qu'à ce qui était *beau* dans sa figure. Comme il n'y avait presque pas de traits *beaux* (de la beauté de la sculpture, ou de la beauté de la peinture), l'on n'était attentif qu'à ce qui était *beau* d'une autre beauté *, de la beauté d'expression.

En même temps que l'attention fermait les yeux à

* C'est là l'avantage d'être à la mode. Faisant abstraction des défauts de la figure déjà connus, et qui ne font plus rien à l'imagination, on s'attache à l'une des trois beautés suivantes :

1º Dans le peuple, à l'idée de richesse;

2º Dans le monde, à l'idée d'élégance ou matérielle ou morale;

3º A la cour, à l'idée : je veux plaire aux femmes. Presque partout

tout ce qui était laid, pittoresquement parlant, elle
s'attachait avec transport aux plus petits détails passables,
par exemple, à la *beauté* de sa vaste chevelure; s'il eût
porté des cornes on les eût trouvées belles *.

La présence de tous les soirs d'une jolie danseuse
donne de l'attention forcée aux âmes blasées ou privées
d'imagination qui garnissent le balcon de l'Opéra. Par
ses mouvements gracieux, hardis et singuliers, elle
réveille l'amour physique, et leur procure peut-être la
seule cristallisation qui soit encore possible. C'est ainsi
qu'un laideron qu'on n'eût pas honoré d'un regard
dans la rue, surtout les gens usés, s'il paraît souvent
sur la scène, trouve à se faire entretenir fort cher. Geoffroy disait que le théâtre est le piédestal des femmes.
Plus une danseuse est célèbre et usée, plus elle vaut :
de là le proverbe des coulisses : « Telle trouve à se
vendre qui n'eût pas trouvé à se donner. » Ces filles volent

à un mélange de ces trois idées. Le bonheur attaché à l'idée de richesse
se joint à la délicatesse dans les plaisirs qui suit l'idée d'élégance, et
le tout s'applique à l'amour. D'une manière ou d'autre, l'imagination
est entraînée par la nouveauté. L'on arrive ainsi à s'occuper d'un
homme très laid sans songer à sa laideur *(a)* et à la longue, sa laideur devient beauté. A Vienne, en 1788, Mme Vigano, danseuse, la
femme à la mode, était grosse, et les dames portèrent bientôt des
petits ventres *à la Vigano.* Par les mêmes raisons retournées, rien
d'affreux comme une mode surannée. Le mauvais goût, c'est de
confondre la mode qui ne vit que de changements, avec le beau
durable, fruit de tel gouvernement, dirigeant tel climat. Un édifice
à la mode, dans dix ans, sera à une mode surannée. Il sera moins
déplaisant dans deux cents ans quand on aura oublié la mode. Les
amants sont bien fous de songer à se bien mettre; on a bien autre
chose à faire en voyant ce qu'on aime, que de songer à sa toilette; on
regarde son amant et on ne l'examine pas, dit Rousseau. Si cet examen
a lieu, on a affaire à l'amour-goût et non plus à l'amour-passion. L'air
brillant de la beauté déplaît presque dans ce qu'on aime; on n'a que
faire de la voir belle, on la voudrait tendre et languissante. La parure
n'a d'effet en amour, que pour les jeunes filles qui, sévèrement gar-
dées dans la maison paternelle, souvent prennent une passion par
les yeux.

Dit par L., 15 septembre 1820.

(a) Le petit Germain, *Mémoires de Gramont.*

* Soit pour leur poli, soit pour leur grandeur, soit pour leur forme;
c'est ainsi, ou par la liaison de sentiments (voir plus haut les marques
de petite-vérole) qu'une femme qui aime s'accoutume aux défauts de
son amant. La princesse russe C. s'est bien accoutumée à un homme
qui en définitif n'a pas de nez. L'image du courage, et du pistolet
armé pour se tuer de désespoir de ce malheur, et la pitié pour la profonde infortune, aidées par l'idée qu'il guérira, et qu'il commence à
guérir, ont opéré ce miracle. Il faut que le pauvre blessé n'ait pas
l'air de penser à son malheur.

Berlin, 1807.

une partie de leurs passions à leurs amants, et sont très susceptibles d'amour *par pique*.

Comment faire pour ne pas lier des sentiments généreux ou aimables à la physionomie d'une actrice dont les traits n'ont rien de choquant, que tous les soirs l'on regarde pendant deux heures exprimant les sentiments les plus nobles, et que l'on ne connaît pas autrement ? Quand enfin l'on parvient à être admis chez elle, ses traits vous rappellent des sentiments si agréables, que toute la réalité qui l'entoure, quelque peu noble qu'elle soit quelquefois, se recouvre à l'instant d'une teinte romanesque et touchante.

« Dans ma première jeunesse, enthousiaste de cette ennuyeuse tragédie française *, quand j'avais le bonheur de souper avec Mlle Olivier, à tous les instants je me surprenais le cœur rempli de respect, à croire parler à une reine ; et réellement je n'ai jamais bien su si auprès d'elle j'avais été amoureux d'une reine ou d'une jolie fille. »

---

* Phrase inconvenante, copiée des *Mémoires* de mon ami, feu M. le baron de Bottmer. C'est par le même artifice que Feramorz plaît à Lalla-Rookh. Voir ce charmant poème.

CHAPITRE XX

Peut-être que les hommes qui ne sont pas susceptibles d'éprouver l'amour-passion sont ceux qui sentent le plus vivement l'effet de la beauté; c'est du moins l'impression la plus forte qu'ils puissent recevoir des femmes.

L'homme qui a éprouvé le battement de cœur que donne de loin le chapeau de satin blanc de ce qu'il aime, est tout étonné de la froideur où le laisse l'approche de la plus grande beauté du monde. Observant les transports des autres, il peut même avoir un mouvement de chagrin.

Les femmes extrêmement belles étonnent moins le second jour. C'est un grand malheur, cela décourage la cristallisation. Leur mérite étant visible à tous, et formant décoration, elles doivent compter plus de sots dans la liste de leurs amants, des princes, des millionnaires, etc. *.

* On voit bien que l'auteur n'est ni prince ni millionnaire. J'ai voulu voler cet esprit-là au lecteur.

CHAPITRE XXI

DE LA PREMIÈRE VUE

Une âme à imagination est tendre et *défiante*, je dis même l'âme la plus naïve *. Elle peut être méfiante sans s'en douter; elle a trouvé tant de désappointements dans la vie! Donc tout ce qui est prévu et officiel dans la présentation d'un homme, effarouche l'imagination et éloigne la possibilité de la cristallisation. L'amour triomphe, au contraire, dans le romanesque à la première vue.

Rien de plus simple; l'étonnement qui fait longuement songer à une chose extraordinaire, est déjà la moitié du mouvement cérébral nécessaire pour la cristallisation.

Je citerai le commencement des amours de Séraphine (*Gil Blas*, tome II, p. 142). C'est don Fernando qui raconte sa fuite lorsqu'il était poursuivi par les sbires de l'inquisition... « Après avoir traversé quelques allées dans une obscurité profonde, et la pluie continuant à tomber par torrents, j'arrivai près d'un salon dont je trouvai la porte ouverte; j'y entrai, et quand j'en eus remarqué toute la magnificence... je vis qu'il y avait à l'un des côtés une porte qui n'était que poussée; je l'entr'ouvris et j'aperçus une enfilade de chambres dont la dernière seulement était éclairée. Que dois-je faire ?

---

* La fiancée de Lammermoor, miss Ashton. Un homme qui a vécu trouve dans sa mémoire une foule d'exemples d'*amours*, et n'a que l'embarras du choix. Mais s'il veut écrire, il ne sait plus sur quoi s'appuyer. Les anecdotes des sociétés particulières dans lesquelles il a vécu sont ignorées du public, et il faudrait un nombre de pages immense pour les rapporter avec les nuances nécessaires. C'est pour cela que je cite des romans comme généralement connus, mais je n'appuie point les idées que je soumets au lecteur sur des fictions aussi vides, et calculées la plupart plutôt pour l'effet pittoresque que pour la vérité.

dis-je alors en moi-même... Je ne pus résister à ma curiosité. Je m'avance, je traverse les chambres, et j'arrive à celle où il y avait de la lumière, c'est-à-dire une bougie qui brûlait sur une table de marbre, dans un flambeau de vermeil... Mais bientôt jetant les yeux sur un lit dont les rideaux étaient à demi ouverts à cause de la chaleur, je vis un objet qui s'empara de toute mon attention, c'était une jeune femme qui, malgré le bruit du tonnerre qui venait de se faire entendre, dormait d'un profond sommeil... Je m'approchai d'elle... Je me sentis saisi... Pendant que je m'enivrais du plaisir de la contempler, elle se réveilla.

« Imaginez-vous quelle fut sa surprise de voir dans sa chambre et au milieu de la nuit un homme qu'elle ne connaissait point. Elle frémit en m'apercevant, et jeta un cri... Je m'efforçai de la rassurer, et mettant un genou en terre : Madame, lui dis-je, ne craignez rien... Elle appela ses filles... Devenue un peu plus hardie par la présence de cette petite servante, elle me demanda fièrement qui j'étais, etc., etc., etc. »

Voilà une première vue qu'il n'est pas facile d'oublier. Quoi de plus sot, au contraire, dans nos mœurs actuelles, que la présentation officielle et presque sentimentale du *futur* à la jeune fille! Cette prostitution légale va jusqu'à choquer la pudeur.

« Je viens de voir, cette après-midi, 17 février 1790 (dit Chamfort, 4, 155), une cérémonie de famille, comme on dit, c'est-à-dire des hommes réputés honnêtes, une société respectable, applaudir au bonheur de Mlle de Marille, jeune personne belle, spirituelle, vertueuse, qui obtient l'avantage de devenir l'épouse de M. R., vieillard malsain, repoussant, malhonnête, imbécile, mais riche, et qu'elle a vu pour la troisième fois aujourd'hui en signant le contrat.

« Si quelque chose caractérise un siècle infâme, c'est un pareil sujet de triomphe, c'est le ridicule d'une telle joie, et, dans la perspective, la cruauté prude avec laquelle la même société versera le mépris à pleines mains sur la moindre imprudence d'une pauvre jeune femme amoureuse. »

Tout ce qui est cérémonie, par son essence d'être une chose affectée et prévue d'avance, dans laquelle il s'agit de se comporter d'*une manière convenable*, paralyse l'imagination et ne la laisse éveillée que pour ce qui est contraire au but de la cérémonie, et ridicule; de là l'effet

magique de la moindre plaisanterie. Une pauvre jeune
fille, comblée de timidité et de pudeur souffrante, durant
la présentation officielle du futur, ne peut songer qu'au
rôle qu'elle joue; c'est encore une manière sûre d'étouffer l'imagination.

Il est beaucoup plus contre la pudeur de se mettre
au lit avec un homme qu'on n'a vu que deux fois, après
trois mots latins dits à l'église, que de céder malgré soi
à un homme qu'on adore depuis deux ans. Mais je parle
un langage absurde.

C'est le p[apisme] qui est la source féconde des
vices et du malheur qui suivent nos mariages actuels.
Il rend impossible la liberté pour les jeunes filles avant
le mariage, et le divorce après, quand elles se sont
trompées, ou plutôt quand on les a trompées dans le
choix qu'on leur fait faire. Voyez l'Allemagne, ce pays
des bons ménages; une aimable princesse (Mme la
duchesse de Sa[gan]) vient de s'y marier en tout bien
et tout honneur pour la quatrième fois, et elle n'a pas
manqué d'inviter à la fête ses trois premiers maris avec
lesquels elle est très bien. Voilà l'excès; mais un seul
divorce qui punit un mari de ses tyrannies, empêche
des milliers de mauvais ménages. Ce qu'il y a de plaisant, c'est que Rome est l'un des pays où l'on voit le
plus de divorces.

L'amour aime, à la première vue, une physionomie
qui indique à la fois dans un homme quelque chose à
respecter et à plaindre.

CHAPITRE XXII

DE L'ENGOUEMENT

Des esprits fort délicats sont très susceptibles de curiosité et de prévention; cela se remarque surtout dans les âmes chez lesquelles s'est éteint le feu sacré, source des passions, et c'est un des symptômes les plus funestes. Il y a aussi de l'engouement chez les écoliers qui entrent dans le monde. Aux deux extrémités de la vie, avec trop ou trop peu de sensibilité, on ne s'expose pas avec simplicité à sentir le juste effet des choses, à éprouver la véritable sensation qu'elles doivent donner. Ces âmes trop ardentes ou ardentes par accès, amoureuses à crédit, si l'on peut ainsi dire, se jettent aux objets au lieu de les attendre.

Avant que la sensation, qui est la conséquence de la nature des objets, arrive jusqu'à elles, elles les couvrent de loin et avant de les voir, de ce charme imaginaire dont elles trouvent en elles-même une source inépuisable. Puis, en s'en approchant, elles voient ces choses, non telles qu'elles sont, mais telles qu'elles les ont faites, et, jouissant d'elles-mêmes sous l'apparence de tel objet, elles croient jouir de cet objet. Mais, un beau jour, on se lasse de faire tous les frais, on découvre que l'objet adoré *ne renvoie pas la balle;* l'engouement tombe, et l'échec qu'éprouve l'amour-propre rend injuste envers l'objet trop apprécié.

CHAPITRE XXIII

DES COUPS DE FOUDRE

Il faudrait changer ce mot ridicule; cependant la chose existe. J'ai vu l'aimable et noble Wilhelmine, le désespoir des *beaux* de Berlin, mépriser l'amour, et se moquer de ses folies. Brillante de jeunesse, d'esprit, de beauté, de bonheurs de tous les genres, une fortune sans bornes, en lui donnant l'occasion de développer toutes ses qualités, semblait conspirer avec la nature pour présenter au monde l'exemple si rare d'un bonheur parfait accordé à une personne qui en est parfaitement digne. Elle avait vingt-trois ans; déjà à la cour depuis longtemps, elle avait éconduit les hommages du plus haut parage; sa vertu modeste, mais inébranlable, était citée en exemple, et désormais les hommes les plus aimables désespérant de lui plaire, n'aspiraient qu'à son amitié. Un soir elle va au bal chez le prince Ferdinand, elle danse dix minutes avec un jeune capitaine.

« De ce moment, écrivait-elle par la suite à une amie *, il fut le maître de mon cœur et de moi, et cela à un point qui m'eût remplie de terreur, si le bonheur de voir Herman m'eût laissé le temps de songer au reste de l'existence. Ma seule pensée était d'observer s'il m'accordait quelque attention.

« Aujourd'hui la seule consolation que je puisse trouver à mes fautes est de me bercer de l'illusion qu'une force supérieure m'a ravie à moi-même et à la raison. Je ne puis par aucune parole peindre, d'une manière qui approche de la réalité, jusqu'à quel point, seulement à l'apercevoir, allèrent le désordre et le bouleversement de tout mon être. Je rougis de penser avec quelle rapidité et quelle violence j'étais entraînée vers lui. Si sa

---

* Traduit *ad litteram* des *Mémoires* de Bottmer.

première parole, quand enfin il me parla, eût été :
M'adorez-vous ? en vérité je n'aurais pas eu la force
de ne pas lui répondre : Oui. J'étais loin de penser que
les effets d'un sentiment pussent être à la fois si subits
et si peu prévus. Ce fut au point qu'un instant je crus
être empoisonnée.

« Malheureusement vous et le monde, ma chère
amie, savez que j'ai bien aimé Herman : eh bien, il me
fut si cher au bout d'un quart d'heure, que depuis il
n'a pas pu me le devenir davantage. Je voyais tous
ses défauts, et je les lui pardonnais tous, pourvu qu'il
m'aimât.

« Peu après que j'eus dansé avec lui, le roi s'en alla ;
Herman, qui était du détachement de service, fut
obligé de le suivre. Avec lui tout disparut pour moi
dans la nature. C'est en vain que j'essayerais de vous
peindre l'excès de l'ennui dont je me sentis accablée dès
que je ne le vis plus. Il n'était égalé que par la vivacité
du désir que j'avais de me trouver seule avec moi-même.

« Je pus partir enfin. A peine fermée à double tour
dans mon appartement je voulus résister à ma passion.
Je crus y réussir. Ah! ma chère amie, que je payai cher
ce soir-là, et les journées suivantes, le plaisir de pouvoir
me croire de la vertu! »

Ce que l'on vient de lire est la narration exacte d'un
événement qui fit la nouvelle du jour, car au bout d'un
mois ou deux la pauvre Wilhelmine fut assez malheureuse pour qu'on s'aperçût de son sentiment. Telle fut
l'origine de cette longue suite de malheurs qui l'ont fait
périr si jeune, et d'une manière si tragique, empoisonnée
par elle ou par son amant. Tout ce que nous pûmes
voir dans ce jeune capitaine, c'est qu'il dansait fort bien ;
il avait beaucoup de gaieté, encore plus d'assurance, un
grand air de bonté, et vivait avec des filles ; du reste, à
peine noble, fort pauvre, et ne venant pas à la cour.

Non seulement il ne faut pas la méfiance, mais il
faut la lassitude de la méfiance, et pour ainsi dire l'impatience du courage contre les hasards de la vie. L'âme,
à son insu, ennuyée de vivre sans aimer, convaincue
malgré elle, par l'exemple des autres femmes, ayant
surmonté toutes les craintes de la vie, mécontente du
triste bonheur de l'orgueil, s'est fait, sans s'en apercevoir, un modèle idéal. Elle rencontre un jour un être
qui ressemble à ce modèle, la cristallisation reconnaît
son objet au trouble qu'il inspire, et consacre pour

toujours au maître de son destin ce qu'elle rêvait depuis longtemps *.

Les femmes sujettes à ce malheur ont trop de hauteur dans l'âme pour aimer autrement que par passion. Elles seraient sauvées si elles pouvaient s'abaisser à la galanterie.

Comme le coup de foudre vient d'une secrète lassitude de ce que le catéchisme appelle la vertu, et de l'ennui que donne l'uniformité de la perfection, je croirais assez qu'il doit tomber le plus souvent sur ce qu'on appelle dans le monde de mauvais sujets. Je doute fort que l'air Caton ait jamais occasionné de coup de foudre.

Ce qui les rend si rares, c'est que si le cœur qui aime ainsi d'avance a le plus petit sentiment de sa situation, il n'y a plus de coup de foudre.

Une femme rendue méfiante par les malheurs n'est pas susceptible de cette révolution de l'âme.

Rien ne facilite les coups de foudre comme les louanges données d'avance et par des femmes, à la personne qui doit en être l'objet.

Une des sources les plus comiques des aventures d'amour, ce sont les faux coups de foudre. Une femme ennuyée, mais non sensible, se croit amoureuse pour la vie pendant toute une soirée. Elle est fière d'avoir enfin trouvé un de ces grands mouvements de l'âme après lesquels courait son imagination. Le lendemain elle ne sait plus où se cacher, et surtout comment éviter le malheureux objet qu'elle adorait la veille.

Les gens d'esprit savent voir, c'est-à-dire mettre à profit ces coups de foudre-là.

L'amour-physique a aussi ses coups de foudre. Nous avons vu hier la plus jolie femme et la plus facile de Berlin, rougir tout à coup dans sa calèche où nous étions avec elle. Le beau lieutenant Findorff venait de passer. Elle est tombée dans la rêverie profonde, dans l'inquiétude. Le soir, à ce qu'elle m'avoua au spectacle, elle avait des folies, des transports, elle ne pensait qu'à Findorff, auquel elle n'a jamais parlé. Si elle eût osé, me disait-elle, elle l'eût envoyé chercher; cette jolie figure présentait tous les signes de la passion la plus violente. Cela durait encore le lendemain; au bout de trois jours Findorff ayant fait le nigaud, elle n'y pensa plus. Un mois après il lui était odieux.

* Plusieurs phrases prises à Crébillon, tome III.

CHAPITRE XXIV

VOYAGE DANS UN PAYS INCONNU

Je conseille à la plupart des gens nés dans le Nord de passer le présent chapitre. C'est une dissertation obscure sur quelques phénomènes relatifs à l'oranger, arbre qui ne croît ou qui ne parvient à toute sa hauteur qu'en Italie et en Espagne. Pour être intelligible ailleurs, j'aurais dû *diminuer* les faits.

C'est à quoi je n'aurais pas manqué, si j'avais eu le dessein un seul instant d'écrire un livre généralement agréable. Mais le ciel m'ayant refusé le talent littéraire, j'ai uniquement pensé à décrire avec toute la maussaderie de la science, mais aussi avec toute son exactitude, certains faits dont un séjour prolongé dans la patrie de l'oranger m'a rendu l'involontaire témoin. Frédéric le Grand ou tel autre homme distingué du Nord, qui n'a jamais eu d'occasion de voir l'oranger en pleine terre, m'aurait sans doute nié les faits suivants et nié de bonne foi. Je respecte infiniment la bonne foi, et je vois son pourquoi.

Cette déclaration sincère pouvant paraître de l'orgueil, j'ajoute la réflexion suivante :

Nous écrivons au hasard chacun ce qui nous semble vrai, et chacun dément son voisin. Je vois dans nos livres autant de billets de loterie; ils n'ont réellement pas plus de valeur. La postérité, en oubliant les uns, et réimprimant les autres, déclarera les billets gagnants. Jusque-là, chacun de nous ayant écrit de son mieux ce qui lui semble vrai n'a guère de raison de se moquer de son voisin, à moins que la satire ne soit plaisante, auquel cas il a toujours raison, surtout s'il écrit comme M. Courier à Del Furia.

Après ce préambule, je vais entrer courageusement dans l'examen de faits qui, j'en suis convaincu, ont rarement été observés à Paris. Mais enfin, à Paris, ville supérieure à toutes les autres, sans doute, l'on ne voit pas des orangers en pleine terre comme à Sorrento; et c'est à Sorrento la patrie du Tasse, sur le golfe de Naples, dans une position à mi-côte sur la mer, plus pittoresque encore que celle de Naples elle-même, mais où on ne lit pas le *Miroir*, que Lisio Visconti a observé et noté les faits suivants :

Lorsqu'on doit voir le soir la femme qu'on aime, l'attente d'un si grand bonheur rend insupportable tous les moments qui en séparent.

Une fièvre dévorante fait prendre et quitter vingt occupations. L'on regarde sa montre à chaque instant, et l'on est ravi quand on voit qu'on a pu faire passer dix minutes sans la regarder; l'heure tant désirée sonne enfin, et quand on est à sa porte, prêt à frapper, l'on serait aise de ne pas la trouver; ce n'est que par réflexion qu'on s'en affligerait : en un mot, l'attente de la voir produit un effet désagréable.

Voilà de ces choses qui font dire aux bonnes gens que l'amour déraisonne.

C'est que l'imagination, retirée violemment de rêveries délicieuses où chaque pas produit le bonheur, est ramenée à la sévère réalité.

L'âme tendre sait bien que dans le combat qui va commencer aussitôt que vous la verrez, la moindre négligence, le moindre manque d'attention ou de courage sera puni par une défaite empoisonnant pour longtemps les rêveries de l'imagination, et hors de l'intérêt de la passion si l'on cherchait à s'y réfugier, humiliante pour l'amour-propre. On se dit : j'ai manqué d'esprit, j'ai manqué de courage; mais l'on n'a du courage envers ce qu'on aime, qu'en l'aimant moins.

Ce reste d'attention que l'on arrache avec tant de peine aux rêveries de la cristallisation, fait que, dans les premiers discours à la femme qu'on aime, il échappe une foule de choses qui n'ont pas de sens ou qui ont un sens contraire à ce qu'on sent; ou, ce qui est plus poignant encore, on exagère ses propres sentiments, et ils deviennent ridicules à ses yeux. Comme on sent vaguement qu'on ne fait pas assez d'attention à ce qu'on dit, un mouvement machinal fait soigner et charger la déclamation. Cependant l'on ne peut pas se taire à cause de l'embarras du silence, durant lequel on pourrait encore moins songer à elle. On dit donc d'un air senti une foule de choses qu'on ne sent pas, et qu'on serait bien embarrassé de répéter ; l'on s'obstine à se refuser à sa présence pour être encore plus à elle. Dans les premiers moments que je connus l'amour, cette bizarrerie que je sentais en moi me faisait croire que je n'aimais pas.

Je comprends la lâcheté, et comment les conscrits se tirent de la peur en se jetant à corps perdu au milieu du feu. Le nombre des sottises que j'ai dites depuis deux ans pour ne pas me taire me met au désespoir quand j'y songe.

Voilà qui devrait bien marquer aux yeux des femmes la différence de l'amour-passion et de la galanterie, de l'âme tendre et de l'âme prosaïque *.

Dans ces moments décisifs, l'une gagne autant que l'autre perd ; l'âme prosaïque reçoit justement le degré de chaleur qui lui manque habituellement, tandis que la pauvre âme tendre devient folle par excès de sentiment, et, qui plus est, a la prétention de cacher sa folie. Tout occupée à gouverner ses propres transports, elle est bien loin du sang-froid qu'il faut pour prendre ses avantages, et elle sort brouillée d'une visite où l'âme prosaïque eût fait un grand pas. Dès qu'il s'agit des intérêts trop vifs de sa passion, une âme tendre et fière ne peut pas être éloquente auprès de ce qu'elle aime ; ne pas réussir lui fait trop de mal. L'âme vulgaire, au contraire, calcule juste les chances de succès, ne s'arrête pas à pressentir la douleur de la défaite, et, fière de ce qui la rend vulgaire, elle se moque de l'âme tendre, qui, avec tout l'esprit possible, n'a jamais l'aisance nécessaire pour dire les choses les plus simples et du succès le plus assuré. L'âme tendre, bien loin de pouvoir rien arracher par force, doit se résigner à ne rien obtenir que de la *charité* de ce qu'elle aime. Si la femme qu'on aime est vraiment sensible, l'on a toujours lieu de se repentir d'avoir voulu se faire violence pour lui parler d'amour. On a l'air honteux, on a l'air glacé, on aurait l'air menteur, si la passion ne se trahissait pas à d'autres signes certains. Exprimer ce qu'on sent si vivement et si en détail, à tous les instants de la vie, est une corvée qu'on s'impose, parce qu'on a lu des romans, car si l'on était naturel on n'entreprendrait jamais une chose si pénible. Au lieu de vouloir parler de ce qu'on sentait

* C'était un mot de Léonore.

il y a un quart d'heure, et de chercher à faire un tableau général et intéressant, on exprimerait avec simplicité le détail de ce qu'on sent dans le moment; mais non, l'on se fait une violence extrême pour réussir moins bien, et comme l'évidence de la sensation actuelle manque à ce qu'on dit, et que la mémoire n'est pas libre, on trouve convenables dans le moment et l'on dit des choses du ridicule le plus humiliant.

Quand enfin, après une heure de trouble, cet effort extrêmement pénible est fait de se retirer des jardins enchantés de l'imagination, pour jouir tout simplement de la présence de ce qu'on aime, il se trouve souvent qu'il faut s'en séparer.

Tout ceci paraît une extravagance. J'ai vu mieux encore, c'était un de mes amis qu'une femme qu'il aimait à l'idolâtrie, se prétendant offensée de je ne sais quel manque de délicatesse qu'on n'a jamais voulu me confier, avait condamné tout à coup à ne la voir que deux fois par mois. Ces visites, si rares et si désirées, étaient un accès de folie, et il fallait toute la force de caractère de Salviati pour qu'elle ne parût pas au dehors.

Dès l'abord, l'idée de la fin de la visite est trop présente pour qu'on puisse trouver du plaisir. L'on parle beaucoup sans s'écouter; souvent l'on dit le contraire de ce qu'on pense. On s'embarque dans des raisonnements qu'on est obligé de couper court, à cause de leur ridicule, si l'on vient à se réveiller et à s'écouter. L'effort qu'on se fait est si violent qu'on a l'air froid. L'amour se cache par son excès.

Loin d'elle l'imagination était bercée par les plus charmants dialogues; l'on trouvait les transports les plus tendres et les plus touchants. On se croit ainsi pendant dix ou douze jours l'audace de lui parler; mais l'avant-veille de celui qui devrait être heureux, la fièvre commence, et redouble à mesure qu'on approche de l'instant terrible.

Au moment d'entrer dans son salon, l'on est réduit, pour ne pas dire ou faire des sottises incroyables, à se cramponner à la résolution de garder le silence, et de la regarder pour pouvoir au moins se souvenir de sa figure. A peine en sa présence, il survient comme une sorte d'ivresse dans les yeux. On se sent porté comme un maniaque à faire des actions étranges, on a le sentiment d'avoir deux âmes; l'une pour faire, et l'autre pour blâmer ce qu'on fait. On sent confusément que l'attention forcée donnée à la sottise rafraîchirait le sang un moment, en faisant perdre de vue la fin de la visite et le malheur de la quitter pour quinze jours.

S'il se trouve là quelque ennuyeux qui conte une histoire plate, dans son inexplicable folie, le pauvre amant, comme s'il était curieux de perdre des moments si rares, y devient tout attention. Cette heure qu'il se promettait si délicieuse, passe comme un trait brûlant, et cependant il sent, avec une indicible amertume, toutes les petites circonstances qui lui montrent combien il est devenu étranger à ce qu'il aime. Il se trouve au milieu d'indifférents qui font visite, et il se voit le seul qui ignore tous les petits détails de sa vie de ces jours passés. Enfin il sort; et, en lui disant froidement adieu, il a l'affreux sentiment d'être à quinze jours de la revoir; nul doute qu'il ne souffrirait moins à ne jamais voir ce qu'il aime. C'est dans le genre, mais bien plus noir, du duc de Policastro, qui tous les six mois faisait cent lieues pour voir un quart d'heure, à Lecce, une maîtresse adorée et gardée par un jaloux.

On voit bien ici la volonté sans influence sur l'amour : outré contre sa maîtresse et contre soi-même, comme l'on se précipiterait dans l'indifférence avec fureur! Le seul bien de cette visite est de renouveler le trésor de la cristallisation.

La vie pour Salviati était divisée en périodes de quinze jours, qui prenaient la couleur de la soirée où il lui avait été permis de voir Mme ***; par exemple, il fut ravi de bonheur le 21 mai, et le 2 juin il ne rentrait pas chez lui, de peur de céder à la tentation de se brûler la cervelle.

J'ai vu ce soir-là que les romanciers ont très mal peint le moment du suicide. « Je suis altéré, me disait Salviati d'un air simple, j'ai besoin de prendre ce verre d'eau. » Je ne combattis point sa résolution, je lui fis mes adieux; et il se mit à pleurer.

D'après le trouble qui accompagne les discours des amants, il ne serait pas sage de tirer des conséquences trop pressées d'un détail isolé de la conversation. Ils n'accusent juste leurs sentiments que dans les mots imprévus; alors c'est le cri du cœur. Du reste, c'est de la physionomie de l'ensemble des choses dites que l'on peut tirer des inductions. Il faut se rappeler qu'assez souvent un être très ému n'a pas le temps d'apercevoir l'émotion de la personne qui cause la sienne.

CHAPITRE XXV

LA PRÉSENTATION

A la finesse, à la sûreté de jugement avec lesquelles je vois les femmes saisir certains détails, je suis plein d'admiration; un instant après, je les vois porter au ciel un nigaud, se laisser émouvoir jusqu'aux larmes par une fadeur, peser gravement comme trait de caractère une plate affectation. Je ne puis concevoir tant de niaiserie. Il faut qu'il y ait là quelque loi générale que j'ignore.

Attentives à *un* mérite d'un homme, et entraînées par *un* détail, elles le sentent vivement et n'ont plus d'yeux pour le reste. Tout le fluide nerveux est employé à jouir de cette qualité, il n'en reste plus pour voir les autres.

J'ai vu les hommes les plus remarquables être présentés à des femmes de beaucoup d'esprit; c'était toujours un grain de prévention qui décidait de l'effet de la première vue.

Si l'on veut me permettre un détail familier, je conterai que l'aimable colonel L[a] B[édoyère] allait être présenté à Mme Struve de Kœnigsberg; c'est une femme du premier ordre. Nous nous disions *Farà colpo?* (fera-t-il effet?). Il s'engage un pari. Je m'approche de Mme de Struve, et lui conte que le colonel porte deux jours de suite ses cravates; le second jour, il fait la lessive du Gascon; elle pourra remarquer sur sa cravate des plis verticaux. Rien de plus évidemment faux.

Comme j'achevais, on annonce cet homme charmant. Le plus petit fat de Paris eût produit plus d'effet. Remarquez que Mme de Struve aimait; c'est une femme honnête, et il ne pouvait être question de galanterie entre eux.

Jamais deux caractères n'ont été plus faits l'un pour l'autre. On blâmait Mme de Struve d'être romanesque, et il n'y avait que la vertu, poussée jusqu'au romanesque, qui pût toucher L[a] B[édoyère]. Elle l'a fait fusiller très jeune.

Il a été donné aux femmes de sentir, d'une manière admirable, les nuances d'affection, les variations les plus insensibles du cœur humain, les mouvements les plus légers des amours-propres.

Elles ont à cet égard un organe qui nous manque; voyez-les soigner un blessé.

Mais peut-être aussi ne voient-elles pas ce qui est esprit, combinaison morale. J'ai vu les femmes les plus distinguées se charmer d'un homme d'esprit qui n'était pas moi, et tout d'un temps, et presque du même mot, admirer les plus grands sots. Je me trouvais attrapé comme un connaisseur qui voit prendre les plus beaux diamants pour des strass, et préférer les strass s'ils sont plus gros.

J'en concluais qu'il faut tout oser auprès des femmes. Là où le général Lasalle a échoué, un capitaine à moustaches et à jurement réussit *. Il y a sûrement dans le mérite des hommes tout un côté qui leur échappe.

Pour moi, j'en reviens toujours aux lois physiques. Le fluide nerveux, chez les hommes, s'use par la cervelle, et chez les femmes par le cœur; c'est pour cela qu'elles sont plus sensibles. Un grand travail obligé, et dans le métier que nous avons fait toute la vie, console, et pour elles rien ne peut les consoler que la distraction.

Appiani, qui ne croit à la vertu qu'à la dernière extrémité, et avec lequel j'allais ce soir à la chasse des idées, en lui exposant celles de ce chapitre, me répond :

« La force d'âme qu'Éponine employait avec un dévouement héroïque à faire vivre son mari dans la caverne sous terre, et à l'empêcher de tomber dans le désespoir, s'ils eussent vécu tranquillement à Rome, elle l'eût employée à lui cacher un amant; il faut un aliment aux âmes fortes. »

* *Posen, 1807.*

CHAPITRE XXVI

DE LA PUDEUR

Une femme de Madagascar laisse voir sans y songer ce qu'on cache le plus ici, mais mourrait de honte plutôt que de montrer son bras. Il est clair que les trois quarts de la pudeur sont une chose apprise. C'est peut-être la seule loi, fille de la civilisation, qui ne produise que du bonheur.

On a observé que les oiseaux de proie se cachent pour boire, c'est qu'obligés de plonger la tête dans l'eau, ils sont sans défense en ce moment. Après avoir considéré ce qui se passe à Otaïti *, je ne vois pas d'autre base naturelle à la pudeur.

L'amour est le miracle de la civilisation. On ne trouve qu'un amour physique et des plus grossiers chez les peuples sauvages ou trop barbares;

Et la pudeur prête à l'amour le secours de l'imagination, c'est lui donner la vie.

La pudeur est enseignée de très bonne heure aux petites filles par leurs mères, et avec une extrême jalousie, on dirait comme par esprit de corps; c'est que les femmes prennent soin d'avance du bonheur de l'amant qu'elles auront.

Pour une femme timide et tendre rien ne doit être au-dessus du supplice de s'être permis, en présence d'un homme, quelque chose dont elle croit devoir rougir; je suis convaincu qu'une femme, un peu fière, préférerait mille morts. Une légère liberté, prise du côté tendre par l'homme qu'on aime, donne un moment de

---

* Voir les voyages de Bougainville, de Cook, etc. Chez quelques animaux la femelle semble se refuser au moment où elle se donne. C'est à l'anatomie comparée que nous devons demander les plus mportantes révélations sur nous-mêmes.

plaisir vif *; s'il a l'air de la blâmer ou seulement de ne pas en jouir avec transport, elle doit laisser dans l'âme un doute affreux. Pour une femme au-dessus du vulgaire, il y a donc tout à gagner à avoir des manières fort réservées. Le jeu n'est pas égal; on hasarde contre un petit plaisir ou contre l'avantage de paraître un peu plus aimable, le danger d'un remords cuisant et d'un sentiment de honte, qui doit rendre même l'amant moins cher. Une soirée passée gaiement, à l'étourdie et sans songer à rien, est chèrement payée à ce prix. La vue d'un amant avec lequel on craint d'avoir eu ce genre de torts, doit devenir odieuse pour plusieurs jours. Peut-on s'étonner de la force d'une habitude à laquelle les plus légères infractions sont punies par la honte la plus atroce ?

Quant à l'utilité de la pudeur, elle est la mère de l'amour; on ne saurait plus lui rien contester. Pour le mécanisme du sentiment rien n'est si simple; l'âme s'occupe à avoir honte, au lieu de s'occuper à désirer; on s'interdit les désirs, et les désirs conduisent aux actions.

Il est évident que toute femme tendre et fière, et ces deux choses, étant cause et effet, vont difficilement l'une sans l'autre, doit contracter des habitudes de froideur que les gens qu'elles déconcertent appellent de la pruderie.

L'accusation est d'autant plus spécieuse qu'il est très difficile de garder un juste milieu; pour peu qu'une femme ait peu d'esprit et beaucoup d'orgueil, elle doit bientôt en venir à croire qu'en fait de pudeur, on n'en saurait trop faire. C'est ainsi qu'une Anglaise se croit insultée si l'on prononce devant elle le nom de certains vêtements. Une Anglaise se garderait bien, le soir à la campagne, de se laisser voir quittant le salon avec son mari; et, ce qui est plus grave, elle croit blesser la pudeur si elle montre quelque enjouement devant tout autre que ce mari **. C'est peut-être à cause d'une attention si délicate que les Anglais, gens d'esprit, laissent voir tant d'ennui de leur bonheur domestique. A eux la faute, pourquoi tant d'orgueil *** ?

---

* Fait voir son amour d'une façon nouvelle.
** Voir l'admirable peinture de ces mœurs ennuyeuses, à la fin de *Corinne* ; et Mme de Staël a flatté le portrait.
*** La Bible et l'aristocratie se vengent cruellement sur les gens qui croient leur devoir tout.

En revanche, passant tout à coup de Plymouth à Cadix et Séville, je trouvai qu'en Espagne la chaleur du climat et des passions faisait un peu trop oublier une retenue nécessaire. Je remarquai des caresses fort tendres qu'on se permettait en public, et qui, loin de me sembler touchantes, m'inspiraient un sentiment tout opposé. Rien n'est plus pénible.

Il faut s'attendre à trouver *incalculable* la force des habitudes inspirées aux femmes sous prétexte de pudeur. Une femme vulgaire, en outrant la pudeur, croit se faire l'égale d'une femme distinguée.

L'empire de la pudeur est tel qu'une femme tendre arrive à se trahir envers son amant plutôt par des faits que par des paroles.

La femme la plus jolie, la plus riche et la plus facile de Bologne, vient de me conter qu'hier soir, un fat français, qui est ici et qui donne une drôle d'idée de sa nation, s'est avisé de se cacher sous son lit. Il voulait apparemment ne pas perdre un nombre infini de déclarations ridicules dont il la poursuit depuis un mois. Mais ce grand homme a manqué de présence d'esprit; il a bien attendu que Mme M... eût congédié sa femme de chambre et se fût mise au lit, mais il n'a pas eu la patience de donner aux gens le temps de s'endormir. Elle s'est jetée à la sonnette, et l'a fait chasser honteusement au milieu des huées et des coups de cinq ou six laquais. « Et s'il eût attendu deux heures ? » lui disais-je. — « J'aurais été bien malheureuse ! Qui pourra douter, m'eût-il dit, que je ne sois ici par vos ordres * ?

Au sortir de chez cette jolie femme, je suis allé chez la femme la plus digne d'être aimée que je connaisse. Son extrême délicatesse est, s'il se peut, au-dessus de sa beauté touchante. Je la trouve seule et lui conte l'histoire de Mme M... Nous raisonnons là-dessus : « Écoutez, me dit-elle, si l'homme qui se permet cette action, était aimable auparavant aux yeux de cette femme, on lui pardonnera et par la suite on l'aimera. » — J'avoue que je suis resté confondu de cette lumière imprévue jetée sur les profondeurs du cœur humain. Je lui ai répondu au bout d'un silence : — « Mais, quand on aime, a-t-on le courage de se porter aux dernières violences ? »

---

* On me conseille de supprimer ce détail : « Vous me prenez pour une femme bien leste, d'oser conter de telles choses devant moi. »

Il y aurait bien moins de vague dans ce chapitre si une femme l'eût écrit. Tout ce qui tient à la fierté de l'orgueil féminin, à l'habitude de la pudeur et de ses excès, à certaines *délicatesses*, la plupart dépendant uniquement d'*associations de sensations* *, qui ne peuvent pas exister chez les hommes, et souvent *délicatesses* non fondées dans la nature; toutes ces choses, dis-je, ne pourraient se trouver ici qu'autant qu'on se serait permis d'écrire sur ouï-dire.

Une femme me disait, dans un moment de franchise philosophique, quelque chose qui revient à ceci :

« Si je sacrifiais jamais ma liberté, l'homme que j'arriverais à préférer apprécierait davantage mes sentiments, en voyant combien j'ai toujours été avare même des préférences des plus légères. » C'est en faveur de cet amant qu'elle ne rencontrera peut-être jamais, que telle femme aimable montre de la froideur à l'homme qui lui parle en ce moment. Voilà la première exagération de la pudeur; celle-ci est respectable, la seconde vient de l'orgueil des femmes; la troisième source d'exagération c'est l'orgueil des maris.

Il me semble que cette possibilité d'amour se présente souvent aux rêveries de la femme même la plus vertueuse, et elles ont raison. Ne pas aimer quand on a reçu du ciel une âme faite pour l'amour, c'est se priver soi et autrui d'un grand bonheur. C'est comme un oranger qui ne fleurirait pas de peur de faire un péché; et remarquez qu'une âme faite pour l'amour ne peut goûter avec transport aucun autre bonheur. Elle trouve, dès la seconde fois, dans les prétendus plaisirs du monde un vide insupportable; elle croit souvent aimer les beaux-arts et les aspects sublimes de la nature, mais ils ne font que lui promettre et lui exagérer l'amour, s'il est possible, et elle s'aperçoit bientôt qu'ils lui parlent d'un bonheur dont elle a résolu de se priver.

La seule chose que je voie à blâmer dans la pudeur, c'est de conduire à l'habitude de mentir; c'est le seul avantage que les femmes faciles aient sur les femmes tendres. Une femme facile vous dit : « Mon cher ami,

---

* La pudeur est une des sources du goût pour la parure; par tel ajustement une femme se promet plus ou moins. C'est ce qui fait que la parure est déplacée dans la vieillesse.
Une femme de province, si elle prétend à Paris suivre la mode, se promet d'une manière gauche et qui fait rire. Une provinciale arrivant à Paris doit commencer par se mettre comme si elle avait trente ans.

dès que vous me plairez je vous le dirai, et je serai plus aise que vous, car j'ai beaucoup d'estime pour vous. »

Vive satisfaction de Constance, s'écriant après la victoire de son amant : Que je suis heureuse de ne m'être donnée à personne depuis huit ans que je suis brouillée avec mon mari !

Quelque ridicule que je trouve ce raisonnement, cette joie me semble pleine de fraîcheur.

Il faut absolument que je conte ici de quelle nature étaient les regrets d'une dame de Séville abandonnée par son amant. J'ai besoin qu'on se rappelle qu'en amour tout est signe, et surtout qu'on veuille bien accorder un peu d'indulgence à mon style *.

. . . .

Mes yeux d'homme croient distinguer neuf particularités dans la *pudeur*.

1º L'on joue beaucoup contre peu, donc être extrêmement réservée, donc souvent affectation; l'on ne rit pas, par exemple, des choses qui amusent le plus; donc il faut beaucoup d'esprit pour avoir juste ce qu'il faut de pudeur **. C'est pour cela que beaucoup de femmes n'en ont pas assez en petit comité, ou, pour parler plus juste, n'exigent pas que les contes qu'on leur fait soient assez gazés, et ne perdent leurs voiles qu'à mesure du degré d'ivresse et de folie ***.

Serait-ce par un effet de la pudeur et du mortel ennui qu'elle doit imposer à plusieurs femmes, que la plupart d'entre elles n'estiment rien tant dans un homme que l'effronterie ? ou prennent-elles l'effronterie pour du caractère ?

2º Deuxième loi : Mon amant m'en estimera davantage.

3º La force de l'habitude l'emporte même dans les instants les plus passionnés.

4º La pudeur donne des plaisirs bien flatteurs à

---

* Note * de la page 88.
** Voir le ton de la société à Genève, surtout dans les familles *du haut;* utilité d'une cour pour corriger par le ridicule la tendance à la pruderie; Duclos faisant des contes à Mme de Rochefort : « En vérité, vous nous croyez trop honnêtes femmes ». Rien n'est ennuyeux au monde comme la pudeur non sincère.
*** Eh! mon cher Fronsac, il y a vingt bouteilles de champagne entre le conte que tu nous commences et ce que nous disons à cette heure.

l'amant; elle lui fait sentir quelles lois l'on transgresse pour lui.

5° Et aux femmes des plaisirs plus *enivrants;* comme ils font vaincre une habitude puissante, ils jettent plus de trouble dans l'âme. Le comte de Valmont se trouve à minuit dans la chambre à coucher d'une jolie femme, cela lui arrive toutes les semaines, et à elle peut-être une fois tous les deux ans; la rareté et la pudeur doivent donc préparer aux femmes des plaisirs infiniment plus vifs *.

6° L'inconvénient de la pudeur, c'est qu'elle jette sans cesse dans le mensonge.

7° L'excès de la pudeur et sa sévérité découragent d'aimer les âmes tendres et timides **, justement celles qui sont faites pour donner et sentir les délices de l'amour.

8° Chez les femmes tendres qui n'ont pas eu plusieurs amants, la pudeur est un obstacle à l'aisance des manières, c'est ce qui les expose à se laisser un peu mener par leurs amies qui n'ont pas le même manque *** à se reprocher. Elles donnent de l'attention à chaque cas particulier, au lieu de s'en remettre aveuglément à l'habitude. Leur pudeur délicate communique à leurs actions quelque chose de contraint; à force de

---

* C'est l'histoire du tempérament mélancolique comparé au tempérament sanguin. Voyez une femme vertueuse, même de la vertu mercantile des religions (vertueuse moyennant récompense centuple dans un paradis) et un roué de quarante ans blasé. Quoique le Valmont des *Liaisons dangereuses* n'en soit pas encore là, la présidente de Tourvel est plus heureuse que lui tout le long du roman; et, si l'auteur, qui avait tant d'esprit, en eût eu davantage, telle eût été la moralité de son ingénieux ouvrage.

** Le tempérament mélancolique, que l'on peut appeler le tempérament de l'amour. J'ai vu les femmes les plus distinguées et les plus faites pour aimer donner la préférence, faute d'esprit, au prosaïque tempérament sanguin. Histoire d'Alfred, Grande Chartreuse, 1810.

Je ne connais pas d'idée qui m'engage plus à voir ce qu'on appelle mauvaise compagnie.

(Ici le pauvre Visconti se perd dans les nues.

Toutes les femmes sont les mêmes pour le fond des mouvements du cœur et des passions; les *formes* des passions sont différentes. Il y a la différence que donne une plus grande fortune, une plus grande culture de l'esprit, l'habitude de plus hautes pensées, et par-dessus tout, et malheureusement, un orgueil plus irritable.

Telle parole qui irrite une princesse ne choque pas le moins du monde une bergère des Alpes. Mais une fois en colère, la princesse et la bergère ont les mêmes mouvements de passion.)

(Note unique de l'Éditeur.)

*** Mot de M...

naturel, elles se donnent l'apparence de manquer de
naturel; mais cette gaucherie tient à la grâce céleste.

Si quelquefois leur familiarité ressemble à de la
tendresse, c'est que ces âmes angéliques sont coquettes
sans le savoir. Par paresse d'interrompre leur rêverie,
pour s'éviter la peine de parler, et de trouver quelque
chose d'agréable et de poli, et qui ne soit que poli, à
dire à un ami, elles se mettent à s'appuyer tendrement
sur son bras *.

9º Ce qui fait que les femmes, quand elles se font
auteurs, atteignent bien rarement au sublime, ce qui
donne de la grâce à leurs moindres billets, c'est que
jamais elles n'osent être franches qu'à demi : être franches
serait pour elles comme sortir sans fichu. Rien de plus
fréquent pour un homme que d'écrire absolument sous
la dictée de son imagination, et sans savoir où il va.

RÉSUMÉ

L'erreur commune est d'en agir avec les femmes
comme avec des espèces d'hommes plus généreux, plus
mobiles, et surtout avec lesquels il n'y a pas de rivalité
possible. L'on oublie trop facilement qu'il y a deux lois
nouvelles et singulières qui tyrannisent ces êtres si
mobiles, en concurrence avec tous les penchants ordinaires de la nature humaine, je veux dire :

L'orgueil féminin, et la pudeur, et les habitudes souvent indéchiffrables filles de la pudeur.

---

* Vol. Guarna.

CHAPITRE XXVII

DES REGARDS

C'est la grande arme de la coquetterie vertueuse. On peut tout dire avec un regard, et cependant on peut toujours nier un regard, car il ne peut pas être répété textuellement.

Ceci me rappelle le comte G[iraud], le Mirabeau de Rome : l'aimable petit gouvernement de ce pays-là lui a donné une manière originale de faire des récits, par des mots entrecoupés qui disent tout et rien. Il fait tout entendre, mais libre à qui que ce soit de répéter textuellement toutes ses paroles, impossible de le compromettre. Le cardinal Lante lui disait qu'il avait volé ce talent aux femmes, je dis même les plus honnêtes. Cette friponnerie est une représaille cruelle, mais juste, de la tyrannie des hommes.

CHAPITRE XXVIII

DE L'ORGUEIL FÉMININ

Les femmes entendent parler toute leur vie, par les hommes, d'objets prétendus importants, de gros gains d'argent, de succès à la guerre, de gens tués en duel, de vengeances atroces ou admirables, etc. Celles d'entre elles qui ont l'âme fière sentent que, ne pouvant atteindre à ces objets, elles sont hors d'état de déployer un orgueil remarquable, par l'importance des choses sur lesquelles il s'appuie. Elles sentent palpiter dans leur sein un cœur qui, par la force et la fierté de ses mouvements, est supérieur à tout ce qui les entoure, et cependant elles voient les derniers des hommes s'estimer plus qu'elles. Elles s'aperçoivent qu'elles ne sauraient montrer d'orgueil que pour de petites choses, ou du moins que pour des choses qui n'ont d'importance que par le sentiment, et dont un tiers ne peut être juge. Tourmentées par ce contraste désolant, entre la bassesse de leur fortune et la fierté de leur âme, elles entreprennent de rendre leur orgueil respectable par la vivacité de ses transports, ou par l'implacable ténacité avec laquelle elles maintiennent ses arrêts. Avant l'intimité, ces femmes-là se figurent, en voyant leur amant, qu'il a entrepris un siège contre elles. Leur imagination est employée à s'irriter de ses démarches qui, après tout, ne peuvent pas faire autrement que de marquer de l'amour, puisqu'il aime. Au lieu de jouir des sentiments de l'homme qu'elles préfèrent, elles se piquent de vanité à son égard; et enfin, avec l'âme la plus tendre, lorsque sa sensibilité n'est pas fixée sur un seul objet, dès qu'elles aiment, comme une coquette vulgaire, elles n'ont plus que de la vanité.

Une femme à caractère généreux sacrifiera mille fois sa vie pour son amant, et se brouillera à jamais avec lui pour une querelle d'orgueil, à propos d'une porte ouverte ou fermée. C'est là leur point d'honneur. Napoléon s'est bien perdu pour ne pas céder un village.

J'ai vu une querelle de cette espèce durer plus d'un an. Une femme très distinguée sacrifiait tout son bonheur plutôt que de mettre son amant dans le cas de pouvoir former le moindre doute sur la magnanimité de son orgueil. Le raccommodement fut l'effet du hasard, et chez mon amie, d'un moment de faiblesse qu'elle ne put vaincre, en rencontrant son amant, qu'elle croyait à quarante lieues de là, et le trouvant dans un lieu où certainement il ne s'attendait pas à la voir. Elle ne put cacher son premier transport de bonheur; l'amant s'attendrit plus qu'elle, ils tombèrent presque aux genoux l'un de l'autre, et jamais je n'ai vu couler tant de larmes; c'était la vue imprévue du bonheur. Les larmes sont l'extrême sourire.

Le duc d'Argyle donna un bel exemple de présence d'esprit en n'engageant pas un combat d'orgueil féminin dans l'entrevue qu'il eut à Richemont, avec la reine Carolin *. Plus il y a d'élévation dans le caractère d'une femme, plus terribles sont ces organes :

> As the blackest sky
> Foretells the heaviest tempest.
>
> D. Juan.

Serait-ce que plus une femme jouit avec transport, dans le courant de la vie, des qualités distinguées de son amant, plus dans ces instants cruels où la sympathie semble renversée, elle cherche à se venger de ce qu'elle lui voit habituellement de supériorité sur les autres hommes ? Elle craint d'être confondue avec eux.

Il y a bien du temps que je n'ai lu l'ennuyeuse *Clarisse;* il me semble pourtant que c'est par orgueil féminin qu'elle se laisse mourir et n'accepte pas la main de Lovelace.

La faute de Lovelace était grande; mais puisqu'elle l'aimait un peu, elle aurait pu trouver dans son cœur le pardon d'un crime dont l'amour était cause.

Monime, au contraire, me semble un touchant modèle de délicatesse féminine. Quel front ne rougit pas

---

* *The Heart of Midlothian*, tome III.

de plaisir en entendant dire par une actrice digne de ce
rôle :

> *Et ce fatal amour, dont j'avais triomphé,*
> . . . .
> *Vos détours l'ont surpris et m'en ont convaincue.*
> *Je vous l'ai confessé, je le dois soutenir ;*
> *En vain vous en pourriez perdre le souvenir ;*
> *Et cet aveu honteux, où vous m'avez forcée,*
> *Demeurera toujours présent à ma pensée.*
> *Toujours je vous croirais incertain de ma foi ;*
> *Et le tombeau, Seigneur, est moins triste pour moi*
> *Que le lit d'un époux qui m'a fait cet outrage,*
> *Qui s'est acquis sur moi ce cruel avantage,*
> *Et, qui, me préparant un éternel ennui,*
> *M'a fait rougir d'un feu qui n'était pas pour lui.*

> RACINE.

Je m'imagine que les siècles futurs diront : Voilà à
quoi la monarchie * était bonne, à produire de ces sortes
de caractères, et leur peinture par les grands artistes.

Cependant, même dans les républiques du moyen
âge, je trouve un admirable exemple de cette délicatesse,
qui semble détruire mon système de l'influence des
gouvernements sur les passions, et que je rapporterai
avec candeur.

Il s'agit de ces vers si touchants de Dante :

> *Deh! quando tu sarai tornato al mondo,*
> . . . .
> *Ricordati di me, che son la Pia :*
> *Siena mi fe' : disfecemi Maremma;*
> *Salsi colui, che innanellata pria*
> *Disposando m'avea con la sua gemma.*

> *Purgatorio*, c. V **.

---

* La monarchie sans charte et sans chambres.
** Hélas! quand tu seras de retour au monde des vivants, daigne
aussi m'accorder un souvenir. Je suis la Pia, Sienne me donna la vie,
je trouvai la mort dans nos maremmes. Celui qui en m'épousant
m'avait donné son anneau sait mon histoire.

La femme qui parle avec tant de retenue, avait eu en secret le sort de Desdemona, et pouvait par un mot faire connaître le crime de son mari aux amis qu'elle avait laissés sur la terre.

Nello della Pietra obtint la main de madonna Pia, l'unique héritière des Tolomei, la famille la plus riche et la plus noble de Sienne. Sa beauté, qui faisait l'admiration de la Toscane, fit naître dans le cœur de son époux une jalousie qui, envenimée par de faux rapports et des soupçons sans cesse renaissants, le conduisit à un affreux projet. Il est difficile de décider aujourd'hui si sa femme fut tout à fait innocente, mais le Dante nous la représente comme telle.

Son mari la conduisit dans la maremme de Sienne, célèbre alors comme aujourd'hui par les effets de l'*aria cattiva*. Jamais il ne voulut dire à sa malheureuse femme la raison de son exil en un lieu si dangereux. Son orgueil ne daigna prononcer ni plainte ni accusation. Il vivait seul avec elle, dans une tour abandonnée, dont je suis allé visiter les ruines sur le bord de la mer ; là il ne rompit jamais son dédaigneux silence, jamais il ne répondit aux questions de sa jeune épouse, jamais il n'écouta ses prières. Il attendit froidement auprès d'elle que l'air pestilentiel eût produit son effet. Les vapeurs de ces marais ne tardèrent pas à flétrir ces traits, les plus beaux, dit-on, qui dans ce siècle eussent paru sur cette terre. En peu de mois elle mourut. Quelques chroniqueurs de ces temps éloignés rapportent que Nello employa le poignard pour hâter sa fin : elle mourut dans les maremmes, de quelque manière horrible ; mais le genre de sa mort fut un mystère, même pour les contemporains. Nello della Pietra survécut pour passer le reste de ses jours dans un silence qu'il ne rompit jamais.

Rien de plus noble et de plus délicat que la manière dont la jeune Pia adresse la parole au Dante. Elle désire être rappelée à la mémoire des amis que si jeune elle a laissés sur la terre ; toutefois en se nommant et désignant son mari, elle ne veut pas se permettre la plus petite plainte d'une cruauté inouïe, mais désormais irréparable, et seulement indique qu'il sait l'histoire de sa mort.

Cette constance dans la vengeance de l'orgueil ne se voit guère, je crois, que dans les pays du Midi.

En Piémont, je me suis trouvé l'involontaire témoin d'un fait à peu près semblable ; mais alors j'ignorais les

détails. Je fus envoyé avec vingt-cinq dragons dans les
bois le long de la Sesia, pour empêcher la contrebande.
En arrivant le soir dans ce lieu sauvage et désert, j'aperçus entre les arbres les ruines d'un vieux château;
j'y allai : à mon grand étonnement, il était habité. J'y
trouvai un noble du pays, à figure sinistre; un homme
qui avait six pieds de haut, et quarante ans : il me donna
deux chambres en rechignant. J'y faisais de la musique
avec mon maréchal des logis : après plusieurs jours,
nous découvrîmes que notre homme gardait une femme
que nous appelions Camille en riant; nous étions loin
de soupçonner l'affreuse vérité. Elle mourut au bout
de six semaines. J'eus la triste curiosité de la voir dans
son cercueil; je payai un moine qui la gardait, et vers
minuit, sous prétexte de jeter de l'eau bénite, il m'in-
troduisit dans la chapelle. J'y trouvai une de ces figures
superbes, qui sont belles même dans le sein de la mort,
elle avait un grand nez aquilin dont je n'oublierai jamais
le contour noble et tendre. Je quittai ce lieu funeste;
cinq ans après, un détachement de mon régiment
accompagnant l'empereur à son couronnement comme
roi d'Italie, je me fis conter toute l'histoire. J'appris
que le mari jaloux, le comte ***, avait trouvé un matin,
accrochée au lit de sa femme, une montre anglaise
appartenant à un jeune homme de la petite ville qu'ils
habitaient. Ce jour même il la conduisit dans le château
ruiné, au milieu des bois de la Sesia. Comme Nello
della Pietra, il ne prononça jamais une seule parole.
Si elle lui faisait quelque prière, il lui présentait froidement et en silence la montre anglaise qu'il avait toujours
sur lui. Il passa ainsi près de trois ans seul avec elle.
Elle mourut enfin de désespoir dans la fleur de l'âge.
Son mari chercha à donner un coup de couteau au
maître de la montre, le manqua, passa à Gênes, s'embarqua, et l'on n'a plus eu de ses nouvelles. Ses biens
ont été divisés.

Si, auprès des femmes à orgueil féminin, l'on prend
les injures avec grâce, ce qui est facile à cause de l'habitude de la vie militaire, on ennuie ces âmes fières;
elles vous prennent pour un lâche, et arrivent bien vite
à l'outrage. Ces caractères altiers cèdent avec plaisir
aux hommes qu'elles voient intolérants avec les autres
hommes. C'est, je crois, le seul parti à prendre, et il faut
souvent avoir une querelle avec son voisin, pour l'éviter
avec sa maîtresse.

Miss Cornel, célèbre actrice de Londres, voit un jour entrer chez elle à l'improviste le riche colonel qui lui était utile. Elle se trouvait avec un petit amant qui ne lui était qu'agréable. « M. un tel, dit-elle tout émue au colonel, est venu pour voir le poney que je veux vendre. — Je suis ici pour tout autre chose », reprit fièrement ce petit amant qui commençait à l'ennuyer, et que depuis cette réponse elle se mit à réaimer avec fureur *. Ces femmes-là sympathisent avec l'orgueil de leur amant au lieu d'exercer à ses dépens leur disposition à la fierté.

Le caractère du duc de Lauzun (celui de 1660) **, si le premier jour elles peuvent lui pardonner le manque de grâces, est séduisant pour ces femmes-là, et peut-être pour toutes les femmes distinguées ; la grandeur plus élevée leur échappe, elles prennent pour de la froideur le calme de l'œil qui voit tout et qui ne s'émeut point d'un détail. N'ai-je pas vu des femmes de la cour de Saint-Cloud soutenir que Napoléon avait un caractère sec et prosaïque *** ? Le grand homme est comme l'aigle ; plus il s'élève moins il est visible, et il est puni de sa grandeur par la solitude de l'âme.

De l'orgueil féminin naît ce que les femmes appellent les *manques de délicatesse*. Je crois que cela ressemble assez à ce que les rois appellent lèse-majesté, crime d'autant plus dangereux qu'on y tombe sans s'en douter. L'amant le plus tendre peut être accusé de manquer

---

* Je rentre toujours de chez miss Cornel plein d'admiration et de vues profondes sur les passions observées à nu. Dans sa manière de commander si impérieuse à ses domestiques, ce n'est pas du despotisme, c'est qu'elle voit avec netteté et rapidité ce qu'il faut faire.

En colère contre moi au commencement de la visite, elle n'y songe plus à la fin. Elle me conte toute l'économie de sa passion pour Mortimer. « J'aime mieux le voir en société que seul avec moi. » Une femme du plus grand génie ne ferait pas mieux, c'est qu'elle ose être parfaitement *naturelle*, et qu'elle n'est gênée par aucune théorie. « Je suis plus heureuse actrice que femme d'un pair. » Grande âme que je dois me conserver amie pour mon instruction.

** La hauteur et le courage dans les petites choses, mais l'attention passionnée aux petites choses ; la véhémence du tempérament bilieux, sa conduite avec Mme de Monaco (Saint-Simon, V, 383) ; son aventure sous le lit de Mme de Montespan, le roi y étant avec elle. Sans l'attention aux petites choses, ce caractère reste invisible aux femmes.

*** *When Minna Troïl heard a tale of woe or of romance, it was then her blood rushed to her cheeks, and shewed plainly how warm it beat notwithstanding the generally serious composed and retiring disposition which her countenance and demeanour seemed to exhibit. The Pirate*, I, 33.

Les gens communs trouvent froides les âmes comme Minna Troïl qui ne jugent pas les circonstances ordinaires dignes de leur émotion.

de délicatesse, s'il n'a pas beaucoup d'esprit, et, ce qui est plus triste, s'il ose se livrer au plus grand charme de l'amour, au bonheur d'être parfaitement naturel avec ce qu'on aime, et de ne pas écouter ce qu'on lui dit.

Voilà de ces choses dont un cœur bien né ne saurait avoir le soupçon, et qu'il faut avoir éprouvées pour y croire, car l'on est entraîné par l'habitude d'en agir avec justice et franchise avec ses amis hommes.

Il faut se rappeler sans cesse qu'on a affaire à des êtres qui, quoique à tort, peuvent se croire inférieurs en vigueur de caractère ou, pour mieux dire, peuvent penser qu'on les croit inférieurs.

Le véritable orgueil d'une femme ne devrait-il pas se placer dans l'énergie du sentiment qu'elle inspire ? On plaisantait une fille d'honneur de la reine épouse de François Ier, sur la légèreté de son amant qui, disait-on, ne l'aimait guère. Peu de temps après, cet amant eut une maladie et reparut muet à la cour. Un jour, au bout de deux ans, comme on s'étonnait qu'elle l'aimât toujours, elle lui dit : « Parlez. » Et il parla.

CHAPITRE XXIX

DU COURAGE DES FEMMES

> *I tell thee proud templar, that*
> *not in thy fiercest battles hadst*
> *thou displayed more of thy vaun-*
> *ted courage, than has been shewn*
> *by woman when called upon to*
> *suffer by affection or duty.*
>
> Ivanhoe, tome 3, page 220.

Je me souviens d'avoir rencontré la phrase suivante dans un livre d'histoire : « Tous les hommes perdaient la tête; c'est le moment où les femmes prennent sur eux une incontestable supériorité. »

Leur courage a une *réserve* qui manque à celui de leur amant; elles se piquent d'amour-propre à son égard et trouvent tant de plaisir à pouvoir dans le feu du danger le disputer de fermeté à l'homme qui les blesse souvent par la fierté de sa protection et de sa force, que l'énergie de cette jouissance les élève au-dessus de la crainte quelconque qui, dans ce moment, fait la faiblesse des hommes. Un homme aussi, s'il recevait un tel secours dans un tel moment, se montrerait supérieur à tout; car la peur n'est jamais dans le danger, elle est dans nous.

Ce n'est pas que je prétende déprécier le courage des femmes, j'en ai vu, dans l'occasion, de supérieures aux hommes les plus braves. Il faut seulement qu'elles aient un homme à aimer; comme elles ne sentent plus que par lui, le danger direct et personnel le plus atroce devient pour elles comme une rose à cueillir en sa présence *.

J'ai trouvé aussi chez des femmes qui n'aimaient pas, l'intrépidité la plus froide, la plus étonnante, la plus exempte de nerfs.

* Marie Stuart parlant de Leicester, après l'entrevue avec Élisabeth où elle vient de se perdre.   SCHILLER.

Il est vrai que je pensais qu'elles ne sont si braves que parce qu'elles ignorent l'ennui des blessures.

Quant au courage moral, si supérieur à l'autre, la fermeté d'une femme qui résiste à son amour est seulement la chose la plus admirable qui puisse exister sur la terre. Toutes les autres marques possibles de courage sont des bagatelles auprès d'une chose si fort contre nature et si pénible. Peut-être trouvent-elles des forces dans cette habitude des sacrifices que la pudeur fait contracter.

Un malheur des femmes, c'est que les preuves de ce courage restent toujours secrètes, et soient presque indivulgables.

Un malheur plus grand, c'est qu'il soit toujours employé contre leur bonheur : la princesse de Clèves devait ne rien dire à son mari, et se donner à M. de Nemours.

Peut-être que les femmes sont principalement soutenues par l'orgueil de faire une belle défense, et qu'elles s'imaginent que leur amant met de la vanité à les avoir; idée petite et misérable : un homme passionné qui se jette de gaieté de cœur dans tant de situations ridicules a bien le temps de songer à la vanité! C'est comme les moines qui croient attraper le diable, et qui se payent par l'orgueil de leurs cilices et de leurs macérations.

Je crois que si Mme de Clèves fût arrivée à la vieillesse, à cette époque où l'on juge la vie, et où les jouissances d'orgueil paraissent dans toute leur misère, elle se fût repentie. Elle aurait voulu avoir vécu comme Mme de La Fayette *.

Je viens de relire cent pages de cet essai; j'ai donné une idée bien pauvre du véritable amour, de l'amour qui occupe toute l'âme, la remplit d'images tantôt les plus heureuses, tantôt désespérantes, mais toujours sublimes, et la rend complètement insensible à tout le reste de ce qui existe. Je ne sais comment exprimer ce que je vois si bien; je n'ai jamais senti plus péniblement le manque de talent. Comment rendre sensible la simplicité de gestes et de caractères, le profond sérieux, le regard peignant si juste, et avec tant de candeur, la

---

* On sait assez que cette femme célèbre fit probablement en société avec M. de La Rochefoucauld le roman de la *Princesse de Clèves,* et que les deux auteurs passèrent ensemble dans une amitié parfaite les vingt dernières années de leur vie. C'est exactement l'amour à l'italienne.

nuance du sentiment, et surtout, j'y reviens, cette inexprimable non-curance pour tout ce qui n'est pas la femme qu'on aime ? Un *non* ou un *oui* dit par un homme qui aime a une *onction* que l'on ne trouve point ailleurs, que l'on ne trouvait point chez cet homme en d'autres temps. Ce matin (3 août), j'ai passé à cheval, sur les neuf heures, devant le joli jardin anglais du marquis Zampieri, placé sur les dernières ondulations de ces collines couronnées de grands arbres contre lesquelles Bologne est adossée, et desquelles on jouit d'une si belle vue de cette riche et verdoyante Lombardie, le plus beau pays du monde. Dans un bosquet de lauriers du jardin Zampieri qui domine le chemin que je suivais et qui conduit à la cascade du Reno à Casa-Lecchio, j'ai vu le comte Delfante ; il rêvait profondément, et quoique nous ayons passé la soirée ensemble jusqu'à deux heures après minuit, à peine m'a-t-il rendu mon salut. Je suis allé à la cascade, j'ai traversé le Reno ; enfin, trois heures après au moins, en repassant sous le bosquet du jardin Zampieri, je l'ai vu encore ; il était précisément dans la même position, appuyé contre un grand pin qui s'élève au-dessus du bosquet de lauriers ; je crains qu'on ne trouve ce détail trop simple et ne prouvant rien : il est venu à moi la larme à l'œil, me priant de ne pas faire un conte de son immobilité. J'ai été touché ; je lui ai proposé de rebrousser chemin, et d'aller avec lui passer le reste de la journée à la campagne. Au bout de deux heures, il m'a tout dit : c'est une belle âme ; mais que les pages que l'on vient de lire sont froides auprès de ce qu'il me disait !

En second lieu, il se croit *non aimé ;* ce n'est pas mon avis. On ne peut rien lire sur la belle figure de marbre de la comtesse Ghigi, chez laquelle nous avons passé la soirée. Seulement quelquefois une rougeur subite et légère, qu'elle ne peut réprimer, vient trahir les émotions de cette âme que l'orgueil féminin le plus exalté dispute aux émotions fortes. On voit son cou d'albâtre et ce qu'on aperçoit de ces belles épaules dignes de Canova rougir aussi. Elle trouve bien l'art de soustraire ses yeux noirs et sombres à l'observation des gens dont sa délicatesse de femme redoute la pénétration ; mais j'ai vu cette nuit, à certaine chose que disait Delfante et qu'elle désapprouvait, une subite rougeur la couvrir tout entière. Cette âme hautaine le trouvait moins digne d'elle.

Mais enfin, quand je me tromperais dans mes conjectures sur le bonheur de Delfante, à la vanité près, je le crois plus heureux que moi indifférent, qui cependant suis dans une position de bonheur fort bien, en apparence et en réalité.

Bologne, 3 août 1818.

CHAPITRE XXX

SPECTACLE SINGULIER ET TRISTE

Les femmes, avec leur orgueil féminin, se vengent des sots sur les gens d'esprit, et des âmes prosaïques, à argent et à coups de bâton, sur les cœurs généreux. Il faut convenir que voilà un beau résultat.

Les petites considérations de l'orgueil et des convenances du monde ont fait le malheur de quelques femmes, et par orgueil leurs parents les ont placées dans une position abominable. Le destin leur avait réservé pour consolation bien supérieure à tous leurs malheurs le bonheur d'aimer et d'être aimée avec passion; mais voilà qu'un beau jour elles empruntent à leurs ennemis ce même orgueil insensé dont elles furent les premières victimes, et c'est pour tuer le seul bonheur qui leur reste, c'est pour faire leur propre malheur et le malheur de qui les aime. Une amie qui a eu dix intrigues connues, et non pas toujours les unes après les autres, leur persuade gravement que si elles aiment, elles seront déshonorées aux yeux du public; et cependant ce bon public, qui ne s'élève jamais qu'à des idées basses, leur donne généreusement un amant tous les ans, parce que, dit-il, c'est la règle. Ainsi l'âme est attristée par ce spectacle bizarre, une femme tendre et souverainement délicate, un ange de pureté, sur l'avis d'une catin sans délicatesse, fuit le seul et immense bonheur qui lui reste, pour paraître avec une robe d'une éclatante blancheur, devant un gros butor de juge qu'on sait aveugle depuis cent ans, et qui crie à tue-tête : Elle est vêtue de noir.

CHAPITRE XXXI

EXTRAIT DU JOURNAL DE SALVIATI

Ingenium nobis ipsa puella facit.
PROPERT. 2, 1.

Bologne, 29 avril 1818.

Désespéré du malheur où l'amour me réduit, je maudis mon existence. Je n'ai le cœur à rien. Le temps est sombre, il pleut, un froid tardif est venu rattrister la nature qui, après un long hiver, s'élançait au printemps.

Schiassetti, un colonel en demi-solde, un ami raisonnable et froid, est venu passer deux heures avec moi. « Vous devriez renoncer à l'aimer. — Comment faire ? Rendez-moi ma passion pour la guerre. — C'est un grand malheur pour vous de l'avoir connue. » J'en conviens presque, tant je me sens abattu et sans courage, tant la mélancolie a aujourd'hui d'empire sur moi. Nous cherchons ensemble quel intérêt a pu porter son amie à me calomnier auprès d'elle; nous ne trouvons rien que ce vieux proverbe napolitain : « Femme qu'amour et jeunesse quittent se pique d'un rien. » Ce qu'il y a de sûr, c'est que cette femme cruelle est *enragée* contre moi; c'est le mot d'un de ses amis. Je puis me venger d'une manière atroce; mais contre sa haine je n'ai pas le plus petit moyen de défense. Schiassetti me quitte. Je sors par la pluie ne sachant que devenir. Mon appartement, ce salon que j'ai habité dans les premiers temps de notre connaissance et quand je la voyais tous les soirs, m'est devenu insupportable. Chaque gravure, chaque meuble, me reprochent le bonheur que j'avais rêvé en leur présence, et que j'ai perdu pour toujours.

Je cours les rues par une pluie froide; le hasard, si je puis l'appeler hasard, me fait passer sous ses fenêtres.

Il était nuit tombante, et je marchais les yeux pleins de larmes fixés sur la fenêtre de sa chambre. Tout à coup le rideau a été un peu entrouvert comme pour voir sur la place et s'est refermé à l'instant. Je me suis senti un mouvement physique près du cœur. Je ne pouvais me soutenir : je me réfugie sous le portique de la maison voisine. Mille sentiments inondent mon âme, le hasard a pu produire ce mouvement du rideau; mais si c'était sa main qui l'eût entrouvert!

Il y a deux malheurs au monde : celui de la passion contrariée, et celui du *dead blank*.

Avec l'amour, je sens qu'il existe à deux pas de moi un bonheur immense et au delà de tous mes vœux, qui ne dépend que d'un mot, que d'un sourire.

Sans passion comme Schiassetti, les jours tristes, je ne vois nulle part le bonheur, j'arrive à douter qu'il existe pour moi, je tombe dans le spleen. Il faudrait être sans passions fortes et avoir seulement un peu de curiosité ou de vanité.

Il est deux heures du matin, j'ai vu le petit mouvement du rideau à six heures; j'ai fait dix visites, je suis allé au spectacle; mais partout silencieux et rêveur, j'ai passé la soirée à examiner cette question : « Après tant de colère et si peu fondée, car enfin, voulais-je l'offenser, et quelle est la chose au monde que l'intention n'excuse pas, a-t-elle senti un moment d'amour ? »

Le pauvre Salviati, qui a écrit ce qui précède sur son Pétrarque, mourut quelque temps après; il était notre ami intime à Schiassetti et à moi; nous connaissions toutes ses pensées, et c'est de lui que je tiens toute la partie lugubre de cet essai. C'était l'imprudence incarnée; du reste, la femme pour laquelle il a fait tant de folies est l'être le plus intéressant que j'aie rencontré. Schiassetti me disait : Mais croyez-vous que cette passion malheureuse ait été sans avantages pour Salviati ? D'abord, il éprouva le malheur d'argent le plus piquant qui se puisse imaginer. Ce malheur, qui le réduisait à une fortune très médiocre, après une jeunesse brillante, et qui l'eût outré de colère dans toute autre circonstance, il ne s'en souvenait pas une fois tous les quinze jours.

Ensuite, ce qui est bien autrement important pour une tête de cette portée, cette passion est le premier véritable cours de logique qu'il ait jamais fait. Cela paraîtra singulier chez un homme qui a été à la cour; mais cela s'explique par son extrême courage. Par

exemple, il passa sans sourciller la journée du ***, qui
le jetait dans le néant, il s'étonnait là, comme en Russie,
de ne rien sentir d'extraordinaire; il est de fait qu'il
n'a jamais rien craint au point d'y penser deux jours.
Au lieu de cette insouciance, depuis deux ans, il cherchait à chaque minute à avoir du courage; jusque-là il
n'avait pas vu de danger.

Quand, par suite de ses imprudences et de sa confiance dans les bonnes interprétations *, il se fut fait
condamner à ne voir la femme qu'il aimait que deux
fois par mois, nous l'avons vu ivre de joie passer les
nuits à lui parler, parce qu'il en avait été reçu avec cette
candeur noble qu'il adorait en elle. Il tenait que madame *** et lui avaient deux âmes hors de pair, et qui
devaient s'entendre d'un regard. Il ne pouvait comprendre qu'elle accordât la moindre attention aux petites
interprétations bourgeoises qui pouvaient le faire criminel. Le résultat de cette belle confiance dans une
femme entourée de ses ennemis fut de se faire fermer sa
porte.

« Avec madame ***, lui disais-je, vous oubliez vos
maximes, et qu'il ne faut croire à la grandeur d'âme
qu'à la dernière extrémité. — Croyez-vous, répondait-
il, qu'il y ait au monde un autre cœur qui convienne
mieux au sien ? — Il est vrai, je paye cette manière
d'être passionnée qui me faisait voir Léonore en colère
dans la ligne d'horizon des rochers de Poligny, par le
malheur de toutes mes entreprises dans la vie réelle;
malheur qui provient du manque de patiente industrie
et d'imprudences produites par la force de l'impression
du moment. » On voit la nuance de folie.

Pour Salviati, la vie était divisée en périodes de
quinze jours, qui prenaient la couleur de la dernière
entrevue qu'on lui avait accordée. Mais je remarquai
plusieurs fois que le bonheur qu'il devait à un accueil
qui lui semblait moins froid était bien inférieur en
intensité au malheur que lui donnait une réception
sévère **. Madame *** manquait quelquefois de franchise avec lui : voilà les deux seules objections que je
n'aie jamais osé lui faire. Outre ce que sa douleur avait

---

*   *Sotto l'usbergo del sentirsi puro.*
                                        DANTE.
    ** C'est une chose que j'ai souvent cru voir dans l'amour, que cette
disposition à tirer plus de malheur des choses malheureuses que de
bonheur des choses heureuses.

de plus intime et dont il eut la délicatesse de ne jamais parler même à ses amis les plus chers et les plus exempts d'envie, il voyait dans une réception sévère de Léonore le triomphe des âmes prosaïques et intrigantes sur les âmes franches et généreuses. Alors il désespérait de la vertu et surtout de la gloire. Il ne se permettait de parler à ses amis que des idées tristes à la vérité auxquelles le conduisait sa passion, mais qui d'ailleurs pouvaient avoir quelque intérêt aux yeux de la philosophie. J'étais curieux d'observer cette âme bizarre; ordinairement l'amour-passion se rencontre chez des gens un peu niais à l'allemande *. Salviati, au contraire, était au nombre des hommes les plus fermes et les plus spirituels que j'aie connus.

J'ai cru voir qu'après ces visites sévères, il n'était tranquille que quand il s'était justifié les rigueurs de Léonore. Tant qu'il trouvait qu'elle pouvait avoir eu tort de le maltraiter, il était malheureux. Je n'aurais jamais cru l'amour si exempt de vanité.

Il nous faisait sans cesse l'éloge de l'amour. « Si un pouvoir surnaturel me disait : Brisez le verre de cette montre, et Léonore sera pour vous ce qu'elle était il y a trois ans, une amie indifférente; en vérité, je crois que dans aucun moment de ma vie je n'aurais le courage de le briser. » Je le voyais si fou en faisant ce raisonnement, que je n'eus jamais le courage de lui présenter les objections précédentes.

Il ajoutait : « Comme la réformation de Luther, à la fin du moyen âge, ébranlant la société jusque dans ses fondements, renouvela et reconstitua le monde sur des bases raisonnables, ainsi un caractère généreux est renouvelé et retrempé par l'amour.

« Ce n'est qu'alors qu'il dépouille tous les enfantillages de la vie; sans cette révolution, il eût toujours eu je ne sais quoi d'empesé et de théâtral. Ce n'est que depuis que j'aime que j'ai appris à avoir de la grandeur dans le caractère, tant notre éducation d'école militaire est ridicule.

« Quoique me conduisant bien, j'étais un enfant à la cour de Napoléon et à Moscou. Je faisais mon devoir; mais j'ignorais cette simplicité héroïque, fruit d'un sacrifice entier et de bonne foi. Il n'y a qu'un an, par exemple, que mon cœur comprend la simplicité des Romains de

---

* Don Carlos, Saint-Preux, l'Hippolyte et le Bajazet de Racine.

Tite-Live. Autrefois je les trouvais froids, comparés à nos brillants colonels. Ce qu'ils faisaient pour leur Rome, je le trouve dans mon cœur pour Léonore. Si j'avais le bonheur de pouvoir faire quelque chose pour elle, mon premier désir serait de le cacher. La conduite des Régulus, des Décius était une chose convenue d'avance, et qui n'avait pas le droit de les surprendre. J'étais petit avant d'aimer, précisément parce que j'étais tenté quelquefois de me trouver grand ; il y avait un certain effort que je sentais, et dont je m'applaudissais.

« Et du côté des affections, que ne doit-on pas à l'amour ? Après les hasards de la première jeunesse, le cœur se ferme à la sympathie. La mort ou l'absence éloigne-t-elle des compagnons de l'enfance, l'on est réduit à passer la vie avec de froids associés, la demi-aune à la main, toujours calculant des idées d'intérêt ou de vanité. Peu à peu, toute la partie tendre et généreuse de l'âme devient stérile, faute de culture, et à moins de trente ans l'homme se trouve pétrifié à toutes les sensations douces et tendres. Au milieu de ce désert aride, l'amour fait jaillir une source de sentiments plus abondante et plus fraîche même que celle de la première jeunesse. Il y avait alors une espérance vague, folle et sans cesse distraite * ; jamais de dévouement pour rien, jamais de désirs constants et profonds ; l'âme, toujours légère, avait soif de nouveauté, et négligeait aujourd'hui ce qu'elle adorait hier. Et rien n'est plus recueilli, plus mystérieux, plus éternellement un dans son objet, que la cristallisation de l'amour. Alors les seules choses agréables avaient droit de plaire, et de plaire un instant ; maintenant tout ce qui a rapport à ce qu'on aime, et même les objets les plus indifférents touchent profondément. Arrivant dans une grande ville, à cent milles de celle qu'habite Léonore, je me suis trouvé tout timide et tremblant : à chaque détour de rue, je frémissais de rencontrer Alviza, l'amie intime de madame ***, et amie que je ne connais pas. Tout a pris pour moi une teinte mystérieuse et sacrée, mon cœur palpitait en parlant à un vieux savant. Je ne pouvais sans rougir entendre nommer la porte près de laquelle habite l'amie de Léonore.

« Même les rigueurs de la femme qu'on aime ont des grâces infinies, et que l'on ne trouve pas dans les mo-

* Mordaunt Merton, 1er vol. du *Pirate*.

ments les plus flatteurs auprès des autres femmes. C'est ainsi que les grandes ombres des tableaux du Corrège, loin d'être comme chez les autres peintres, des passages peu agréables, mais nécessaires à faire valoir les clairs, et à donner du relief aux figures, ont par elles-mêmes des grâces charmantes et qui jettent dans une douce rêverie *.

« Oui, la moitié et la plus belle moitié de la vie est cachée à l'homme qui n'a pas aimé avec passion. »

Salviati avait besoin de toute la force de sa dialectique pour tenir tête au sage Schiassetti, qui lui disait toujours : « Voulez-vous être heureux, contentez-vous d'une vie exempte de peines, et chaque jour d'une petite quantité de bonheur. Défendez-vous de la loterie des grandes passions. — Donnez-moi donc votre curiosité », répondait Salviati.

Je crois qu'il y avait bien des jours où il aurait voulu pouvoir suivre les avis de notre sage colonel; il luttait un peu, il croyait réussir; mais ce parti était absolument au-dessus de ses forces; et cependant quelle force n'avait pas cette âme!

Un chapeau de satin blanc, ressemblant un peu à celui de madame ***, qu'il voyait de loin dans la rue, arrêtait le battement de son cœur, et le forçait à s'appuyer contre le mur. Même dans ses plus tristes moments, le bonheur de la rencontrer lui donnait toujours quelques heures d'ivresse au-dessus de l'influence de tous les malheurs et de tous les raisonnements **. Du reste, il est de fait qu'à sa mort ***, après deux ans de

---

* Puisque j'ai nommé le Gorrège, je dirai qu'on trouve dans une tête d'ange ébauchée, à la tribune de la galerie de Florence, le regard de l'amour heureux; et à Parme, dans la Madone couronnée par Jésus, les yeux baissés de l'amour.

**   *Come what sorrow can,*
          It cannot countervail the exchange of joy
          That one short moment gives me in her sight.
                                        Romeo and Juliet.

*** Peu de jours avant le dernier, il fit une petite ode qui a le mérite d'exprimer juste les sentiments dont il nous entretenait.

L'ULTIMO DI
anacreontica

A ELVIRA

Vedi tu dove il rio
  Lambendo un mirto va,
  Là del riposo mio
  La pietra surgerà.

cette passion généreuse et sans bornes, son caractère
avait contracté plusieurs nobles habitudes, et qu'à cet
égard du moins il se jugeait correctement : s'il eût vécu,
et que les circonstances l'eussent un peu servi, il eût
fait parler de lui. Peut-être aussi qu'à force de simplicité,
son mérite eût passé invisible sur cette terre.

> > > > > > > > > > *O lasso!*
>
> > *Quanti dolci pensier, quanto disio,*
> > *Meno costui al doloroso passo!*
>
> > *Biondo era e bello, e di gentile aspetto :*
> > *Ma l'un de' cigli un colpo avea diviso* *.*
>
> > > > > > > > > > > DANTE.

> > > > *Il passero amoroso,*
> > > > > *E il nobile usignuol,*
> > > > > *Entro quel mirto ombroso*
> > > > > *Raccoglieranno il vol.*
> > > > *Vieni, diletta Elvira,*
> > > > > *A quella tomba vien,*
> > > > > *E sulla muta lira,*
> > > > > *Appoggia il bianco sen.*
> > > > *Su quella bruna pietra,*
> > > > > *Le tortore verran,*
> > > > > *E intorno alla mia cetra,*
> > > > > *Il nido intrecceran.*
> > > > *E ogni anno, il dì che offendere*
> > > > > *M'osasti tu infedel,*
> > > > > *Farò lessù discendere*
> > > > > *La folgore del ciel.*
> > > > *Odi d'un uom che muore*
> > > > > *Odi l'estremo suon*
> > > > > *Questo appassito fiore*
> > > > > *Ti lascio, Elvira, in don.*
> > > > *Quanto prezioso ei sia*
> > > > > *Saper tu il devi appien;*
> > > > > *Il dì che fosti mia,*
> > > > > *Te l'involai dal sen.*
> > > > *Simbolo allor d'affetto,*
> > > > > *Or pegno di dolor,*
> > > > > *Torno a posarti in petto.*
> > > > > *Quest' appassito fior.*
> > > > *E avrai nel cuor scolpito,*
> > > > > *Se crudo il cor non è,*
> > > > > *Come ti fu rapito,*
> > > > > *Come fu reso a te.*
>
> > > > > > > > > > > > S. RADAEL.

* Pauvre malheureux! combien de doux pensers et quel désir
constant le conduisirent à sa dernière heure. Sa figure était belle et
douce, sa chevelure blonde, seulement une noble cicatrice venait
couper un de ses sourcils.

CHAPITRE XXXII

DE L'INTIMITÉ

Le plus grand bonheur que puisse donner l'amour, c'est le premier serrement de main d'une femme qu'on aime.

Le bonheur de la galanterie, au contraire, est beaucoup plus réel, et beaucoup plus sujet à la plaisanterie.

Dans l'amour-passion, l'intimité n'est pas tant le bonheur parfait que le dernier pas pour y arriver.

Mais comment peindre le bonheur, s'il ne laisse pas de souvenirs ?

Mortimer revenait tremblant d'un long voyage ; il adorait Jenny ; elle n'avait pas répondu à ses lettres. En arrivant à Londres, il monte à cheval et va la chercher à sa maison de campagne. Il arrive, elle se promenait dans le parc ; il y court, le cœur palpitant ; il la rencontre, elle lui tend la main, la reçoit avec trouble : il voit qu'il est aimé. En parcourant avec elle les allées du parc, la robe de Jenny s'embarrassa dans un buisson d'acacia épineux. Dans la suite, Mortimer fut heureux, mais Jenny fut infidèle. Je lui soutiens que Jenny ne l'a jamais aimé ; il me cite comme preuve de son amour la manière dont elle le reçut à son retour du continent, mais jamais il n'a pu me donner le moindre détail. Seulement il tressaille visiblement dès qu'il voit un buisson d'acacia ; c'est réellement le seul souvenir distinct qu'il avait conservé du moment le plus heureux de sa vie *.

Un homme sensible et franc, un ancien chevalier me faisait confidence ce soir (au fond de notre barque battue par un gros temps sur le lac de Garde) **, de l'histoire de ses amours, dont à mon tour je ne ferai pas confidence au public, mais de laquelle je me crois

---

* *Vie de Haydn*, page 228.
** 20 septembre 1811.

en droit de conclure que le moment de l'intimité est comme ces belles journées du mois de mai, une époque délicate pour les plus belles fleurs, un moment qui peut être fatal et flétrir en un instant les plus belles espérances.

. . . . ★

On ne saurait trop louer le *naturel*. C'est la seule coquetterie permise dans une chose aussi sérieuse que l'amour à la Werther, où l'on ne sait pas où l'on va; et en même temps, par un hasard heureux pour la vertu, c'est la meilleure tactique. Sans s'en douter, un homme vraiment touché dit des choses charmantes, il parle une langue qu'il ne sait pas.

Malheur à l'homme le moins du monde affecté! Même quand il aimerait, même avec tout l'esprit possible, il perd les trois quarts de ses avantages. Se laisse-t-on aller un instant à l'affectation, une minute après, l'on a un moment de sécheresse.

Tout l'art d'aimer se réduit, ce me semble, à dire exactement ce que le degré d'ivresse du moment comporte, c'est-à-dire, en d'autres termes, à écouter son âme. Il ne faut pas croire que cela soit si facile; un homme qui aime vraiment, quand son amie lui dit des choses qui le rendent heureux, n'a plus la force de parler.

Il perd ainsi les actions qu'auraient fait naître ses paroles **, et il vaut mieux se taire que de dire hors de temps des choses trop tendres; ce qui était placé, il y a dix secondes, ne l'est plus du tout, et fait tache en ce moment. Toutes les fois que je manquais à cette règle ***, et que je disais une chose qui m'était venue

★ « A la première querelle, Mme Ivernetta donna son congé au pauvre Bariac. Bariac était véritablement amoureux, ce congé le désespéra; mais son ami Guillaume Balaon dont nous écrivons la vie lui fut d'un grand secours, et fit si bien qu'il apaisa la sévère Ivernetta. La paix se fit, et la réconciliation fut accompagnée de circonstances si délicieuses que Bariac jura à Balaon que le moment des premières faveurs qu'il avait obtenu de sa maîtresse n'avait pas été si doux que celui de ce voluptueux raccommodement. Ce discours tourna la tête à Balaon, il voulut éprouver ce plaisir que son ami venait de lui décrire, etc. » *Vie de quelques troubadours*, par Nivernois, tome I, page 32.

** C'est ce genre de timidité qui est décisif, et qui prouve son amour-passion dans un homme d'esprit.

*** On rappelle que si l'auteur emploie quelquefois la tournure du *je*, c'est pour essayer de jeter quelque variété dans la forme de cet essai. Il n'a nullement la prétention d'entretenir ses lecteurs de ses propres sentiments. Il cherche à faire part avec le moins de monotonie qu'il lui soit possible de ce qu'il a observé chez autrui.

trois minutes auparavant, et que je trouvais jolie, Léonore ne manquait pas de me battre. Je me disais ensuite en sortant : Elle a raison; voilà de ces choses qui doivent choquer extrêmement une femme délicate; c'est une indécence de sentiment. Elles admettraient plutôt, comme les rhéteurs de mauvais goût, un degré de faiblesse et de froideur. N'ayant à redouter au monde que la fausseté de leur amant, la moindre petite insincérité de détail, fût-elle la plus innocente du monde, les prive à l'instant de tout bonheur et les jette dans la méfiance.

Les femmes honnêtes ont de l'éloignement pour la véhémence et l'imprévu, qui sont cependant les caractères de la passion; outre que la véhémence alarme la pudeur, elles se défendent.

Quand quelque mouvement de jalousie ou de déplaisir a mis de sang-froid, on peut en général entreprendre des discours propres à faire naître cette ivresse favorable à l'amour; et si, après les deux ou trois premières phrases d'exposition, l'on ne manque pas l'occasion de dire exactement ce que l'âme suggère, on donnera des plaisirs vifs à ce qu'on aime. L'erreur de la plupart des hommes, c'est qu'ils veulent arriver à dire telle chose qu'ils trouvent jolie, spirituelle, touchante; au lieu de détendre leur âme de l'empesé du monde, jusqu'à ce degré d'intimité et de naturel d'exprimer naïvement ce qu'elle sent dans le moment. Si l'on a ce courage, l'on recevra à l'instant sa récompense par une espèce de raccommodement.

C'est cette récompense aussi rapide qu'involontaire des plaisirs que l'on donne à ce qu'on aime, qui met cette passion si fort au-dessus des autres.

S'il y a le naturel parfait, le bonheur de deux individus arrive à être confondu *. A cause de la sympathie et de plusieurs autres lois de notre nature, c'est tout simplement le plus grand bonheur qui puisse exister.

Il n'est rien moins que facile de déterminer le sens de cette parole : *naturel*, condition nécessaire du bonheur par l'amour.

On appelle *naturel* ce qui ne s'écarte pas de la manière habituelle d'agir. Il va sans dire qu'il ne faut jamais non seulement mentir à ce qu'on aime, mais même embellir le moins du monde et altérer la pureté de

---

* A se placer exactement dans les mêmes actions.

trait de la vérité. Car si l'on embellit, l'attention est occupée à embellir, et ne répond plus naïvement, comme la touche d'un piano, au sentiment qui se montre dans ses yeux. Elle s'en aperçoit bientôt à je ne sais quel froid qu'elle éprouve, et à son tour a recours à la coquetterie. Ne serait-ce point ici la raison cachée qui fait qu'on ne saurait aimer une femme d'un esprit trop inférieur ? C'est qu'auprès d'elle on peut feindre impunément, et comme feindre est plus commode, à cause de l'habitude, on se livre au manque de naturel. Dès lors l'amour n'est plus amour, il tombe à n'être qu'une affaire ordinaire; la seule différence, c'est qu'au lieu d'argent on gagne du plaisir ou de la vanité, ou un mélange des deux. Mais il est difficile de ne pas éprouver une nuance de mépris pour une femme avec qui l'on peut impunément jouer la comédie, et par conséquent il ne manque pour la planter là que de rencontrer mieux à cet égard. L'habitude ou les serments peuvent retenir; mais je parle du penchant du cœur, dont le naturel est de voler au plus grand plaisir.

Revenant à ce mot *naturel*, naturel et habituel sont deux choses. Si l'on prend ces mots dans le même sens, il est évident que plus on a de sensibilité, plus il est difficile d'être *naturel*, car l'habitude a un empire moins puissant sur la manière d'être et d'agir, et l'homme est davantage à chaque circonstance. Toutes les pages de la vie d'un être froid sont les mêmes; prenez-le aujourd'hui, prenez-le hier, c'est toujours la même main de bois.

Un homme sensible, dès que son cœur est ému, ne trouve plus en soi de traces d'habitude pour guider ses actions; et comment pourrait-il suivre un chemin dont il n'a plus le sentiment ?

Il sent le poids immense qui s'attache à chaque parole qu'il dit à ce qu'il aime, il lui semble qu'un mot va décider de son sort. Comment pourra-t-il ne pas chercher à bien dire ? ou du moins comment n'aura-t-il pas le sentiment qu'il dit bien ? Dès lors il n'y a plus de candeur. Donc il ne faut pas prétendre à la candeur, cette qualité d'une âme qui ne fait aucun retour sur elle-même. On est ce qu'on peut, mais on sent ce qu'on est.

Je crois que nous voilà arrivés au dernier degré de naturel que le cœur le plus délicat puisse prétendre en amour.

Un homme passionné ne peut qu'embrasser forte-

ment, comme sa seule ressource dans la tempête, le
serment de ne jamais changer en rien la vérité et de lire
correctement dans son cœur; si la conversation est vive
et entrecoupée, il peut espérer de beaux moments de
naturel, autrement il ne sera parfaitement nature que
dans les heures où il aimera un peu moins à la folie.

Auprès de ce qu'on aime, à peine le naturel reste-t-il
dans les *mouvements*, dont cependant les habitudes sont
si profondément enracinées dans les muscles. Quand je
donnais le bras à Léonore, il me semblait toujours être
sur le point de tomber, et je pensais à bien marcher.
Tout ce qu'on peut, c'est de n'être jamais affecté volon-
tairement; il suffit d'être persuadé que le manque de
naturel est le plus grand désavantage possible, et peut
aisément être la source des plus grands malheurs. Le
cœur de la femme que vous aimez n'entend plus le
vôtre, vous perdez ce mouvement nerveux et involontaire de la franchise qui répond à la franchise. C'est
perdre tous les moyens de la toucher, j'ai presque dit
de la séduire; ce n'est pas que je prétende nier qu'une
femme digne d'amour peut voir son destin dans cette
jolie devise du lierre, qui *meurt s'il ne s'attache;* c'est
une loi de la nature, mais c'est toujours un pas décisif
pour le bonheur, que de faire celui de l'homme qu'on
aime. Il me semble qu'une femme raisonnable ne doit
tout accorder à son amant que quand elle ne peut plus
se défendre, et le plus léger soupçon sur la sincérité de
votre cœur lui rend sur-le-champ un peu de force, et
assez du moins pour retarder encore d'un jour sa défaite *.

Est-il besoin d'ajouter que, pour rendre tout ceci le
comble du ridicule, il suffit de l'appliquer à l'amour-
goût ?

* *Hæc autem ad acerbam rei memoriam, amarâ quâdam dulcedine
scribere visum est... ut cogitem nihil esse debere quod amplius mihi placeat
in hâc vita.*

PETRARCA, *Ed. Marsand.*

15 janvier 1819.

CHAPITRE XXXIII

Toujours un petit doute à calmer, voilà ce qui fait la soif de tous les instants, voilà ce qui fait la vie de l'amour heureux. Comme la crainte ne l'abandonne jamais, ses plaisirs ne peuvent jamais ennuyer. Le caractère de ce bonheur, c'est l'extrême sérieux.

CHAPITRE XXXIV

DES CONFIDENCES

Il n'y a pas au monde d'insolence plus vite punie que celle qui vous fait confier à un ami intime un amour-passion. Il sait, si ce que vous dites est vrai, que vous avez des plaisirs mille fois au-dessus des siens, et qui vous font mépriser les siens.

C'est bien pis encore entre femmes, la fortune de leur vie étant d'inspirer une passion et, d'ordinaire, la confidente aussi ayant exposé son amabilité aux regards de l'amant.

D'un autre côté, pour l'être dévoré de cette fièvre, il n'est pas au monde de besoin moral plus impérieux que celui d'un ami devant qui l'on puisse raisonner sur les doutes affreux qui s'emparent de l'âme à chaque instant, car dans cette passion terrible, *toujours une chose imaginée est une chose existante*.

« Un grand défaut du caractère de Salviati, écrivait-il en 1817, en cela bien opposé à celui de Napoléon, c'est que, lorsque dans la discussion des intérêts d'une passion, quelque chose vient à être moralement démontré, il ne peut prendre sur lui de partir de cette base comme d'un fait à jamais établi; et malgré lui, et à son grand malheur, le remet sans cesse en discussion. » C'est qu'il est aisé d'avoir du courage dans l'ambition. La cristallisation qui n'est pas subjuguée par le désir de la chose à obtenir s'emploie à fortifier le courage; en amour, elle est toute au service de l'objet contre lequel on doit avoir du courage.

Une femme peut trouver une amie perfide, elle peut trouver aussi une amie ennuyée.

Une princesse de trente-cinq ans *, ennuyée et pour-

* *Venise, 1819.*

suivie par le besoin d'agir, d'intriguer, etc., etc., mécontente de la tiédeur de son amant, et cependant ne pouvant espérer de faire naître un autre amour, ne sachant que faire de l'activité qui la dévore, et n'ayant d'autre distraction que des accès d'humeur noire, peut fort bien trouver une occupation, c'est-à-dire un plaisir, et un but dans la vie, à rendre malheureuse une vraie passion, passion qu'on a l'insolence de sentir pour une autre qu'elle, tandis que son amant s'endort à ses côtés.

C'est le seul cas où la *haine* produise bonheur; c'est qu'elle procure occupation et travail.

Dans les premiers instants, le plaisir de faire quelque chose, dès que l'entreprise est soupçonnée de la société, la *pique* de réussir donne du charme à cette occupation. La jalousie pour l'amie prend le masque de la haine pour l'amant; autrement comment pourrait-on haïr à la fureur un homme qu'on n'a jamais vu ? On n'a garde de s'avouer l'envie, car il faudrait d'abord s'avouer le mérite, et l'on a des flatteurs qui ne se soutiennent à la cour qu'en donnant des ridicules à la bonne amie.

La confidente perfide, tout en se permettant des actions de la dernière noirceur, peut fort bien se croire uniquement animée par le désir de ne pas perdre une amitié précieuse. La femme ennuyée se dit que l'amitié même languit dans un cœur dévoré par l'amour et ses anxiétés mortelles; à côté de l'amour l'amitié ne peut se soutenir que par les confidences; or, quoi de plus odieux pour l'envie que de telles confidences ?

Les seules qui soient bien reçues entre femmes sont celles qu'accompagne la franchise de ce raisonnement : Ma chère amie, dans la guerre aussi absurde qu'implacable que nous font les préjugés mis en vogue par nos tyrans, servez-moi aujourd'hui, demain ce sera mon tour *.

Avant cette exception il y a celle de la véritable ami-

---

* *Mémoires* de Mme d'Épinay, Jeliotte.

Prague, Klagenfurt, toute la Moravie, etc., etc. Les femmes y sont fort spirituelles et les hommes de grands chasseurs. L'amitié y est fort commune entre femmes. Le beau temps du pays est l'hiver : on fait successivement des parties de chasse de quinze à vingt jours chez les grands seigneurs de la province. Un des plus spirituels me disait un jour que Charles Quint avait régné légitimement sur toute l'Italie, et que par conséquent, c'était bien en vain que les Italiens voudraient se révolter. La femme de ce brave homme lisait les lettres de Mlle de Lespinasse.

Znaym, 1816.

tié née dans l'enfance et non gâtée depuis par aucune
jalousie .   .   .   .
.   .   .   .

Les confidences d'amour-passion ne sont bien reçues
qu'entre écoliers amoureux de l'amour, et entre jeunes
filles dévorées par la curiosité, par la tendresse à em-
ployer, et peut-être entraînées déjà par l'instinct * qui
leur dit que c'est là la grande affaire de leur vie, et
qu'elles ne sauraient trop tôt s'en occuper.

Tout le monde a vu des petites filles de trois ans s'acquitter fort bien des devoirs de la galanterie.

L'amour-goût s'enflamme et l'amour-passion se refroi-
dit par les confidences.

Outre les dangers, il y a la difficulté des confidences.
En amour-passion, ce qu'on ne peut pas exprimer (parce
que la langue est trop grossière pour atteindre à ces
nuances), n'en existe pas moins pour cela, seulement
comme ce sont des choses très fines on est plus sujet à
se tromper en les observant.

Et un observateur très ému observe mal; il est injuste
envers le hasard.

Ce qu'il y a peut-être de plus sage, c'est de se faire
soi-même son propre confident. Écrivez ce soir sous des
noms empruntés, mais avec tous les détails caractéristiques, le dialogue que vous venez d'avoir avec votre
amie, et la difficulté qui vous trouble. Dans huit jours si
vous avez l'amour-passion, vous serez un autre homme,
et alors, lisant votre consultation, vous pourrez vous
donner un bon avis.

Entre hommes, dès qu'on est plus de deux et que
l'envie peut paraître, la politesse oblige à ne parler que
d'amour-physique; voyez la fin des dîners d'hommes.
Ce sont les sonnets de Baffo ** que l'on récite et qui font
un plaisir infini, parce que chacun prend au pied de la
lettre les louanges et les transports de son voisin qui,
bien souvent, ne veut que paraître gai ou poli. Les charmantes tendresses de Pétrarque ou les madrigaux français seraient déplacés.

* Grande question. Il me semble qu'outre l'éducation qui commence à huit ou dix mois, il y a un peu d'instinct.

** Le dialecte vénitien a des descriptions de l'amour-physique d'une
vivacité qui laisse à mille lieues Horace, Properce, La Fontaine et
tous les poètes. M. Buratti, de Venise, est en ce moment le premier
poète satirique de notre triste Europe. Il excelle surtout dans la description du physique grotesque de ses héros, aussi le met-on souvent
en prison. Voir l'*Elefantéide*, l'*Uomo*, la *Strefeide*.

CHAPITRE XXXV

DE LA JALOUSIE

Quand on aime, à chaque nouvel objet qui frappe les yeux ou la mémoire, serré dans une tribune et attentif à écouter une discussion des chambres ou allant au galop relever une grand-garde, sous le feu de l'ennemi, toujours l'on ajoute une nouvelle perfection à l'idée qu'on a de sa maîtresse, ou l'on découvre un nouveau moyen, qui d'abord semble excellent, de s'en faire aimer davantage.

Chaque pas de l'imagination est payé par un moment de délices. Il n'est pas étonnant qu'une telle manière d'être soit attachante.

A l'instant où naît la jalousie, la même habitude de l'âme reste, mais pour produire un effet contraire. Chaque perfection que vous ajoutez à la couronne de l'objet que vous aimez, et qui peut-être en aime un autre, loin de vous procurer une jouissance céleste, vous retourne un poignard dans le cœur. Une voix vous crie : Ce plaisir si charmant, c'est ton rival qui en jouira *.

Et les objets qui vous frappent, sans produire ce premier effet, au lieu de vous montrer comme autrefois un nouveau moyen de vous faire aimer, vous font voir un nouvel avantage du rival.

Vous rencontrez une jolie femme galopant dans le parc **, et le rival est fameux par ses beaux chevaux qui lui font faire dix milles en cinquante minutes.

Dans cet état la fureur naît facilement; l'on ne se rappelle plus qu'en amour, *posséder n'est rien, c'est jouir qui fait tout;* l'on s'exagère le bonheur du rival, l'on s'exagère l'insolence que lui donne ce bonheur, et l'on arrive au

---

* Voilà une folie de l'amour; cette perfection que vous voyez n'en est pas une pour lui.
** *Montagnola, 13 avril 1819.*

comble des tourments, c'est-à-dire à l'extrême malheur empoisonné encore d'un reste d'espérance.

Le seul remède est peut-être d'observer de très près le bonheur du rival. Souvent vous le verrez s'endormir paisiblement dans le salon où se trouve cette femme qui, à chaque chapeau qui ressemble au sien et que vous voyez de loin dans la rue, arrête le battement de votre cœur.

Voulez-vous le réveiller, il suffit de montrer votre jalousie. Vous aurez peut-être l'avantage de lui apprendre le prix de la femme qui le préfère à vous, et il vous devra l'amour qu'il prendra pour elle.

A l'égard du rival, il n'y a pas de milieu; il faut ou plaisanter avec lui de l'air le plus dégagé qu'il se pourra, ou lui faire peur.

La jalousie étant le plus grand de tous les maux, on trouvera qu'exposer sa vie est une diversion agréable. Car alors nos rêveries ne sont pas toutes empoisonnées, et tournant au noir (par le mécanisme exposé ci-dessus); l'on peut se figurer quelquefois qu'on tue ce rival.

D'après le principe qu'on ne doit jamais envoyer des forces à l'ennemi, il faut cacher votre amour au rival, et, sous un prétexte de vanité et le plus éloigné possible de l'amour, lui dire en grand secret, avec toute la politesse possible, et de l'air le plus calme et le plus simple : « Monsieur, je ne sais pourquoi le public s'avise de me donner la petite une telle; on a même la bonté de croire que j'en suis amoureux; si vous la voulez, vous, je vous la céderais de grand cœur, si malheureusement je ne m'exposais à jouer un rôle ridicule. Dans six mois, prenez-la tant qu'il vous plaira, mais aujourd'hui l'honneur qu'on attache je ne sais pourquoi à ces choses-là m'oblige de vous dire, à mon grand regret, que si par hasard vous n'avez pas la justice d'attendre que votre tour soit venu, il faut que l'un de nous meure. »

Votre rival est très probablement un homme non passionné, et peut-être un homme très prudent, qui, une fois qu'il sera convaincu de votre résolution, s'empressera de vous céder la femme en question, pour peu qu'il puisse trouver quelque prétexte honnête. C'est pour cela qu'il faut mettre de la gaieté dans votre déclaration, et couvrir toute la démarche du plus profond secret.

Ce qui rend la douleur de la jalousie si aiguë, c'est que la vanité ne peut aider à la supporter, et par la méthode dont je parle votre vanité a une pâture. Vous pouvez

vous estimer comme brave, si vous êtes réduit à vous
mépriser comme aimable.

Si l'on aime mieux ne pas prendre les choses en tragique, il faut partir, et aller à quarante lieues de là,
entretenir une danseuse, dont les charmes auront l'air de
vous arrêter comme vous passiez.

Pour peu que le rival ait l'âme commune, il vous croira
consolé.

Très souvent le meilleur parti est d'attendre sans sourciller que le rival s'use auprès de l'objet aimé, par ses
propres sottises. Car, à moins d'une grande passion, prise
peu à peu et dans la première jeunesse, une femme d'esprit n'aime pas longtemps un homme commun *. Dans
le cas de la jalousie après l'intimité, il faut encore de
l'indifférence apparente et de l'inconstance réelle, car
beaucoup de femmes offensées par un amant qu'elles
aiment encore s'attachent à l'homme pour lequel il
montre de la jalousie, et le jeu devient une réalité **.

Je suis entré dans quelques détails, parce que dans ces
moments de jalousie on perd la tête le plus souvent; des
conseils écrits depuis longtemps font bien, et, l'essentiel
étant de feindre du calme, il est à propos de prendre le
ton dans un écrit philosophique.

Comme l'on n'a de pouvoir sur vous qu'en vous ôtant
ou vous faisant espérer des choses dont la seule passion
fait tout le prix, si vous parvenez à vous faire croire indifférent, tout à coup vos adversaires n'ont plus d'armes.

Si l'on n'a aucune action à faire, et que l'on puisse
s'amuser à chercher du soulagement, on trouvera quelque
plaisir à lire *Othello;* il fera douter des apparences les
plus concluantes. On arrêtera les yeux avec délices sur
ces paroles :

> *Trifles light as air*
> *Seem to the jealous, confirmations strong*
> *As proofs from holy writ.*
>
> > *Othello*, acte III ***.

J'ai éprouvé que la vue d'une belle mer est consolante.

*The morning which had arisen calm and bright, gave a
pleasant effect to the waste mountain view which was seen*

---

* *La princesse de Tarente*, nouvelle de Scarron.
** Comme dans le *Curieux impertinent*, nouvelle de Cervantès.
*** Des bagatelles légères comme l'air semblent à un jaloux des
preuves aussi fortes que celles que l'on puise dans les promesses du
saint Évangile.

*from the castle on looking to the landward; and the glorious
Ocean crisped with a thousand rippling waves of silver,
extended on the other side in awful yet complacent majesty
to the verge of the horizon. With such scenes of calm subli-
mity, the human heart sympathizes even in his most disturbed
moods, and deeds of honour and virtue are inspired by their
majestic influence.*

(*The Bride of Lammermoor*, I, 193.)

Je trouve écrit par Salviati : « *20 juillet 1818* — J'applique souvent et déraisonnablement, je crois, à la vie
tout entière le sentiment qu'un ambitieux ou un bon
citoyen éprouve durant une bataille, s'il se trouve employé
à garder le parc de réserve, ou dans tout autre poste sans
péril et sans action. J'aurais eu du regret à quarante ans
d'avoir passé l'âge d'aimer sans passion profonde. J'aurais eu ce déplaisir amer et qui rabaisse de m'apercevoir
trop tard que j'avais eu la duperie de laisser passer la vie
sans vivre.

« J'ai passé hier trois heures avec la femme que j'aime
et avec un rival qu'elle veut me faire croire bien traité.
Sans doute il y a eu des moments d'amertume en observant ses beaux yeux fixés sur lui, et, en sortant de chez
elle, des transports vifs de l'extrême malheur à l'espérance. Mais que de choses neuves ! que de pensées vives !
que de raisonnements rapides ! et malgré le bonheur
apparent du rival, avec quel orgueil et quelles délices mon
amour se sentait au-dessus du sien ! Je me disais :
Ces joues-là pâliraient de la plus vile peur au moindre
des sacrifices que mon amour ferait en se jouant : que
dis-je, avec bonheur, par exemple, mettre la main au
chapeau pour tirer l'un de ces deux billets : *être aimé
d'elle*, l'autre *mourir à l'instant;* et ce sentiment est si de
plain-pied chez moi, qu'il ne m'empêchait point d'être
aimable et à la conversation.

« Si l'on m'eût conté cela il y a deux ans, je me serais
moqué. »

Je lis dans le voyage des capitaines Lewis et Clarke,
fait aux sources du Missouri en 1806, page 215 :

« Les *Ricaras* sont pauvres, mais bons et généreux ;
nous vécûmes assez longtemps dans trois de leurs villages. Leurs femmes sont plus belles que celles de toutes
les autres peuplades que nous avons rencontrées ; elles
sont aussi très disposées à ne pas faire languir leurs
amants. Nous trouvâmes un nouvel exemple de cette

vérité, qu'il suffit de courir le monde pour voir que tout est variable. Parmi les *Ricaras*, c'est un grand sujet d'offense si, sans le consentement de son mari ou de son frère, une femme accorde ses faveurs. Mais du reste, les frères et les maris sont très contents d'avoir l'occasion de faire cette petite politesse à leurs amis.

« Nous avions un nègre parmi nos gens; il fit beaucoup de sensation chez un peuple qui pour la première fois voyait un homme de cette couleur. Il fut bientôt le favori du beau sexe, et, au lieu d'en être jaloux, nous voyions les maris enchantés de le voir arriver chez eux. Ce qu'il y a de plaisant, c'est que dans l'intérieur de huttes aussi exiguës, tout se voit *. »

---

* On devrait établir à Philadelphie une académie qui s'occuperait uniquement de recueillir des matériaux pour l'étude de l'homme dans l'état sauvage, et ne pas attendre que ces peuplades curieuses soient anéanties.

Je sais bien que de telles académies existent; mais apparemment avec des règlements dignes de nos académies d'Europe. (Mémoire et discussion sur le Zodiaque de Dendérah à l'Académie des Sciences de Paris, en 1821.) Je vois que l'Académie de Massachusetts, je crois, charge prudemment un membre du clergé (M. Jarvis) de faire un rapport sur la religion des sauvages. Le prêtre ne manque pas de réfuter de toutes ses forces un Français impie nommé Volney. Suivant le prêtre, les sauvages ont les idées les plus exactes et les plus nobles de la Divinité, etc. S'il habitait l'Angleterre, un tel rapport vaudrait au digne académicien un *preferment* de trois ou quatre cents louis, et la protection de tous les nobles lords du canton. Mais en Amérique ? Au reste le ridicule de cette Académie me rappelle que les libres Américains attachent le plus grand prix à voir de belles armoiries peintes aux panneaux de leurs voitures; ce qui les afflige, c'est que par le peu d'instruction de leurs peintres de carrosse il y a souvent des fautes de blason.

CHAPITRE XXXVI

SUITE DE LA JALOUSIE

Quant à la femme soupçonnée d'inconstance,

Elle vous quitte parce que vous avez découragé la cristallisation, et vous avez peut-être dans son cœur l'appui de l'habitude.

Elle vous quitte parce qu'elle est trop sûre de vous. Vous avez tué la crainte, et les petits doutes de l'amour heureux ne peuvent plus naître ; inquiétez-la, et surtout gardez-vous de l'absurdité des protestations.

Dans le long temps que vous avez vécu auprès d'elle, vous aurez sans doute découvert quelle est la femme de la ville ou de la société, qu'elle jalouse et qu'elle craint le plus. Faites la cour à cette femme, mais, bien loin d'afficher votre cour, cherchez à la cacher, et cherchez-le de bonne foi ; fiez-vous-en aux yeux de la haine pour tout voir et tout sentir. Le profond éloignement que vous éprouverez pendant plusieurs mois pour toutes les femmes * doit vous rendre ceci facile. Rappelez-vous que dans la position où vous êtes, on gâte tout par l'apparence de la passion : voyez peu la femme aimée, et buvez du champagne en bonne compagnie.

Pour juger de l'amour de votre maîtresse, rappelez-vous :

1° Que plus il entre de plaisir physique dans la base d'un amour, dans ce qui autrefois détermina l'intimité, plus il est sujet à l'inconstance et surtout à l'infidélité. Ceci s'applique surtout aux amours dont la cristallisation a été favorisée par le feu de la jeunesse, à seize ans.

2° L'amour de deux personnes qui s'aiment n'est

---

* On compare la branche d'arbre garnie de diamants à la branche d'arbre effeuillée, et les contrastes rendent les souvenirs plus vifs.

presque jamais le même *. L'amour-passion a ses phases durant lesquelles, et tour à tour, l'un des deux aime davantage. Souvent la simple galanterie ou l'amour de vanité répond à l'amour-passion, et c'est plutôt la femme qui aime avec transport. Quel que soit l'amour senti par l'un des deux amants, dès qu'il est jaloux, il exige que l'autre remplisse les conditions de l'amour-passion; la vanité simule en lui tous les besoins d'un cœur tendre.

Enfin, rien n'ennuie l'amour-goût comme l'amour-passion dans son partner.

Souvent un homme d'esprit en faisant la cour à une femme n'a fait que la faire penser à l'amour, et attendrir son âme. Elle reçoit bien cet homme d'esprit qui lui donne ce plaisir. Il prend des espérances.

Un beau jour cette femme rencontre l'homme qui lui fait sentir ce que l'autre a décrit.

Je ne sais quels sont les effets de la jalousie d'un homme sur le cœur de la femme qu'il aime. De la part d'un amoureux qui ennuie, la jalousie doit inspirer un souverain dégoût qui va même jusqu'à la haine, si le jalousé est plus aimable que le jaloux, car l'on ne veut de la jalousie que de ceux dont on pourrait être jalouse, disait Mme de Coulanges.

Si l'on aime le jaloux et qu'il n'ait pas de droits, la jalousie peut choquer cet orgueil féminin si difficile à ménager et à reconnaître. La jalousie peut plaire aux femmes qui ont de la fierté, comme une manière nouvelle de leur montrer leur pouvoir.

La jalousie peut plaire comme une manière nouvelle de prouver l'amour. La jalousie peut choquer la pudeur d'une femme ultra-délicate.

La jalousie peut plaire comme montrant la bravoure de l'amant, *ferrum amant*. Notez bien que c'est la bravoure qu'on aime, et non pas le courage à la Turenne, qui peut fort bien s'allier avec un cœur froid.

Une des conséquences du principe de la cristallisation, c'est qu'une femme ne doit jamais dire *oui* à l'amant qu'elle a trompé si elle veut jamais faire quelque chose de cet homme.

Tel est le plaisir de continuer à jouir de cette image

---

* Exemple, l'amour d'Alfieri pour cette grande dame anglaise (milady Ligonier), qui faisait aussi l'amour avec son laquais, et qui signait si plaisamment *Pénélope. Vita*, 2.

parfaite que nous nous sommes formée de l'objet qui nous engage, que jusqu'à ce *oui* fatal,

> *L'on va chercher bien loin, plutôt que de mourir,*
> *Quelque prétexte ami pour vivre et pour souffrir.*
>   ANDRÉ CHÉNIER.

On connaît en France l'anecdote de Mlle de Sommery, qui, surprise en flagrant délit par son amant, lui nie le fait hardiment, et comme l'autre se récrie « Ah! je vois bien, lui dit-elle, que vous ne m'aimez plus; vous croyez plus ce que vous voyez que ce que je vous dis. »

Se réconcilier avec une maîtresse adorée qui vous a fait une infidélité, c'est se donner à défaire à coups de poignard une cristallisation sans cesse renaissante. Il faut que l'amour meure, et votre cœur sentira avec d'affreux déchirements tous les pas de son agonie. C'est une des combinaisons les plus malheureuses de cette passion et de la vie; il faudrait avoir la force de ne se réconcilier que comme ami.

CHAPITRE XXXVII

ROXANE

Quant à la jalousie chez les femmes, elles sont méfiantes, elles risquent infiniment plus que nous, elles ont plus sacrifié à l'amour, elles ont beaucoup moins de moyens de distractions, elles en ont beaucoup moins surtout de vérifier les actions de leur amant. Une femme se sent avilie par la jalousie, elle a l'air de courir après un homme, elle se croit la risée de son amant et qu'il se moque surtout de ses plus tendres transports, elle doit pencher à la cruauté, et cependant elle ne peut tuer légalement sa rivale.

Chez les femmes la jalousie doit donc être un mal encore plus abominable, s'il se peut, que chez les hommes. C'est tout ce que le cœur humain peut supporter de rage impuissante et de mépris de soi-même *, sans se briser.

Je ne connais d'autre remède à un mal si cruel que la mort de qui l'inspire ou de qui l'éprouve. On peut voir la jalousie française dans l'histoire de Mme de La Pommeraie de *Jacques-le-Fataliste*.

La Rochefoucauld dit : « On a honte d'avouer qu'on a de la jalousie, et l'on se fait honneur d'en avoir eu et d'être capable d'en avoir **. » Les pauvres femmes n'osent pas même avouer qu'elles ont éprouvé ce supplice cruel, tant il leur donne de ridicules. Une plaie si douloureuse ne doit jamais se cicatriser entièrement.

Si la froide raison pouvait s'exposer au feu de l'imagination avec l'ombre de l'apparence du succès, je dirais

---

* Ce mépris est une des grandes causes du suicide ; on se tue pour se faire réparation d'honneur.

** Pensée 495. On aura reconnu, sans que je l'aie marqué à chaque fois, plusieurs autres pensées d'écrivains célèbres.

C'est de l'histoire que je cherche d'écrire, et de telles pensées sont des faits.

aux pauvres femmes malheureuses par jalousie : « Il y a une grande distance entre l'infidélité chez les hommes et chez vous. Chez vous cette action est en partie *action directe*, en partie *signe*. Par l'effet de notre éducation d'école militaire, elle n'est signe de rien chez l'homme. Par l'effet de la pudeur, elle est au contraire le plus décisif de tous les signes de dévouement chez la femme. Une mauvaise habitude en fait comme une nécessité aux hommes. Durant toute la première jeunesse, l'exemple de ce qu'on appelle les *grands* au collège, fait que nous mettons toute notre vanité, toute la preuve de notre mérite, dans le nombre des succès de ce genre. Votre éducation à vous agit dans le sens inverse. »

Quant à la valeur d'une action comme *signe*, dans un mouvement de colère je renverse une table sur le pied de mon voisin, cela lui fait un mal du diable, mais peut fort bien s'arranger, ou bien je fais le geste de lui donner un soufflet.

La différence de l'infidélité dans les deux sexes est si réelle, qu'une femme passionnée peut pardonner une infidélité, ce qui est impossible à un homme.

Voici une expérience décisive pour faire la différence de l'amour-passion et de l'amour *par pique;* chez les femmes l'infidélité tue presque l'un et redouble l'autre.

Les femmes fières dissimulent leur jalousie par orgueil. Elles passent de longues soirées silencieuses et froides, avec cet homme qu'elles adorent, qu'elles tremblent de perdre, et aux yeux duquel elles se voient peu aimables. Ce doit être un des plus grands supplices possibles, c'est aussi une des sources les plus fécondes de malheur en amour. Pour guérir ces femmes, si dignes de tout notre respect, il faut dans l'homme quelque démarche bizarre et forte, et surtout qu'il n'ait pas l'air de voir ce qui se passe. Par exemple un grand voyage avec elles entrepris en vingt-quatre heures.

CHAPITRE XXXVIII

DE LA PIQUE * D'AMOUR-PROPRE

La pique est un mouvement de la vanité; je ne veux pas que mon antagoniste l'emporte sur moi, et *je prends cet antagoniste lui-même pour juge de mon mérite*. Je veux faire effet sur son cœur. C'est pour cela qu'on va beaucoup au delà de ce qui est raisonnable.

Quelquefois pour justifier sa propre extravagance, l'on en vient au point de se dire que ce compétiteur a la prétention de nous faire sa dupe.

La *pique* étant une *maladie de l'honneur*, est beaucoup plus fréquente dans les monarchies, et ne doit se montrer que bien plus rarement dans les pays où règne l'habitude d'apprécier les actions par leur degré d'utilité, aux États-Unis d'Amérique, par exemple.

Tout homme, et un Français plus qu'un autre, abhorre d'être pris pour dupe; cependant la légèreté de l'ancien caractère monarchique français ** empêchait la *pique* de faire de grands ravages autre part que dans la galanterie ou l'amour-goût. La pique ne produisait des noirceurs remarquables que dans les monarchies où, par le climat, le caractère est plus sombre (le Portugal, le Piémont).

Les provinciaux, en France, se font un modèle ridicule de ce que doit être dans le monde la considération d'un galant homme, et puis ils se mettent à l'affût, et sont là toute leur vie à observer si personne ne saute le fossé. Ainsi plus de naturel, ils sont toujours piqués et cette

---

* Je sais que ce mot n'est pas trop français en ce sens, mais je ne trouve pas à le remplacer.

En italien *puntiglio*, en anglais *pique*.

** Les trois quarts des grands seigneurs français, vers 1778, auraient été dans le cas d'être r de j [lire : repris de justice], dans un pays où les lois auraient été exécutées sans acception de personnes.

manie donne du ridicule même à leur amour. C'est après l'envie ce qui rend le plus insoutenable le séjour des petites villes, et c'est ce qu'il faut se dire lorsqu'on admire la situation pittoresque de quelqu'une d'elles. Les émotions les plus généreuses et les plus nobles sont paralysées par le contact de ce qu'il y a de plus bas dans les produits de la civilisation. Pour achever de se rendre affreux, ces bourgeois ne parlent que de la corruption des grandes villes *.

La pique ne peut pas exister dans l'amour-passion, elle est de l'orgueil féminin : « Si je me laisse malmener par mon amant, il me méprisera et ne pourra plus m'aimer »; ou elle est la jalousie avec toutes ses fureurs.

La jalousie veut la mort de l'objet qu'elle craint. L'homme piqué est bien loin de là, il veut que son ennemi vive et surtout soit témoin de son triomphe.

L'homme piqué verrait avec peine son rival renoncer à la concurrence, car cet homme peut avoir l'insolence de se dire au fond du cœur : si j'eusse continué à m'occuper de cet objet, je l'eusse emporté sur lui.

Dans la *pique*, on n'est nullement occupé du but apparent, il ne s'agit que de la victoire. C'est ce que l'on voit bien dans les amours des filles de l'Opéra; si vous éloignez la rivale, la prétendue passion, qui allait jusqu'à se jeter par la fenêtre, tombe à l'instant.

L'amour par pique passe en un moment, au contraire de l'amour-passion. Il suffit que, par une démarche irréfragable, l'antagoniste avoue renoncer à la lutte. J'hésite cependant à avancer cette maxime, je n'en ai qu'un exemple, et qui me laisse des doutes. Voici le fait, le lecteur jugera. Dona Diana est une jeune personne de vingt-trois ans, fille d'un des plus riches et des plus fiers bourgeois de Séville. Elle est belle sans doute, mais d'une beauté marquée, et on lui accorde infiniment d'esprit et encore plus d'orgueil. Elle aimait passionnément, du moins en apparence, un jeune officier dont sa famille ne voulait pas. L'officier part pour l'Amérique avec Morillo; ils s'écrivaient sans cesse. Un jour, chez la mère de Dona Diana, au milieu de beaucoup de monde, un sot annonce la mort de cet aimable jeune homme. Tous les

---

* Comme ils se font la police les uns sur les autres, par envie, pour ce qui regarde l'amour, il y a moins d'amour en province et plus de libertinage. L'Italie est plus heureuse.

yeux se tournent sur elle, elle ne dit que ces mots : *C'est
dommage, si jeune!* Nous avions justement lu, ce jour-là,
une pièce du vieux Massinger, qui se termine d'une
manière tragique, mais dans laquelle l'héroïne prend
avec cette tranquillité apparente la mort de son amant.
Je voyais la mère frémir malgré son orgueil et sa haine;
le père sortit pour cacher sa joie. Au milieu de tout cela
et des spectateurs interdits, et faisant des yeux au sot
narrateur, Dona Diana, la seule tranquille, continua la
conversation comme si de rien n'était. Sa mère effrayée
la fit observer par sa femme de chambre, il ne parut rien
de changé dans sa manière d'être.

Deux ans après, un jeune homme très beau lui fait la
cour. Encore cette fois, et toujours par la même raison,
parce que le prétendant n'était pas noble, les parents de
Dona Diana s'opposent violemment à ce mariage; elle
déclare qu'il se fera. Il s'établit une pique d'amour-propre
entre la jeune fille et son père. On interdit au jeune
homme l'entrée de la maison. On ne conduit plus
Dona Diana à la campagne et presque plus à l'église;
on lui ôte avec un soin recherché tous les moyens possibles de rencontrer son amant. Lui se déguise et la voit
en secret à de longs intervalles. Elle s'obstine de plus en
plus et refuse les partis les plus brillants, même un titre
et un grand établissement à la cour de Ferdinand VII.
Toute la ville parle des malheurs de ces deux amants et
de leur constance héroïque. Enfin, la majorité de
Dona Diana approche; elle fait entendre à son père
qu'elle va jouir du droit de disposer d'elle-même. La
famille forcée dans ses derniers retranchements, commence les négociations du mariage; quand il est à moitié
conclu, dans une réunion officielle des deux familles,
après six années de constance, le jeune homme refuse
Dona Diana *.

Un quart d'heure après il n'y paraissait plus. Elle était
consolée; aimait-elle par pique ? ou est-ce une grande
âme qui dédaigne de se donner, avec sa douleur, en
spectacle au monde ?

Souvent l'amour-passion ne peut arriver, dirai-je, au
bonheur, qu'en faisant naître une *pique* d'amour-propre;
alors il obtient en apparence tout ce qu'il saurait désirer,

---

* Il y a chaque année plusieurs exemples de femmes abandonnées
aussi vilainement, et je pardonne la défiance aux femmes honnêtes.
— Mirabeau, *Lettres à Sophie*. L'opinion est sans force dans les pays
despotiques : il n'y a de réel que l'amitié du pacha.

ses plaintes seraient ridicules et paraîtraient insensées ; il ne peut pas faire confidence de son malheur, et cependant ce malheur il le touche et le vérifie sans cesse ; ses preuves sont entrelacées, si je puis ainsi dire, avec les circonstances les plus flatteuses et les plus faites pour donner des illusions ravissantes. Ce malheur vient présenter sa tête hideuse dans les moments les plus tendres, comme pour braver l'amant et lui faire sentir à la fois, et tout le bonheur d'être aimé de l'être charmant et insensible qu'il serre dans ses bras, et que ce bonheur ne sera jamais rien. C'est peut-être après la jalousie le malheur le plus cruel.

On se souvient encore, dans une grande ville *, d'un homme doux et tendre, entraîné, par une rage de cette espèce, à donner la mort à sa maîtresse qui ne l'aimait que par pique contre sa sœur. Il l'engagea un soir à aller se promener sur mer en tête-à-tête, dans un joli canot qu'il avait préparé lui-même ; arrivé en haute mer, il touche un ressort, le canot s'ouvre et disparaît pour toujours.

J'ai vu un homme de soixante ans se mettre à entretenir l'actrice la plus capricieuse, la plus folle, la plus aimable, la plus étonnante du théâtre de Londres, miss Cornel. « Et vous prétendez qu'elle vous soit fidèle ? lui disait-on. — Pas le moins du monde ; seulement elle m'aimera, et peut-être à la folie. »

Et elle l'a aimé un an entier, et souvent à en perdre la raison ; et elle a été jusqu'à trois mois de suite sans lui donner de sujets de plainte. Il avait établi une pique d'amour-propre choquante, sous beaucoup de rapports, entre sa maîtresse et sa fille.

La *pique* triomphe dans l'amour-goût, dont elle fait le destin. C'est l'expérience par laquelle on différencie le mieux l'amour-goût de l'amour-passion. C'est une vieille maxime de guerre que l'on dit aux jeunes gens, lorsqu'ils arrivent au régiment, que si l'on a un billet de logement pour une maison où il y a deux sœurs, et que l'on veuille être aimé de l'une d'elles, il faut faire la cour à l'autre. Auprès de la plupart des femmes espagnoles jeunes, et qui font l'amour, si vous voulez être aimé, il suffit d'afficher de bonne foi et avec modestie, que vous n'avez rien dans le cœur pour la maîtresse de la maison. C'est de l'aimable général Lasalle que je

* *Livourne, 1819.*

tiens cette maxime utile. C'est la manière la plus dangereuse d'attaquer l'amour-passion.

La pique d'amour-propre fait le lien des mariages les plus heureux, après ceux que l'amour a formés. Beaucoup de maris s'assurent pour de longues années l'amour de leur femme, en prenant une petite maîtresse deux mois après le mariage *. On fait naître l'habitude de ne penser qu'à un seul homme, et les liens de famille viennent la rendre invincible.

Si dans le siècle et à la cour de Louis XV, l'on a vu une grande dame (Mme de Choiseul) adorer son mari **, c'est qu'il paraissait avoir un intérêt vif pour sa sœur la duchesse de Gramont.

La maîtresse la plus négligée, dès qu'elle nous fait voir qu'elle préfère un autre homme, nous ôte le repos, et jette dans notre cœur toutes les apparences de la passion.

Le courage de l'Italien est un accès de colère, le courage de l'Allemand un moment d'ivresse, le courage de l'Espagnol un trait d'orgueil. S'il y avait une nation où le courage fût souvent une pique d'amour-propre entre les soldats de chaque compagnie, entre les régiments de chaque division, dans les déroutes comme il n'y aurait plus de point d'appui l'on ne saurait comment arrêter les armées de cette nation. Prévoir le danger et chercher à y porter remède serait le premier des ridicules parmi ces fuyards vaniteux.

« Il ne faut qu'avoir ouvert une relation quelconque d'un voyage chez les sauvages de l'Amérique-Nord, dit un des plus aimables philosophes français ***, pour savoir que le sort ordinaire des prisonniers de guerre est, non pas seulement d'être brûlés vifs et mangés, mais d'être auparavant liés à un poteau près d'un bûcher enflammé, pour y être pendant plusieurs heures tourmentés par tout ce que la rage peut imaginer de plus féroce et de plus raffiné. Il faut lire ce que racontent de ces affreuses scènes les voyageurs témoins de la joie cannibale des assistants, et surtout de la fureur des femmes et des enfants, et de leur plaisir atroce à rivaliser de cruauté. Il faut voir ce qu'ils ajoutent de la fermeté héroïque, du sang-froid inaltérable du prisonnier qui

---

* Voir les confessions d'un homme singulier (conte de mistress Opie).
** *Lettres* de Mme Du Deffand, *Mémoires* de Lauzun.
*** Volney, *Tableau des Etats-Unis d'Amérique*, p. 491-496.

non seulement ne donne aucun signe de douleur, mais qui brave et défie ses bourreaux par tout ce que l'orgueil a de plus hautain, l'ironie de plus amer, le sarcasme de plus insultant; chantant ses propres exploits, énumérant les parents, les amis des spectateurs qu'il a tués, détaillant les supplices qu'il leur a fait souffrir, et accusant tous ceux qui l'entourent de lâcheté, de pusillanimité, d'ignorance à savoir tourmenter; jusqu'à ce que, tombant en lambeaux et dévoré vivant sous ses propres yeux, par ses ennemis enivrés de fureur, le dernier souffle de sa voix et sa dernière injure s'exhalent avec sa vie *. Tout cela serait incroyable chez les nations civilisées, paraîtra une fable à nos capitaines de grenadiers les plus intrépides, et sera un jour révoqué en doute par la postérité. »

Ce phénomène physiologique tient à un état particulier de l'âme du prisonnier qui établit entre lui, d'un côté, et tous ses bourreaux, de l'autre, une lutte d'amour-propre, une gageure de vanité à qui ne cédera pas.

Nos braves chirurgiens militaires ont souvent observé que des blessés qui, dans un état calme d'esprit et de sens, auraient poussé les hauts cris durant certaines opérations ne montrent, au contraire, que calme et grandeur d'âme, s'ils sont préparés d'une certaine manière. Il s'agit de les piquer d'honneur; il faut prétendre, d'abord avec ménagement, puis avec contradiction irritante, qu'ils ne sont pas en état de supporter l'opération sans jeter des cris.

---

* Un être accoutumé à un tel spectacle, et qui se sent exposé à en être le héros, peut n'être attentif qu'à la grandeur d'âme, et alors ce spectacle est le plus intime et le premier des plaisirs non actifs.

CHAPITRE XXXIX

DE L'AMOUR A QUERELLES

Il y en a deux espèces :

1º Celui où le querellant aime;

2º Celui où il n'aime pas.

Si l'un des deux amants est trop supérieur dans les avantages qu'ils estiment tous les deux, il faut que l'amour de l'autre meure, car la crainte du mépris viendra tôt ou tard arrêter tout court la cristallisation.

Rien n'est odieux aux gens médiocres comme la supériorité de l'esprit : c'est là, dans le monde de nos jours, la source de la haine; et si nous ne devons pas à ce principe, des haines atroces, c'est uniquement que les gens qu'il sépare ne sont pas obligés de vivre ensemble. Que sera-ce dans l'amour où tout étant naturel, surtout de la part de l'être supérieur, la supériorité n'est masquée par aucune précaution sociale ?

Pour que la passion puisse vivre, il faut que l'inférieur maltraite son partner, autrement celui-ci ne pourra pas fermer une fenêtre sans que l'autre ne se croie offensé.

Quant à l'être supérieur il se fait illusion, et l'amour qu'il sent, non seulement ne court aucun risque, mais presque toutes les faiblesses, dans ce que nous aimons, nous le rendent plus cher.

Immédiatement après l'amour-passion et payé de retour, entre gens de la même portée, il faut placer, pour la durée, l'*amour à querelles*, où le querellant n'aime pas. On en trouvera des exemples dans les anecdotes relatives à la duchesse de Berry (*Mémoires de Duclos*).

Participant à la nature des habitudes froides fondées sur le côté prosaïque et égoïste de la vie et compagnes inséparables de l'homme jusqu'au tombeau, cet amour peut durer plus longtemps que l'amour-passion lui-même. Mais ce n'est plus l'amour, c'est une habitude occasionnée par l'amour, et qui n'a de cette passion que les souvenirs et le plaisir physique. Cette habitude suppose nécessairement des âmes moins nobles. Chaque jour il se forme un petit drame : « Me grondera-t-il ? » qui occupe l'imagination; comme dans l'amour-passion chaque jour on avait besoin de quelque nouvelle preuve de tendresse. Voir les anecdotes sur Mme d'H[oudetot] et Saint-Lambert *.

Il est possible que l'orgueil refuse de s'habituer à ce genre d'intérêt; alors, après quelques mois de tempêtes, l'orgueil tue l'amour. Mais on voit cette noble passion résister longtemps avant d'expirer. Les petites querelles de l'amour heureux, font longtemps illusion à un cœur qui aime encore, et qui se voit maltraité. Quelques raccommodements tendres peuvent rendre la transition plus supportable. Sous le prétexte de quelque chagrin secret, de quelque malheur de fortune l'on excuse l'homme qu'on a beaucoup aimé; on s'habitue enfin à être querellée. Où trouver, en effet, hors de l'amour-passion, hors du jeu, hors de la possession du pouvoir ** quelque autre source d'intérêt de tous les jours, comparable à celle-là, pour la vivacité ? Si le querellant vient à mourir, on voit la victime qui survit ne se consoler jamais. Ce principe fait le lien de beaucoup de mariages bourgeois; le grondé s'entend parler toute la journée de ce qu'il aime le mieux.

Il y a une fausse espèce d'amour à querelles. J'ai pris dans une lettre d'une femme d'infiniment d'esprit le chapitre 33 :

« Toujours un petit doute à calmer, voilà ce qui fait la soif de tous les instants de l'amour-passion... Comme la crainte la plus vive ne l'abandonne jamais, ses plaisirs ne peuvent jamais l'ennuyer. »

Chez les gens bourrus ou mal élevés, ou d'un naturel extrêmement violent, ce petit doute à calmer, cette crainte légère se manifestent par une querelle.

Si la personne aimée n'a pas l'extrême susceptibilité,

---

* *Mémoires* de Mme d'Épinay, je crois, ou de Marmontel.
** Quoi qu'en disent certains ministres hypocrites, le pouvoir est le premier des plaisirs. Il me semble que l'amour seul peut l'emporter, et l'amour est une maladie heureuse qu'on ne peut se procurer comme un ministère.

fruit d'une éducation soignée, elle peut trouver plus de vivacité, et par conséquent plus d'agrément, dans un amour de cette espèce; et même, avec toute la délicatesse possible, si l'on voit le *furieux*, première victime de ses transports, il est bien difficile de ne pas l'en aimer davantage. Ce que lord Mortimer regrette peut-être le plus dans sa maîtresse, ce sont les chandeliers qu'elle lui jetait à la tête. En effet, si l'orgueil pardonne, et admet de telles sensations, il faut convenir qu'elles font une cruelle guerre à l'ennui, ce grand ennemi des gens heureux.

Saint-Simon, l'unique historien qu'ait eu la France, dit (tome 5, p. 43) :

« Après maintes passades, la duchesse de Berry s'était éprise, tout de bon, de Rions, cadet de la maison d'Aydie, fils d'une sœur de Mme de Biron. Il n'avait ni figure, ni esprit; c'était un gros garçon, court, joufflu et pâle, qui, avec beaucoup de bourgeons, ne ressemblait pas mal à un abcès; il avait de belles dents et n'avait pas imaginé causer une passion qui, en moins de rien, devint effrénée; et qui dura toujours, sans néanmoins empêcher les passades et les goûts de traverse; il n'avait rien vaillant, mais force frères et sœurs qui n'en avaient pas davantage. M. et Mme de Pons, dame d'atour de Mme la duchesse de Berry, étaient de leurs parents et de la même province; ils firent venir le jeune homme, qui était lieutenant de dragons, pour tâcher d'en faire quelque chose. A peine fut-il arrivé, que le goût se déclara, et il fut le maître au Luxembourg.

« M. de Lauzun, dont il était petit neveu, en riait sous cape; il était ravi, et se voyait renaître en lui, au Luxembourg, du temps de Mademoiselle; il lui donnait des instructions, et Rions, qui était doux et naturellement poli et respectueux, bon et honnête garçon, les écoutait : mais bientôt il sentit le pouvoir de ses charmes, qui ne pouvaient captiver que l'incompréhensible fantaisie de cette princesse. Sans en abuser avec autre personne, il se fit aimer de tout le monde; mais il traita sa duchesse comme M. de Lauzun avait traité Mademoiselle. Il fut bientôt paré des plus riches dentelles, des plus riches habits, muni d'argent, de boucles, de joyaux; il se faisait désirer, se plaisait à donner de la jalousie à la princesse, et à paraître jaloux lui-même; souvent il la faisait pleurer : peu à peu il la mit sur le pied de ne rien faire sans sa permission, pas même

les choses indifférentes : tantôt prête à sortir pour aller
à l'Opéra, il la faisait demeurer ; d'autres fois il l'y
faisait aller malgré elle ; il l'obligeait à faire du bien à
des dames qu'elle n'aimait point, ou dont elle était
jalouse ; et du mal à des gens qui lui plaisaient, et dont
il faisait le jaloux. Jusqu'à sa parure, elle n'avait pas
la moindre liberté ; il se divertissait à la faire décoiffer,
ou à lui faire changer d'habits, quand elle était toute
prête ; et cela si souvent, et quelquefois si publiquement,
qu'il l'avait accoutumée, le soir, à prendre ses ordres
pour la parure et l'occupation du lendemain, et le lendemain il changeait tout, et la princesse pleurait tant
et plus ; enfin elle en était venue à lui envoyer des messages par des valets affidés, car il logea presque en arrivant au Luxembourg ; et les messages se réitéraient
plusieurs fois pendant sa toilette pour savoir quels
rubans elle mettrait, et ainsi de l'habit et des autres
parures, et presque toujours il lui faisait porter ce
qu'elle ne voulait point. Si quelquefois elle osait se
licencier à la moindre chose sans son congé, il la traitait
comme une servante, et les pleurs duraient souvent
plusieurs jours.

« Cette princesse si superbe, et qui se plaisait tant
à montrer et à exercer le plus démesuré orgueil, s'avilit à faire des repas obscurs avec lui et avec des gens
sans aveu ; elle avec qui nul ne pouvait manger s'il
n'était prince du sang. Le jésuite Riglet, qu'elle avait
connu enfant, et qui l'avait cultivée, était admis dans
ces repas particuliers, sans qu'il en eût honte, ni que
la duchesse en fût embarrassée : Madame de Mouchy
était la confidente de toutes ces étranges particularités ;
elle et Rions mandaient les convives et choisissaient
les jours. Cette dame raccommodait les amants, et
cette vie était toute publique au Luxembourg, où tout
s'adressait à Rions, qui de son côté avait soin de bien
vivre avec tous, et avec un air de respect qu'il refu-
sait, en public, à sa seule princesse. Devant tous, il
lui faisait des réponses brusques qui faisaient baisser
les yeux aux présents, et rougir la duchesse, qui
ne contraignait point ses manières passionnées pour
lui. »

Rions était pour la duchesse un remède souverain à
l'ennui.

Une femme célèbre dit tout à coup au général Bonaparte, alors jeune héros couvert de gloire et sans crimes

envers la liberté : « Général, une femme ne peut être que votre épouse ou votre sœur. » Le héros ne comprit pas le compliment; l'on s'en est vengé par de belles injures. Ces femmes-là aiment à être méprisées par leur amant, elles ne l'aiment que cruel.

CHAPITRE XXXIX bis

REMÈDES A L'AMOUR

Le saut de Leucade était une belle image dans l'antiquité. En effet, le remède à l'amour est presque impossible. Il faut non seulement le danger qui rappelle fortement l'attention de l'homme au soin de sa propre conservation *, mais il faut, ce qui est bien plus difficile, la continuité d'un danger piquant, et que l'on puisse éviter par adresse, afin que l'habitude de penser à sa propre conservation ait le temps de naître. Je ne vois guère qu'une tempête de seize jours, comme celle de don Juan **, ou le naufrage de M. Cochelet parmi les Maures, autrement l'on prend bien vite l'habitude du péril, et même l'on se remet à songer à ce qu'on aime, avec plus de charme encore, quand on est en vedette, à vingt pas de l'ennemi.

Nous l'avons répété sans cesse, l'amour d'un homme qui aime bien *jouit* ou *frémit* de tout ce qu'il s'imagine, et il n'y a rien dans la nature qui ne lui parle de ce qu'il aime. Or jouir et frémir fait une occupation fort intéressante, et auprès de laquelle toutes les autres pâlissent.

Un ami qui veut procurer la guérison du malade, doit d'abord être toujours du parti de la femme aimée, et tous les amis qui ont plus de zèle que d'esprit, ne manquent pas de faire le contraire.

C'est attaquer, avec des forces trop ridiculement inégales, cet ensemble d'illusions charmantes que nous avons appelé autrefois cristallisations ***.

---

* Le danger de Henri Morton, dans la Clyde.

Old Mortality, tome IV, page 224.

** Du trop vanté lord Byron.

*** Uniquement pour abréger, et en demandant pardon du mot nouveau.

L'ami guérisseur doit avoir devant les yeux que s'il se présente une absurdité à croire, comme il faut pour l'amant ou la dévorer ou renoncer à tout ce qui l'attache à la vie, il la dévorera, et, avec tout l'esprit possible, niera dans sa maîtresse les vices les plus évidents et les infidélités les plus atroces. C'est ainsi que dans l'amour-passion, avec un peu de temps, tout se pardonne.

Dans les caractères raisonnables et froids, il faudra, pour que l'amant dévore les vices, qu'il ne les aperçoive qu'après plusieurs mois de passion *.

Bien loin de chercher grossièrement et ouvertement à distraire l'amant, l'ami guérisseur doit lui parler à satiété, et de son amour et de sa maîtresse, et en même temps, faire naître sous ses pas une foule de petits événements. Quand le voyage *isole* il n'est pas remède **, et même rien ne rappelle plus tendrement ce qu'on aime, que les contrastes. C'est au milieu des brillants salons de Paris, et auprès des femmes vantées comme les plus aimables, que j'ai le plus aimé ma pauvre maîtresse, solitaire et triste, dans son petit appartement, au fond de la Romagne ***.

J'épiais sur la pendule superbe du brillant salon où j'étais exilé, l'heure où elle sort à pied, et par la pluie, pour aller voir son amie. C'est en cherchant à l'oublier que j'ai vu que les contrastes sont la source de souvenirs moins vifs, mais bien plus célestes que ceux que l'on va chercher aux lieux où jadis on l'a rencontrée.

Pour que l'absence soit utile, il faut que l'ami guérisseur soit toujours là, pour faire faire à l'amant toutes les réflexions possibles sur les événements de son amour, et qu'il tâche de rendre ses réflexions ennuyeuses, par leur longueur ou leur peu d'à-propos; ce qui leur donne l'effet de lieux communs : par exemple être tendre et sentimental après un dîner égayé de bons vins.

S'il est si difficile d'oublier une femme auprès de laquelle on a trouvé le bonheur, c'est qu'il est certains moments que l'imagination ne peut se lasser de représenter et d'embellir.

---

* Mme Dornal et Serigny, *Confessions du Comte de ***, de Duclos. Voir la note 4 de la page 32; mort du général Abdhallah, à Bologne.
    ** J'ai pleuré presque tous les jours (Précieuses paroles du 10 juin).
    *** Salviati.

Je ne dis rien de l'orgueil, remède cruel et souverain, mais qui n'est pas à l'usage des âmes tendres.

Les premières scènes du *Romeo* de Shakespeare, forment un tableau admirable : il y a loin de l'homme qui se dit tristement : « *She hath forsworn to love* », à celui qui s'écrie au comble du bonheur : « *Come what sorrow can !* »

CHAPITRE XXXIX *ter*

> *Her passion will die like a
> lamp for want of what the flame
> should feed upon.*
>
> *Lammermoor*, II, 116.

L'ami guérisseur doit bien se garder des mauvaises raisons, par exemple de parler d'*ingratitude*. C'est ressusciter la cristallisation que de lui ménager une victoire et un nouveau plaisir.

Il ne peut pas y avoir d'ingratitude en amour; le plaisir actuel paye toujours, et au delà, les sacrifices les plus grands, en apparences. Je ne vois pas d'autres torts possibles que le manque de franchise; il faut accuser juste l'état de son cœur.

Pour peu que l'ami guérisseur attaque l'amour de front, l'amant répond : « Être amoureux, même avec la colère de ce qu'on aime, ce n'en est pas moins, pour m'abaisser à votre style de marchand, avoir un billet à une loterie, dont le bonheur est à mille lieues au-dessus de tout ce que vous pouvez m'offrir, dans votre monde, d'indifférence et d'intérêt personnel. Il faut avoir beaucoup de vanité et de la bien petite pour être heureux parce qu'on vous reçoit bien. Je ne blâme point les hommes d'en agir ainsi dans leur monde. Mais, auprès de Léonore, je trouvais un monde où tout était céleste, tendre, généreux. La plus sublime et presque incroyable vertu de votre monde, dans nos entretiens, ne comptait que pour une vertu ordinaire et de tous les jours. Laissez-moi au moins rêver au bonheur de passer ma vie auprès d'un tel être. Quoique je voie bien que la calomnie m'a perdu et que je n'ai plus d'espoir, du moins je lui ferai le sacrifice de ma vengeance. »

On ne peut guère arrêter l'amour que dans les commencements. Outre le prompt départ, et les distractions obligées du grand monde, comme dans le cas de la comtesse Kalemberg, il y a plusieurs petites ruses que l'ami guérisseur peut mettre en usage. Par exemple il fera tomber sous vos yeux, comme par hasard, que la femme que vous aimez n'a pas pour vous, hors de ce qui fait l'objet de la guerre, les égards de politesse et d'estime qu'elle accordait à un rival. Les plus petites choses suffisent, car tout est *signe* en amour; par exemple elle ne vous donne pas le bras pour monter à sa loge; cette niaiserie prise au tragique par un cœur passionné, liant une humiliation à chaque jugement qui forme la cristallisation, empoisonne la source de l'amour, et peut le détruire.

On peut faire accuser la femme qui se conduit mal avec notre ami d'un défaut physique et ridicule, impossible à vérifier; si l'amant pouvait vérifier la calomnie, même quand il la trouverait fondée, elle serait rendue dévorable par l'imagination, et bientôt il n'y paraîtrait pas. Il n'y a que l'imagination qui puisse se résister à elle-même; Henri III le savait bien quand il médisait de la célèbre duchesse de Montpensier.

C'est donc l'imagination qu'il faut surtout garder chez une jeune fille que l'on veut préserver de l'amour. Et moins elle aura de vulgarité dans l'esprit, plus son âme sera noble et généreuse, plus en un mot elle sera digne de nos respects, plus grand sera le danger qu'elle court.

Il est toujours périlleux, pour une jeune personne, de souffrir que ses souvenirs s'attachent d'une manière répétée, et avec trop de complaisance, au même individu. Si la reconnaissance, l'admiration, ou la curiosité viennent redoubler les liens du souvenir, elle est presque sûrement sur le bord du précipice. Plus grand est l'ennui de la vie habituelle, plus sont actifs les poisons nommés gratitude, admiration, curiosité. Il faut alors une rapide, prompte et énergique distraction.

C'est ainsi qu'un peu de rudesse et de *non-curance* dans le premier abord, si la drogue est administrée avec naturel, est presque un sûr moyen de se faire respecter d'une femme d'esprit.

FIN DU PREMIER VOLUME

LIVRE II

CHAPITRE XL

Tous les amours, toutes les imaginations, prennent dans les individus la couleur des six tempéraments :

Le sanguin, ou le Français, ou M. de Francueil (*Mémoires* de Mme d'Épinay);

Le bilieux, ou l'Espagnol, ou Lauzun (Peguilhem des *Mémoires* de Saint-Simon);

Le mélancolique, ou l'Allemand, ou le don Carlos de Schiller;

Le flegmatique, ou le Hollandais;

Le nerveux, ou Voltaire;

L'athlétique, ou Milon de Crotone *.

Si l'influence des tempéraments se fait sentir dans l'ambition, l'avarice, l'amitié, etc., etc., que sera-ce dans l'amour qui a un mélange forcé de physique ?

Supposons que tous les amours puissent se rapporter aux quatre variétés que nous avons notées :

Amour-passion, ou Julie d'Étanges,

Amour-goût, ou galanterie,

Amour-physique,

Amour de vanité (une duchesse n'a jamais que trente ans pour un bourgeois).

Il faut faire passer ces quatre amours par les six variétés dépendantes des habitudes que les six tempéraments donnent à l'imagination. Tibère n'avait pas l'imagination folle de Henri VIII.

Faisons passer ensuite toutes les combinaisons que nous aurons obtenues par les différences d'habitudes dépendantes des gouvernements ou des caractères nationaux :

1° Le despotisme asiatique tel qu'on le voit à Constantinople;

2° La monarchie absolue à la Louis XIV;

3° L'aristocratie masquée par une charte, ou le gou-

---

* Voir Cabanis, influence du physique, etc.

vernement d'une nation au profit des riches, comme
l'Angleterre, le tout suivant les règles de la morale
biblique.

4° La république fédérative ou le gouvernement au
profit de tous, comme aux États-Unis d'Amérique;

5° La monarchie constitutionnelle, ou...

6° Un état en révolution, comme l'Espagne, le Portugal, la France. Cette situation d'un pays donnant une
passion vive à tout le monde, met du naturel dans les
mœurs, détruit les niaiseries, les vertus de convention,
les convenances bêtes *, donne du sérieux à la jeunesse,
et lui fait mépriser l'amour de vanité et négliger la
galanterie.

Cet état peut durer longtemps et former les habitudes
d'une génération. En France il commença en 1788, fut
interrompu en 1802, et recommença en 1815 pour finir
Dieu sait quand.

Après toutes ces manières générales de considérer
l'*amour*, on a les différences d'âge, et l'on arrive enfin
aux particularités individuelles.

Par exemple on pourrait dire :

J'ai trouvé à Dresde, chez le comte Woltstein, l'amour
de vanité, le tempérament mélancolique, les habitudes
monarchiques, l'âge de trente ans, et... les particularités
individuelles.

Cette manière de voir les choses abrège et communique
de la froideur à la tête de celui qui juge de l'amour,
chose essentielle et fort difficile.

Or, comme en physiologie l'homme ne sait presque
rien sur lui-même que par l'anatomie comparée, de
même dans les passions, la vanité et plusieurs autres
causes d'illusion font que nous ne pouvons être éclairés
sur ce qui se passe dans nous que par les faiblesses que
nous avons observées chez les autres. Si par hasard
cet essai a un effet utile, ce sera de conduire l'esprit
à faire de ces sortes de rapprochements. Pour engager
à les faire, je vais essayer d'esquisser quelques traits
généraux du caractère de l'amour chez les diverses
nations.

Je prie qu'on me pardonne si je reviens souvent à
l'Italie; dans l'état actuel des mœurs de l'Europe, c'est

---

* Les souliers sans boucles du ministre Roland : « Ah! Monsieur,
tout est perdu », répond Dumouriez. A la séance royale, le président
de l'Assemblée croise les jambes.

le seul pays où croisse en liberté la plante que je décris.
En France, la vanité; en Allemagne, une prétendue
philosophie folle à mourir de rire; en Angleterre, un
orgueil timide, souffrant, rancunier, la torturent,
l'étouffent ou lui font prendre une direction baroque *.

* On ne se sera que trop aperçu que ce traité est fait de morceaux
écrits à mesure que Lisio Visconti voyait les anecdotes se passer sous
ses yeux, dans ses voyages. L'on trouve toutes ces anecdotes contées
au long dans le journal de sa vie; peut-être aurais-je dû les insérer,
mais on les eût trouvées peu convenables. Les notes les plus anciennes
portent la date de Berlin, 1807, et les dernières sont de quelques jours
avant sa mort, juin 1819. Quelques dates ont été altérées exprès pour
n'être pas indiscret; mais à cela se bornent tous mes changements;
je ne me suis pas cru autorisé à refondre le style. Ce livre a été écrit
en cent lieux divers, puisse-t-il être lu de même.

CHAPITRE XLI

Je cherche à me dépouiller de mes affections et à n'être qu'un froid philosophe.

Formées par les aimables Français qui n'ont que de la vanité et des désirs physiques, les femmes françaises sont des êtres moins agissants, moins énergiques, moins redoutés, et surtout moins aimés et moins puissants que les femmes espagnoles et italiennes.

Une femme n'est puissante que par le degré de malheur dont elle peut punir son amant; or, quand on n'a que de la vanité, toute femme est utile, aucune n'est nécessaire; le succès flatteur est de conquérir, et non de conserver. Quand on n'a que des désirs physiques, on trouve les filles, et c'est pourquoi les filles de France sont charmantes, et celles d'Espagne fort mal. En France les filles peuvent donner à beaucoup d'hommes autant de bonheur que les femmes honnêtes, c'est-à-dire du bonheur sans amour, et il y a toujours une chose qu'un Français respecte plus que sa maîtresse, c'est sa vanité.

Un jeune homme de Paris prend dans une maîtresse une sorte d'esclave, destinée surtout à lui donner des jouissances de vanité. Si elle résiste aux ordres de cette passion dominante, il la quitte et n'en est que plus content de lui en disant à ses amis avec quelle supériorité de manières, avec quel piquant de procédés il l'a plantée là.

Un Français qui connaissait bien son pays (Meilhan) dit : « En France les grandes passions sont aussi rares que les grands hommes. »

La langue manque de termes pour dire combien est impossible pour un Français le rôle d'amant quitté, et au désespoir, au vu et au su de toute une ville. Rien de plus commun à Venise ou à Bologne.

Pour trouver l'amour à Paris, il faut descendre jusqu'aux classes dans lesquelles l'absence de l'éducation
et de la vanité et la lutte avec les vrais besoins ont laissé
plus d'énergie.

Se laisser voir avec un grand désir non satisfait, c'est
laisser voir *soi inférieur*, chose impossible en France,
si ce n'est pour les gens au-dessous de tout; c'est prêter
le flanc à toutes les mauvaises plaisanteries possibles :
de là les louanges exagérées des filles, dans la bouche
des jeunes gens qui redoutent leur cœur. L'appréhension
extrême et grossière de laisser voir *soi inférieur* fait le
principe de la conversation des gens de province. N'en
a-t-on pas vu un dernièrement qui, en apprenant l'as-
sassinat de monseigneur le duc de Berry, a répondu :
Je le savais *.

Au moyen âge, la présence du danger *trempait* les
cœurs, et c'est là, si je ne me trompe, la seconde cause
de l'étonnante supériorité des hommes du XVIe siècle.
L'originalité qui est chez nous rare, ridicule, dangereuse
et souvent affectée, était alors commune et sans fard. Les
pays où le danger montre encore souvent sa main de fer,
comme la Corse **, l'Espagne, l'Italie, peuvent encore
donner de grands hommes. Dans ces climats où une chaleur brûlante exalte la bile pendant trois mois de l'année,
ce n'est que la *direction* du ressort qui manque; à Paris,
j'ai peur que ce soit le *ressort* lui-même ***.

Beaucoup de nos jeunes gens, si braves d'ailleurs à
Montmirail ou au bois de Boulogne, ont peur d'aimer,
et c'est réellement par pusillanimité qu'on les voit à
vingt ans fuir la vue d'une jeune fille qu'ils ont trouvée

---

* Historique. Plusieurs, quoique fort curieux, sont choqués d'apprendre des nouvelles : ils redoutent de paraître inférieurs à celui qui
les leur conte.

** *Mémoire* de M. Réalier-Dumas. La Corse, qui par sa population, cent quatre-vingt mille âmes, ne formerait pas la moitié de la
plupart des départements français, a donné, dans ces derniers temps,
Salicetti, Pozzo-di-Borgo, le général Sébastiani, Cervoni, Abatucci,
Lucien et Napoléon Bonaparte, Arena. Le département du Nord,
qui a neuf cent mille habitants, est loin d'une pareille liste. C'est qu'en
Corse chacun, en sortant de chez soi, peut rencontrer un coup de
fusil; et le Corse, au lieu de se soumettre en vrai chrétien, cherche à
se défendre et surtout à se venger. Voilà comment se fabriquent les
âmes à la Napoléon. Il y a loin de là à un palais garni de menins et
de chambellans, et à Fénelon obligé de raisonner son respect pour
monseigneur, parlant à monseigneur lui-même âgé de douze ans. Voir
les ouvrages de ce grand écrivain.

*** A Paris, pour être bien, il faut faire attention à un million de
petites choses. Cependant voici une objection très forte. L'on compte

jolie. Quand ils se rappellent ce qu'ils ont lu dans les romans qu'il est *convenable* qu'un amant fasse, ils se sentent glacés. Ces âmes froides ne conçoivent pas que l'orage des passions, en formant les ondes de la mer, enfle les voiles du vaisseau et lui donne la force de les surmonter.

L'amour est une fleur délicieuse, mais il faut avoir le courage d'aller la cueillir sur les bords d'un précipice affreux. Outre le ridicule, l'amour voit toujours à ses côtés le désespoir d'être quitté par ce qu'on aime, et il ne reste plus qu'un *dead blank* pour tout le reste de la vie.

La perfection de la civilisation serait de combiner tous les plaisirs délicats du XIXᵉ siècle avec la présence plus fréquente du danger ★. Il faudrait que les jouissances de la vie privée pussent être augmentées à l'infini en s'exposant souvent au danger. Jusque-là nous serons tout ébahis de voir sortir de nos maisons d'éducation de Paris où les maîtres les plus distingués enseignent, suivant des méthodes parfaites, l'état le plus avancé des sciences, des dandys, des espèces de jocrisses qui ne savent que bien mettre leur cravate et se battre avec élégance au bois de Boulogne. Mais l'étranger vient-il souiller de sa présence les foyers de la patrie : en France, on crée des routes, et en Espagne des *guerillas*.

Si je voulais faire de mon fils un homme qui fasse sa fortune, un coquin énergique et adroit qui se pousse dans le monde par ses talents, je le ferais élever à Rome, où pourtant, au premier coup d'œil, l'on ne voit que des pédants enseignant des sottises.

---

beaucoup plus de femmes qui se tuent par amour, à Paris, que dans toutes les villes d'Italie ensemble. Ce fait m'embarrasse beaucoup, je ne sais qu'y répondre pour le moment, mais il ne change pas mon opinion. Peut-être que la mort paraît peu de chose dans ce moment aux Français, tant la vie ultra-civilisée est ennuyeuse, ou plutôt on se brûle la cervelle outré d'un malheur de vanité.

★ J'admire les mœurs du temps de Louis XIV : on passait sans cesse et en trois jours, des salons de Marly aux champs de bataille de Senef et de Ramillies. Les épouses, les mères, les amantes, étaient dans des transes continuelles. Voir les lettres de Mme de Sévigné. La présence du danger avait conservé dans la langue, seule image ressemblante qui nous reste de ces temps-là (à cause de la règle de la dignité dans la littérature), avait conservé, dis-je, une énergie et une franchise que nous n'oserions plus hasarder aujourd'hui; moi, homme, je suis obligé de supprimer ici, dans un livre d'idéologie, ce qui tombe souvent sous la plume de Mme de Sévigné. Mais aussi M. de Lameth tuait l'amant de sa femme. Si un Walter Scott nous faisait un roman du temps de Louis XIV, nous serions bien étonnés.

CHAPITRE XLII

SUITE DE LA FRANCE

Je demande la permission de médire encore un peu de la France. Le lecteur ne doit pas craindre de voir ma satire rester impunie; si cet essai trouve des lecteurs, mes injures me seront rendues au centuple; l'honneur national veille.

La France est importante dans le plan de ce livre, parce que Paris, grâce à la supériorité de sa conversation et de sa littérature, est et sera toujours le salon de l'Europe.

Les trois quarts des billets du matin à Vienne comme à Londres sont écrits en français, ou pleins d'allusions et de citations aussi en français *, et Dieu sait quel.

Sous le rapport des grandes passions, la France est, ce me semble, privée d'originalité par deux causes :

1º Le véritable honneur ou le désir de ressembler à Bayard, pour être honoré dans le monde et y voir chaque jour notre vanité satisfaite :

2º L'honneur bête ou le désir de ressembler aux gens de bon ton, du grand monde, de Paris. L'art d'entrer dans un salon, de marquer de l'éloignement à un rival, de se brouiller avec sa maîtresse, etc.

L'honneur bête, d'abord par lui-même comme capable d'être compris par les sots, et ensuite comme s'appliquant à des actions de tous les jours, et même de toutes les heures, est beaucoup plus utile que l'honneur vrai aux plaisirs de notre vanité. On voit des gens très bien reçus dans le monde avec de l'honneur bête sans honneur vrai, et le contraire est impossible.

---

* Les écrivains les plus graves croient, en Angleterre, se donner un air cavalier en citant des mots français qui, la plupart, n'ont jamais été français que dans les grammaires anglaises. Voir les rédacteurs de l'*Edinburgh Review;* voir les *Mémoires* de la comtesse de Lichtenau, maîtresse de l'avant-dernier roi de Prusse.

Le ton du grand monde est :

1° De traiter avec ironie tous les grands intérêts. Rien de plus naturel, autrefois les gens véritablement du grand monde ne pouvaient être profondément affectés par rien; ils n'en avaient pas le temps. Le séjour à la campagne change cela. D'ailleurs, c'est une position contre nature pour un Français, que de se laisser voir *admirant* *, c'est-à-dire inférieur, non seulement à ce qu'il admire, passe encore pour cela; mais même à son voisin, si ce voisin s'avise de se moquer de ce qu'il admire.

En Allemagne, en Italie, en Espagne, l'admiration est au contraire pleine de bonne foi et de bonheur; là, l'admirant a orgueil de ses transports et plaint le siffleur; je ne dis pas le moqueur, c'est un rôle impossible dans des pays où le seul ridicule est de manquer la route du bonheur, et non l'imitation d'une certaine manière d'être. Dans le midi la méfiance, et l'horreur d'être troublé dans des plaisirs vivement sentis met une admiration innée pour le luxe et la pompe. Voyez les cours de Madrid et de Naples; voyez une *funzione* à Cadix, cela va jusqu'au délire **.

2° Un Français se croit l'homme le plus malheureux et presque le plus ridicule, s'il est obligé de passer son temps seul. Or, qu'est-ce que l'amour sans solitude ?

3° Un homme passionné ne pense qu'à soi, un homme qui veut de la considération ne pense qu'à autrui; il y a plus, avant 1789, la sûreté individuelle ne se trouvait en France qu'en faisant partie d'un *corps*, la robe, par exemple ***, et étant protégé par les membres de ce

---

* L'admiration de mode, comme Hume vers 1775, ou Franklin en 1784, ne fait pas objection.

** Voyage en Espagne de M. Semple; il peint vrai, et l'on trouvera une description de la bataille de Trafalgar, entendue dans le lointain, qui laisse un souvenir.

*** Correspondance de Grimm, janvier 1783.

« M. le comte de N***, capitaine en survivance des gardes de Monsieur, piqué de ne plus trouver de place au balcon, le jour de l'ouverture de la nouvelle salle, s'avisa fort mal à propos de disputer la sienne à un honnête procureur; celui-ci, maître Pernot, ne voulut jamais désemparer. — Vous prenez ma place. — Je garde la mienne. — Et qui êtes-vous ? — Je suis monsieur six francs... (c'est le prix de ces places). Et puis des mots plus vifs, des injures, des coups de coude. Le comte de N*** poussa l'indiscrétion au point de traiter le pauvre robin de voleur, et prit enfin sur lui d'ordonner au sergent de service de s'assurer de sa personne et de le conduire au corps de garde. Maître Pernot s'y rendit avec beaucoup de dignité, et n'en sortit que pour aller déposer sa plainte chez un commissaire. Le redoutable corps dont il a l'honneur d'être membre n'a jamais voulu consentir qu'il

corps. La pensée de votre voisin était donc partie inté-
grante et nécessaire de votre bonheur. Cela était encore
plus vrai à la cour qu'à Paris.

Il est facile de sentir combien ces habitudes, qui, à la
vérité, perdent tous les jours de leur force, mais dont les
Français ont encore pour un siècle, favorisent [peu] les
grandes passions.

Je crois voir un homme qui se jette par la fenêtre, mais
qui cherche pourtant à avoir une position gracieuse en
arrivant sur le pavé.

L'homme passionné est comme lui et non comme un
autre, source de tous les ridicules en France, et de plus il
offense les autres, ce qui donne des ailes au ridicule.

s'en désistât. L'affaire vient d'être jugée au parlement. M. de N***
a été condamné à tous les dépens, à faire réparation au procureur, à
lui payer deux mille écus de dommages et intérêts, applicables de son
consentement aux pauvres prisonniers de la Conciergerie; de plus,
il est enjoint très expressément audit comte de ne plus prétexter des
ordres du roi pour troubler le spectacle, etc. Cette aventure a fait
beaucoup de bruit, il s'y est mêlé de grands intérêts : toute la robe
a cru être insultée par l'outrage fait à un homme de sa livrée, etc.
M. de N***, pour faire oublier son aventure, est allé chercher des
lauriers au camp de Saint-Roch. Il ne pouvait mieux faire, a-t-on dit,
car on ne peut douter de son talent pour emporter les places de haute
lutte. » Supposez un philosophe obscur au lieu de maître Pernot.
Utilité du duel.

Grimm, troisième partie, tome II, page 102.

Voir plus loin, page 496, une lettre assez raisonnable de Beaumarchais qui refuse une loge grillée qu'un de ses amis lui demandait pour
Figaro. Tant qu'on a cru que cette réponse s'adressait à un duc, la
fermentation a été grande, et l'on parlait de punitions graves. On n'a
plus fait qu'en rire quand Beaumarchais a déclaré que sa lettre était
adressée à M. le président du Paty. Il y a loin de 1785 à 1822! Nous
ne comprenons plus ces sentiments. Et l'on veut que la même tragédie qui touchait ces gens-là soit bonne pour nous!

CHAPITRE XLIII

DE L'ITALIE

Le bonheur de l'Italie est d'être laissée à l'inspiration du moment, bonheur partagé jusqu'à un certain point par l'Allemagne et l'Angleterre.

De plus, l'Italie est un pays où l'utile qui fut la vertu des républiques du moyen âge *, n'a pas été détrôné par l'honneur ou la vertu arrangée à l'usage des rois**, et l'honneur vrai ouvre les voies à l'honneur bête; il accoutume à se demander : Quelle idée le voisin se fait-il de mon bonheur ? et le bonheur de sentiment ne peut être objet de vanité, car il est invisible ***. Pour preuve de tout cela, la France est le pays du monde où il y a le moins de mariages d'inclination ****.

D'autres avantages de l'Italie, c'est le loisir profond

---

* *G. Pecchio nelle sue vivacissime lettere ad una bella giovane inglese sopra la Spagna libera, laquale è un medioevo, non redivivo, ma sempre vivo, dice, pagina* 60 : « *Lo scopo degli Spagnuoli non era la gloria, ma la indipendenza. Se gli Spagnuoli non si fossero battuti che per l'onore, la guerra era finita colla battaglia di Tudela. L'onore è di una natura bizzarra; macchiato una volta, perde tutta la forza per agire... L'esercito di linea spagnuolo, imbevuto anch'egli dei pregiudizi dell' onore (vale a dire fatto europeo moderno), vinto che fosse, si sbandava col pensiero che tutto coll' onore era perduto, etc.* »

** Un homme s'honore en 1620, en disant sans cesse, et le plus servilement qu'il peut : *Le roi mon maître* (voir les mémoires de Noailles, de Torcy et de tous les ambassadeurs de Louis XIV); c'est tout simple : par ce tour de phrase, il proclame le *rang* qu'il occupe parmi les sujets. Ce rang qu'il tient du roi remplace dans l'attention et dans l'estime de ces hommes le rang qu'il tenait dans la Rome antique de l'opinion de ses concitoyens qui l'avaient vu combattre à Trasimène et parler au Forum. On bat en brèche la monarchie absolue en ruinant la *vanité* et ses ouvrages avancés qu'elle appelle les *convenances*. La dispute entre Shakespeare et Racine n'est qu'une des formes de la dispute entre Louis XIV et la Charte.

*** On ne peut l'évaluer que sur les actions non réfléchies.

**** Miss O'Neill, mistress Coutts, et la plupart des grandes actrices anglaises, quittent le théâtre pour se marier richement.

sous un ciel admirable et qui porte à être sensible à la beauté sous toutes les formes. C'est une défiance extrême et pourtant raisonnable qui augmente l'isolement et double le charme de l'intimité; c'est le manque de la lecture des romans et presque de toute lecture qui laisse encore plus à l'inspiration du moment; c'est la passion de la musique qui excite dans l'âme un mouvement si semblable à celui de l'amour.

En France, vers 1770, il n'y avait pas de méfiance; au contraire, il était du bel usage de vivre et de mourir en public, et comme la duchesse de Luxembourg était intime avec cent amis, il n'y avait pas non plus d'intimité ou d'amitié proprement dites.

En Italie, comme avoir une passion n'est pas un avantage très rare, ce n'est pas un ridicule *, et l'on entend citer tout haut dans les salons les maximes générales sur l'amour. Le public connaît les symptômes et les périodes de cette maladie et s'en occupe beaucoup. On dit à un homme quitté : Vous allez être au désespoir pendant six mois; mais ensuite vous guérirez comme un tel, un tel, etc.

En Italie, les jugements du public sont les très humbles serviteurs des passions. Le plaisir réel y exerce le pouvoir qui ailleurs est aux mains de la société; c'est tout simple, la société ne donnant presque point de plaisirs à un peuple qui n'a pas le temps d'avoir de la vanité, et qui veut se faire oublier du pacha, elle n'a que peu d'autorité. Les ennuyés blâment bien les passionnés, mais on se moque d'eux. Au midi des Alpes, la société est un despote qui manque de cachots.

A Paris, comme l'honneur commande de défendre l'épée à la main, ou par de bons mots si l'on peut, toutes les avenues de tout grand intérêt avoué, il est bien plus commode de se réfugier dans l'ironie. Plusieurs jeunes gens ont pris un autre parti, c'est de se faire de l'école de J.-J. Rousseau et de Mme de Staël. Puisque l'ironie est devenue une manière vulgaire, il a bien fallu avoir du sentiment. Un de Pezay, de nos jours, écrirait comme M. d'Arlincourt; d'ailleurs, depuis 1789, les événements combattent en faveur de l'*utile* ou de la sensation individuelle contre l'*honneur* ou l'empire de l'opinion; le spectacle des chambres apprend à tout discuter, même la

---

* On passe la galanterie aux femmes, mais l'amour leur donne du ridicule, écrivait le judicieux abbé Girard, à Paris, en 1740.

plaisanterie. La nation devient sérieuse, la galanterie perd du terrain.

Je dois dire comme Français, que ce n'est pas un petit nombre de fortunes colossales qui fait la richesse d'un pays, mais la multiplicité des fortunes médiocres. Par tous pays les passions sont rares, et la galanterie a plus de grâces et de finesse et par conséquent plus de bonheur en France. Cette grande nation, la première de l'univers *, se trouve pour l'amour ce qu'elle est pour les talents de l'esprit. En 1822, nous n'avons assurément ni Moore, ni Walter Scott, ni Crabbe, ni Byron, ni Monti, ni Pellico; mais il y a chez nous plus de gens d'esprit éclairés, agréables et au niveau des lumières du siècle qu'en Angleterre ou en Italie. C'est pour cela que les discussions de notre chambre des députés, en 1822, sont si supérieures à celles du parlement d'Angleterre; et que quand un libéral d'Angleterre vient en France, nous sommes tout surpris de lui trouver plusieurs opinions gothiques.

Un artiste romain écrivait de Paris :

« Je me déplais infiniment ici; je crois que c'est parce que je n'ai pas le loisir d'aimer à mon gré. Ici, la sensibilité se dépense goutte à goutte à mesure qu'elle se forme, et de manière, au moins pour moi, à fatiguer la source. A Rome, par le peu d'intérêt des événements de chaque jour, par le sommeil de la vie extérieure, la sensibilité s'amoncèle au profit des passions. »

---

* Je n'en veux pour preuve que l'*envie*. Voir l'*Edinburgh Review* de 1821, voir les journaux littéraires allemands et italiens, et le *Simiotigre* d'Alfieri.

CHAPITRE XLIV

ROME

Ce n'est qu'à Rome *, qu'une femme honnête et à carrosse vient dire avec effusion à une autre femme sa simple connaissance, comme je l'ai vu ce matin : « Ah ! ma chère amie, ne fais pas l'amour avec Fabio Vitteleschi ; il vaudrait mieux pour toi prendre de l'amour pour un assassin de grands chemins. Avec son air doux et mesuré, il est capable de te percer le cœur d'un poignard, et de te dire avec un sourire aimable en te le plongeant dans la poitrine : Ma petite, est-ce qu'il te fait mal ? » Et cela se passait en présence d'une jolie personne de quinze ans, fille de la dame qui recevait l'avis, et fille très alerte.

Si l'homme du Nord a le malheur de n'être pas choqué d'abord par le naturel de cette amabilité du Midi, qui n'est que le développement simple d'une nature grandiose, favorisé par la double absence du bon ton et de toute nouveauté intéressante, en un an de séjour les femmes de tous les autres pays lui deviennent insupportables.

Il voit les Françaises avec leurs petites grâces ** tout aimables, séduisantes les trois premiers jours, mais ennuyeuses le quatrième, jour fatal où l'on découvre que toutes ces grâces étudiées d'avance et apprises par cœur sont éternellement les mêmes tous les jours et pour tous.

Il voit les Allemandes si naturelles, au contraire, et se livrant avec tant d'empressement à leur imagination, n'avoir souvent à montrer, avec tout leur naturel, qu'un fond de stérilité, d'insipidité et de tendresse de la biblio-

---

* 30 septembre 1819.
** Outre que l'auteur avait le malheur de n'être pas né à Paris, il y avait très peu vécu.

(Note de l'éditeur.)

thèque bleue. La phrase du comte Almaviva semble faite en Allemagne : « Et l'on est tout étonné, un beau soir, de trouver la satiété où l'on allait chercher le bonheur. »

A Rome, l'étranger ne doit pas oublier que si rien n'est ennuyeux dans les pays où tout est naturel, le mauvais y est plus mauvais qu'ailleurs. Pour ne parler que des hommes *, on voit paraître ici, dans la société, une espèce de monstres qui se cachent ailleurs. Ce sont des gens également passionnés, clairvoyants, et lâches. Un mauvais sort les a jetés auprès d'une femme à titre quelconque; amoureux-fous par exemple, ils boivent jusqu'à la lie le malheur de la voir préférer un rival. Ils sont là pour contrecarrer cet amant fortuné. Rien ne leur échappe, et tout le monde voit que rien ne leur échappe; mais ils n'en continuent pas moins en dépit de tout sentiment d'honneur à vexer la femme, son amant et eux-mêmes, et personne ne les blâme, *car ils font ce qui leur fait plaisir*. Un soir l'amant, poussé à bout, leur donne des coups de pied au cul; le lendemain ils lui en font bien des excuses et recommencent à scier constamment et imperturbablement la femme, l'amant et eux-mêmes. On frémit quand on songe à la quantité de malheur que ces âmes basses ont à dévorer chaque jour, et il ne leur manque, sans doute, qu'un grain de lâcheté de moins pour être empoisonneurs.

Ce n'est aussi qu'en Italie qu'on voit de jeunes élégants millionnaires entretenir magnifiquement des danseuses du grand théâtre, au vu et au su de toute une ville, moyennant trente sous par jour **. Les frères..., beaux jeunes gens toujours à la chasse, toujours à cheval, sont jaloux d'un étranger. Au lieu d'aller à lui et de lui conter leurs griefs, ils répandent sourdement dans le public des bruits défavorables à ce pauvre étranger. En France, l'opinion forcerait ces gens à prouver leur dire ou à rendre raison à l'étranger. Ici l'opinion publique et le mépris ne signifient rien. La richesse est toujours sûre d'être bien reçue partout. Un millionnaire déshonoré et chassé de partout à Paris, peut aller en toute sûreté à Rome; il y sera considéré juste au *prorata* de ses écus.

---

*   *Heu! male nunc artes miseras hæc secula tractant;*
        Jam tener assuevit munera velle puer.   TIBUL. I, IV.

** Voir, dans les mœurs du siècle de Louis XV, l'honneur et l'aristocratie combler de profusions les demoiselles Duthé, Laguerre et autres. Quatre-vingt ou cent mille francs par an n'avaient rien d'extraordinaire : un homme du grand monde se fût avili à moins.

CHAPITRE XLV

J'ai beaucoup vécu ces temps derniers avec les danseuses du théâtre *Del Sol*, à Valence. L'on m'assure que plusieurs sont fort chastes; c'est que leur métier est trop fatigant. Vigano leur fait répéter son ballet de la *Juive de Tolède* tous les jours, de dix heures du matin à quatre, et de minuit à trois heures du matin; outre cela, il faut qu'elles dansent chaque soir dans les deux ballets.

Cela me rappelle Rousseau qui prescrit de faire beaucoup marcher Émile. Je pensais ce soir, à minuit, en me promenant au frais sur le bord de la mer, avec les petites danseuses, d'abord que cette volupté surhumaine de la fraîcheur de la brise de mer sous le ciel de Valence en présence de ces étoiles resplendissantes qui semblent tout près de vous, est inconnue à nos tristes pays brumeux. Cela seul vaut les quatre cent lieues à faire, cela aussi empêche de penser à force de sensations. Je pensais que la chasteté de mes petites danseuses explique fort bien la marche que l'orgueil des hommes suit en Angleterre pour recréer tout doucement les mœurs du sérail au milieu d'une nation civilisée. On voit comment quelques-unes de ces jeunes filles d'Angleterre, d'ailleurs si belles et d'une physionomie si touchante, laissent un peu à désirer pour les idées. Malgré la liberté qui vient seulement d'être chassée de leur île et l'originalité admirable du caractère national, elles manquent d'idées intéressantes et d'originalité. Elles n'ont souvent de remarquable que la bizarrerie de leurs délicatesses. C'est tout simple, la pudeur des femmes en Angleterre, c'est l'orgueil de leurs maris. Mais quelque soumise que soit une esclave, sa société est bientôt à charge. De là, pour les hommes, la nécessité de s'enivrer tristement chaque soir *, au lieu de passer comme en Italie leurs soirées avec leur maîtresse. En Angleterre, les gens riches ennuyés de leur maison et sous prétexte d'un exercice nécessaire font quatre ou cinq lieues tous les jours comme si l'homme était créé et mis au monde pour trotter. Ils usent ainsi le fluide nerveux par les jambes et non par le cœur. Après quoi ils osent bien parler de délicatesse féminine, et mépriser l'Espagne et l'Italie.

Rien de plus désoccupé au contraire que les jeunes Italiens ; le mouvement qui leur ôterait leur sensibilité leur est importun. Ils font de temps à autre une promenade de demi-lieue comme remède pénible pour la santé ; quant aux femmes, une Romaine ne fait pas en toute l'année les courses d'une jeune miss en une semaine.

Il me semble que l'orgueil d'un mari anglais exalte très adroitement la vanité de sa pauvre femme. Il lui persuade surtout qu'il ne faut pas être *vulgaire*, et les mères qui préparent leurs filles pour trouver des maris ont fort bien saisi cette idée. De là la *mode* bien plus absurde et bien plus despotique dans la raisonnable Angleterre qu'au sein de la France légère ; c'est dans Bond-Street qu'a été inventé le *carefully careless*. En Angleterre la mode est un devoir, à Paris c'est un plaisir. La mode élève un bien autre mur d'airain à Londres entre New-Bond-street et Fenchurch-street, qu'à Paris entre la Chaussée-d'Antin et la rue Saint-Martin. Les maris permettent volontiers cette folie aristocratique à leurs femmes en dédommagement de la masse énorme de tristesse qu'ils leur imposent. Je trouve bien l'image de la société des femmes en Angleterre, telle que l'a faite le taciturne orgueil des hommes dans les romans autrefois célèbres de miss Burney. Comme demander un verre d'eau quand on a soif est vulgaire, les héroïnes de miss Burney ne manquent pas de se laisser mourir de soif. Pour fuir la vulgarité l'on arrive à l'affectation la plus abominable.

Je compare la prudence d'un jeune Anglais de vingt-deux ans riche, à la profonde méfiance du jeune Italien du même âge. L'Italien y est forcé pour sa sûreté et la dépose, cette méfiance, ou du moins l'oublie, dès qu'il est dans l'intimité, tandis que c'est précisément dans le sein de la société la plus tendre en apparence que

---

* Cet usage commence à tomber un peu dans la très bonne compagnie qui se francise comme partout ; mais je parle de l'immense généralité.

l'on voit redoubler la prudence et la hauteur du jeune Anglais. J'ai vu dire : « Depuis sept mois je ne lui parlais pas du voyage à Brighton. » Il s'agissait d'une économie obligée de quatre-vingts louis, et c'était un amant de vingt-deux ans parlant d'une maîtresse, femme mariée qu'il adorait ; mais, dans les transports de sa passion, la *prudence* ne l'avait pas quitté, bien moins encore avait-il eu l'abandon de dire à cette maîtresse : « Je n'irai pas à Brighton, parce que cela me gênerait. »

Remarquez que le sort de Giannone, de P[ellico] et de cent autres, force l'Italien à la méfiance, tandis que le jeune *beau* anglais n'est forcé à la prudence que par l'excès et la sensibilité maladive de sa vanité. Le Français, étant aimable avec ses idées de tous les moments, dit tout à ce qu'il aime. C'est une habitude, sans cela il manquerait d'aisance et il sait que sans aisance il n'y a point de grâce.

C'est avec peine et la larme à l'œil que j'ai osé écrire tout ce qui précède ; mais puisqu'il me semble que je ne flatterais pas un roi, pourquoi dirais-je d'un pays autre chose que ce qui m'en semble, et qui *of course* peut être très absurde, uniquement parce que ce pays a donné naissance à la femme la plus aimable que j'ai connue ?

Ce serait sous une autre forme de la bassesse monarchique. Je me contenterai d'ajouter qu'au milieu de tout cet ensemble de mœurs, parmi tant d'Anglaises victimes dans leur esprit de l'orgueil des hommes, comme il existe une originalité parfaite, il suffit d'une famille élevée loin des tristes restrictions destinées à reproduire les mœurs du sérail, pour donner des caractères charmants. Et que ce mot *charmant* est insignifiant malgré son étymologie, et commun pour rendre ce que je voudrais exprimer ! La douce Imogène, la tendre Ophélie trouveraient bien des modèles vivants en Angleterre ; mais ces modèles sont loin de jouir de la haute vénération unanimement accordée à la véritable Anglaise *accomplie*, destinée à satisfaire pleinement à toutes les convenances et à donner à un mari toutes les jouissances de l'orgueil aristocratique le plus maladif et un bonheur à mourir d'ennui *.

Dans les grandes enfilades de quinze ou vingt pièces

---

* Voir Richardson. Les mœurs de la famille des Harlowe, traduites en manières modernes, sont fréquentes en Angleterre : leurs domestiques valent mieux qu'eux.

extrêmement fraîches et fort sombres, où les femmes italiennes passent leur vie mollement couchées sur des divans fort bas, elles entendent parler d'amour ou de musique six heures de la journée. Le soir au théâtre, cachées dans leur loge pendant quatre heures, elles entendent parler de musique ou d'amour.

Donc, outre le climat, la constitution de la vie est aussi favorable à la musique et à l'amour en Espagne et en Italie, qu'elle leur est contraire en Angleterre.

Je ne blâme ni n'approuve, j'observe.

CHAPITRE XLVI

SUITE DE L'ANGLETERRE

J'aime trop l'Angleterre et je l'ai trop peu vue pour en parler. Je me sers des observations d'un ami.

L'état actuel de l'Irlande (1822) y réalise pour la vingtième fois depuis deux siècles *, cet état singulier de la société si fécond en résolutions courageuses, et si contraire à l'ennui, où des gens qui déjeunent gaiement ensemble peuvent se rencontrer dans deux heures sur un champ de bataille. Rien ne fait un appel plus énergique et plus direct à la disposition de l'âme la plus favorable aux passions tendres : le *naturel*. Rien n'éloigne davantage des deux grands vices anglais : le *cant* et la *bashfulness* (hypocrisie de moralité et timidité orgueilleuse et souffrante ; voir le voyage de M. Eustace, en Italie. Si ce voyageur peint assez mal le pays, en revanche il donne une idée fort exacte de son propre caractère ; et ce caractère, ainsi que celui de M. Beattie, le poète (voir sa vie écrite par un ami intime), est malheureusement assez commun en Angleterre. Pour le prêtre honnête homme malgré sa place, voir les lettres de l'évêque de Llandaff **).

On croirait l'Irlande assez malheureuse, ensanglantée comme elle l'est depuis deux siècles par la tyrannie peureuse et cruelle de l'Angleterre ; mais ici fait son entrée dans l'état moral de l'Irlande un personnage terrible : le PRÊTRE...

Depuis deux siècles l'Irlande est à peu près aussi mal gouvernée que la Sicile. Un parallèle approfondi

---

* Le jeune enfant de Spencer brûlé vif en Irlande.

** Réfuter autrement que par des injures le portrait d'une certaine classe d'Anglais présenté dans ces trois ouvrages, me semble la chose impossible.

Satanic school.

de ces deux îles, en un volume de 500 pages, fâcherait bien des gens, et ferait tomber dans le ridicule bien des théories respectées. Ce qui est évident c'est que le plus heureux de ces deux pays, également gouvernés par des fous, au seul profit du petit nombre, c'est la Sicile. Ses gouvernants lui ont au moins laissé l'*amour* et la volupté; ils les lui auraient bien ravis aussi comme tout le reste, mais grâce au ciel il y a peu en Sicile de ce mal moral appelé loi et gouvernement *.

Ce sont les gens âgés et les prêtres qui font et font exécuter les lois, cela paraît bien à l'espèce de jalousie comique avec laquelle la volupté est poursuivie dans les îles britanniques. Le peuple y pourrait dire à ses gouvernants comme Diogène à Alexandre : « Contentez-vous de vos sinécures et laissez-moi, du moins, mon soleil **. »

A force de lois, de règlements, de contre-règlements et de supplices, le gouvernement a créé en Irlande la pomme de terre, et la population de l'Irlande surpasse de beaucoup celle de la Sicile; c'est-à-dire l'on a fait venir quelques millions de paysans avilis et hébétés, écrasés de travail et de misère, traînant pendant quarante ou cinquante ans une vie malheureuse sur les marais du vieil Érin, mais payant bien la dîme. Voilà un beau miracle. Avec la religion païenne, ces pauvres diables auraient au moins joui d'un bonheur; mais pas du tout, il faut adorer saint Patrick.

En Irlande on ne voit guère que des paysans plus malheureux que des sauvages. Seulement au lieu d'être cent mille comme ils seraient dans l'état de nature, ils sont huit millions ***, et font vivre richement cinq cents *absentees* à Londres et à Paris.

---

* J'appelle *mal moral*, en 1822, tout gouvernement qui n'a pas les deux Chambres; il n'y a d'exception que lorsque le chef du gouvernement est grand par la probité, miracle qui se voit en Saxe et à Naples.

** Voir dans le procès de la feue reine une liste curieuse des pairs avec les sommes qu'eux et leurs familles reçoivent de l'État. Par exemple, lord Lauderdale et sa famille, 36,000 louis. Le demi-pot de bière, nécessaire à la chétive subsistance du plus pauvre Anglais, paye un sou d'impôt au profit du noble pair. Et, ce qui fait beaucoup à notre objet, ils le savent tous les deux. Dès lors ni le lord ni le paysan n'ont plus assez de loisir pour songer à l'amour, ils aiguisent leurs armes, l'un en public et avec orgueil, l'autre en secret et avec rage (L'Yeomanry et les Whiteboys).

*** Plunkett, Craig, *Vie de Curran*.

La société est infiniment plus avancée en Écosse *
où sous plusieurs rapports le gouvernement est bon
(la rareté des crimes, la lecture, pas d'évêques, etc.).
Les passions tendres y ont donc beaucoup plus de développement, et nous pouvons quitter les idées noires et
arriver aux ridicules.

Il est impossible de ne pas apercevoir un fond de
mélancolie chez les femmes écossaises. Cette mélancolie
est surtout séduisante au bal où elle donne un singulier
piquant à l'ardeur et à l'extrême empressement avec
lesquels elles sautent leurs danses nationales. Édimbourg
a un autre avantage, c'est de s'être soustraite à la vile
omnipotence de l'or. Cette ville forme en cela, aussi
bien que pour la singulière et sauvage beauté du site,
un contraste complet avec Londres. Comme Rome, la
belle Édimbourg semble plutôt le séjour de la vie con-
templative. Le tourbillon sans repos et les intérêts
inquiets de la vie active avec ses avantages et ses inconvénients sont à Londres. Édimbourg me semble payer
le tribut au malin par un peu de disposition à la pédanterie. Les temps où Marie Stuart habitait le vieux Holy-
rood, et où l'on assassinait Riccio dans ses bras, valaient
mieux pour l'amour, et toutes les femmes en convien-
dront, que ceux où l'on discute si longtemps et même
en leur présence, sur la préférence à accorder au système neptunien sur, le vulcanien de... J'aime mieux la
discussion sur le nouvel uniforme donné par le roi à
ses gardes ou sur la pairie manquée de sir B. Bloomfield,
qui occupait Londres lorsque je m'y trouvais, que la
discussion pour savoir qui a le mieux exploré la nature
des roches, de Werner ou de...

Je ne dirai rien du terrible dimanche écossais, auprès
duquel celui de Londres semble une partie de plaisir. Ce
jour destiné à honorer le ciel est la meilleure image de
l'enfer que j'aie jamais vue sur la terre. Ne marchons pas
si vite, disait un Écossais en revenant de l'église à un
Français son ami, nous aurions l'air de nous promener **.

Celui des trois pays où il y a le moins d'hypocrisie
(*Cant*, voyez le *New-Monthly Magazine* de janvier 1822,
tonnant contre Mozart et les *Nozze di Figaro*, écrit dans
un pays où l'on joue le *Citizen*. Mais ce sont les aristo-

---

* Degré de civilisation du paysan Robert Burns et de sa famille ;
club de paysans où l'on payait deux sous par séance ; questions qu'on
y discutait. (Voir les lettres de Burns.)

** Le même fait en Amérique. En Écosse, étalage des titres.

crates qui, par tout pays, achètent et jugent un journal littéraire et la littérature; et depuis quatre ans, ceux d'Angleterre ont fait alliance avec les évêques); celui des trois pays où il y a, ce me semble, le moins d'hypocrisie, c'est l'Irlande; on y trouve, au contraire, une vivacité étourdie et fort aimable. En Écosse, il y a la stricte observance le dimanche, mais le lundi on danse avec une joie et un abandon inconnus à Londres. Il y a beaucoup d'amour dans la classe des paysans en Écosse. La toute-puissance de l'imagination a francisé ce pays au XVIe siècle.

Le terrible défaut de la société anglaise, celui qui, en un jour donné, crée une plus grande quantité de tristesse que la dette et ses conséquences, et même que la guerre à mort des riches contre les pauvres, c'est cette phrase que l'on me disait cet automne à Croydon, en présence de la belle statue de l'évêque : « Dans le monde aucun homme ne veut se mettre en avant de peur d'être déçu dans son attente. »

Qu'on juge quelles lois sous le nom de *pudeur* de tels hommes doivent imposer à leurs femmes et à leurs maîtresses!

CHAPITRE XLVII

DE L'ESPAGNE

L'Andalousie est l'un des plus aimables séjours que la volupté se soit choisis sur la terre. J'avais trois ou quatre anecdotes qui montraient de quelle manière mes idées sur les trois ou quatre actes de folies différents dont la réunion forme l'amour, sont vraies en Espagne; l'on me conseille de les sacrifier à la délicatesse française. J'ai eu beau protester que j'écrivais en langue française, mais non pas certes en *littérature française*. Dieu me préserve d'avoir rien de commun avec les littérateurs estimés aujourd'hui.

Les Maures, en abandonnant l'Andalousie, y ont laissé leur architecture et presque leurs mœurs. Puisqu'il m'est impossible de parler des dernières dans la langue de Mme de Sévigné, je dirai du moins de l'architecture mauresque, que son principal trait consiste à faire que chaque maison ait un petit jardin entouré d'un portique élégant et svelte. Là, pendant les chaleurs insupportables de l'été, quand durant des semaines entières le thermomètre de Réaumur ne descend jamais et se soutient à trente degrés, il règne sous les portiques une obscurité délicieuse. Au milieu du petit jardin il y a toujours un jet d'eau dont le bruit uniforme et voluptueux est le seul qui trouble cette retraite charmante. Le bassin de marbre est environné d'une douzaine d'orangers et de lauriers-roses. Une toile épaisse en forme de tente recouvre tout le petit jardin, et le protégeant contre les rayons du soleil et de la lumière, ne laisse pénétrer que les petites brises qui sur le midi viennent des montagnes.

Là vivent et reçoivent les charmantes Andalouses à la démarche si vive et si légère; une simple robe de soie noire garnie de franges de la même couleur, et laissant apercevoir un cou-de-pied charmant, un teint pâle, des yeux où se peignent toutes les nuances les plus fugitives des passions les plus tendres et les plus ardentes; tels sont les êtres célestes qu'il m'est défendu de faire entrer en scène.

Je regarde le peuple espagnol comme le représentant vivant du moyen âge.

Il ignore une foule de petites vérités (vanité puérile de ses voisins); mais il sait profondément les grandes et a assez de caractère et d'esprit pour suivre leurs conséquences jusque dans leurs effets les plus éloignés. Le caractère espagnol fait une belle opposition avec l'esprit français; dur, brusque, peu élégant, plein d'un orgueil sauvage, jamais occupé des autres : c'est exactement le contraste du xve siècle avec le xviiie.

L'Espagne m'est bien utile pour une comparaison : le seul peuple qui ait su résister à Napoléon me semble absolument pur d'honneur-bête, et de ce qu'il y a de bête dans l'honneur.

Au lieu de faire de belles ordonnances militaires, de changer d'uniforme tous les six mois et de porter de grands éperons, il a le général *no importa* *.

* Voir les charmantes Lettres de M. Pecchio. L'Italie est pleine de gens de cette force; mais, au lieu de se produire, ils se tiennent tranquilles : *Paese della virtù sconosciuta*.

CHAPITRE XLVIII

DE L'AMOUR ALLEMAND

Si l'Italien, toujours agité entre la haine et l'amour, vit de passions, et le Français de vanité, c'est d'imagination que vivent les bons et simples descendants des anciens Germains. A peine sortis des intérêts sociaux les plus directs et les plus nécessaires à leur subsistance, on les voit avec étonnement s'élancer dans ce qu'ils appellent leur philosophie ; c'est une espèce de folie douce, aimable, et surtout sans fiel. Je vais citer, non pas tout à fait de mémoire, mais sur des notes rapides, un ouvrage qui, quoique fait dans un sens d'opposition, montre bien, même par les admirations de l'auteur, l'esprit militaire dans tout son excès : c'est le *Voyage en Autriche*, par M. Cadet-Gassicourt, en 1809. Qu'eût dit le noble et généreux Desaix, s'il eût vu le pur héroïsme de 95 conduire à cet exécrable égoïsme ?

Deux amis se trouvent ensemble à une batterie, à la bataille de Talavera, l'un comme capitaine-commandant, l'autre comme lieutenant. Un boulet arrive qui culbute le capitaine. Bon, dit le lieutenant tout joyeux, voilà François mort, c'est moi qui vais être capitaine. — Pas encore tout à fait, s'écrie François en se relevant, il n'avait été qu'étourdi par le boulet. Le lieutenant ainsi que son capitaine étaient les meilleurs garçons du monde, point méchants, seulement un peu bêtes et enthousiastes de l'empereur ; mais l'ardeur de la chasse et l'égoïsme furieux que cet homme avait su réveiller en le décorant du nom de gloire faisaient oublier l'humanité.

Au milieu du spectacle sévère donné par de tels hommes, se disputant aux parades de Schœnbrunn un regard du maître et un titre de baron, voici comment l'apothicaire de l'empereur décrit l'amour allemand, page 288 :

« Rien n'est plus complaisant, plus doux qu'une Autrichienne. Chez elle l'amour est un culte, et, quand elle s'attache à un Français, elle l'adore dans toute la force du terme.

« Il y a des femmes légères et capricieuses partout, mais en général les Viennoises sont fidèles et ne sont nullement coquettes; quand je dis qu'elles sont fidèles, c'est à l'amant de leur choix, car les maris sont à Vienne comme partout. »

7 juin 1809.

La plus belle personne de Vienne a agréé l'hommage d'un ami à moi, M. M.., capitaine attaché au quartier général de l'empereur. C'est un jeune homme doux et spirituel; mais certainement sa taille ni sa figure n'ont rien de remarquable.

Depuis quelques jours sa jeune amie fait la plus vive sensation parmi nos brillants officiers d'état-major, qui passent leur vie à fureter tous les coins de Vienne. C'est à qui sera le plus hardi; toutes les ruses de guerre possibles ont été employées; la maison de la belle a été mise en état de siège par les plus jolis et les plus riches. Les pages, les brillants colonels, les généraux de la garde, les princes mêmes sont allés perdre leur temps sous les fenêtres de la belle, et leur argent auprès de ses gens. Tous ont été éconduits. Ces princes n'étaient guère accoutumés à trouver de cruelles à Paris ou à Milan. Comme je riais de leur déconvenue avec cette charmante personne : « *Mais, mon Dieu*, me disait-elle, *est-ce qu'ils ne savent pas que j'aime M. M...* »

Voilà un singulier propos et assurément fort indécent.

Page 290 : « Pendant que nous étions à Schœnbrunn, je remarquai que deux jeunes gens attachés à l'empereur ne recevaient jamais personne dans leur logement à Vienne. Nous les plaisantions beaucoup sur cette discrétion, l'un d'eux me dit un jour : « Je n'aurai pas de « secret pour vous, une jeune femme de la ville s'est « donnée à moi, sous la condition qu'elle ne quitterait « jamais mon appartement, et que je ne recevrais qui « que ce soit sans sa permission. » Je fus curieux, dit le voyageur, de connaître cette recluse volontaire, et ma qualité de médecin me donnant comme dans l'Orient un prétexte honnête, j'acceptai un déjeuner que mon ami m'offrit. Je trouvai une femme très éprise, ayant le plus grand soin du ménage, ne désirant nullement sortir quoique la saison invitât à la promenade, et d'ailleurs convaincue que son amant la ramènerait en France.

« L'autre jeune homme, qu'on ne trouvait non plus jamais à son logement en ville, me fit bientôt après une confidence pareille. Je vis aussi sa belle; comme la première, elle était blonde, fort jolie, très bien faite.

« L'une âgée de dix-huit ans était la fille d'un tapissier fort à son aise; l'autre, qui avait environ vingt-quatre ans, était la femme d'un officier autrichien qui faisait la campagne à l'armée de l'archiduc Jean. Cette dernière poussa l'amour jusqu'à ce qui nous semblerait de l'héroïsme en pays de vanité. Non seulement son ami lui fut infidèle, mais il se trouva dans le cas de lui faire les aveux les plus scabreux. Elle le soigna avec un dévouement parfait, et, s'attachant par la gravité de la maladie de son amant, qui bientôt fut en péril, elle ne l'en chérit peut-être que davantage.

« On sent qu'étranger et vainqueur, et toute la haute société de Vienne s'étant retirée à notre approche dans ses terres de Hongrie, je n'ai pu observer l'amour dans les hautes classes; mais j'en ai vu assez pour me convaincre que ce n'est pas de l'amour comme à Paris.

« Ce sentiment est regardé par les Allemands comme une vertu, comme une émanation de la divinité, comme quelque chose de mystique. Il n'est pas vif, impétueux, jaloux, tyrannique comme dans le cœur d'une Italienne. Il est profond et ressemble à l'illuminisme; il y a mille lieues de là à l'Angleterre.

« Il y a quelques années, un tailleur de Leipzig, dans un accès de jalousie, attendit son rival dans le jardin public et le poignarda. On le condamna à perdre la tête. Les moralistes de la ville fidèles à la bonté et à la facilité d'émotion des Allemands (faisant faiblesse de caractère), discutèrent le jugement, le trouvèrent sévère, et, établissant une comparaison entre le tailleur et Orosmane, apitoyèrent sur son sort. On ne put cependant faire réformer l'arrêt. Mais le jour de l'exécution, toutes les jeunes filles de Leipzig vêtues de blanc se réunirent et accompagnèrent le tailleur à l'échafaud en jetant des fleurs sur sa route.

« Personne ne trouva cette cérémonie singulière; cependant dans un pays qui croit être raisonneur, on pouvait dire qu'elle honorait une espèce de meurtre. Mais c'était une cérémonie, et tout ce qui est cérémonie est sûr de n'être jamais ridicule en Allemagne. Voyez les cérémonies des cours des petits princes qui nous feraient mourir de rire, et semblent fort imposantes à Meiningen ou à Köthen. Ils voient dans les six gardes chasses qui défilent devant leur petit prince, garni de son crachat, les soldats d'Hermann marchant à la rencontre des légions de Varus.

« Différence des Allemands à tous les autres peuples : ils s'exaltent par la méditation, au lieu de se calmer ; seconde nuance : ils meurent d'envie d'avoir du caractère.

« Le séjour des cours ordinairement si favorable au développement de l'amour, l'hébète en Allemagne. Vous n'avez pas d'idée de l'océan de minuties incompréhensibles et de petitesses qui forment ce qu'on appelle une cour d'Allemagne *, même celle des meilleurs princes (Munich, 1820). .

« Quand nous arrivions avec un état-major, dans une ville d'Allemagne, au bout de la première quinzaine les dames du pays avaient fait leur choix. Mais ce choix était constant ; et j'ai ouï dire que les Français étaient l'écueil de beaucoup de vertus irréprochables jusqu'à eux. »

. . . .

Les jeunes Allemands que j'ai rencontrés à Gœttingue, Dresde, Kœnigsberg, etc., sont élevés au milieu de systèmes prétendus philosophiques qui ne sont qu'une poésie obscure et mal écrite, mais, sous le rapport moral, de la plus haute et sainte sublimité. Il me semble voir qu'ils ont hérité de leur moyen âge, non la républicanisme, la défiance et le coup de poignard, comme les Italiens, mais une forte disposition à l'enthousiasme et à la bonne foi. C'est pour cela que tous les dix ans, ils ont un nouveau grand homme qui doit effacer tous les autres (Kant, Steding, Fichte, etc., etc. **).

Luther fit jadis un appel puissant au sens moral, et les Allemands se battirent trente ans de suite pour obéir à leur conscience. Belle parole et bien respectable, quelque absurde que soit la croyance ; je dis respectable même pour l'artiste. Voir les combats dans l'âme de S[and]

---

* Voir les *Mémoires de la margrave de Bayreuth*, et *Vingt ans de séjour à Berlin* par M. Thiébault.
** Voir en 1821 leur enthousiasme pour la tragédie du *Triomphe de la croix* qui fait oublier *Guillaume Tell*.

entre le troisième commandement de Dieu : *Tu ne tueras point*, et ce qu'il croyait l'intérêt de la patrie.

L'on trouve de l'enthousiasme mystique pour les femmes et l'amour jusque dans Tacite, si toutefois cet écrivain n'a pas fait uniquement une satire de Rome *.

L'on n'a pas plutôt fait cinq cents lieues en Allemagne que l'on distingue dans ce peuple désuni et morcelé, un fonds d'enthousiasme doux et tendre plutôt qu'ardent et impétueux.

Si l'on ne voyait pas bien clairement cette disposition, l'on pourrait relire trois ou quatre des romans d'Auguste la Fontaine que la jolie Louise, reine de Prusse, fit chanoine de Magdebourg, en récompense d'avoir si bien peint la *vie paisible* **.

Je vois une nouvelle preuve de cette disposition commune aux Allemands, dans le code autrichien qui exige l'aveu du coupable pour la punition de presque tous les crimes. Ce code, calculé pour un peuple où les crimes sont rares et plutôt un accès de folie chez un être faible que la suite d'un intérêt courageux, raisonné, et en guerre constante avec la société, est précisément le contraire de ce qu'il faut à l'Italie, où l'on cherche à l'implanter, mais c'est une erreur d'honnêtes gens.

J'ai vu les juges allemands en Italie se désespérer des sentences de mort, ou l'équivalent, les fers durs, qu'ils étaient obligés de prononcer sans l'aveu des coupables.

---

* J'ai eu le bonheur de rencontrer un homme de l'esprit le plus vif et en même temps savant comme dix savants allemands et exposant ce qu'il a découvert en termes clairs et précis. Si jamais M. F... imprime, nous verrons le moyen âge sortir brillant de lumière à nos yeux, et nous l'aimerons.

** Titre d'un des romans d'Auguste la Fontaine, la *Vie paisible*, autre grand trait des mœurs allemandes, c'est le *farniente* de l'Italien, c'est la critique physiologique du *drosky* russe ou du *horseback* anglais.

CHAPITRE XLIX

UNE JOURNÉE A FLORENCE

Florence, 12 février 1819.

Ce soir j'ai trouvé dans une loge un homme qui avait quelque chose à solliciter auprès d'un magistrat de cinquante ans. Sa première demande a été : Quelle est sa maîtresse ? *Chi avvicina adesso?* Ici toutes ces affaires sont de la dernière publicité, elles ont leurs lois, il y a la manière approuvée de se conduire qui est basée sur la justice sans presque rien de conventionnel, autrement on est un *porco*.

Qu'y a-t-il de nouveau, demandait hier un de mes amis, arrivant de Volterre ? Après un mot de gémissement énergique sur Napoléon et les Anglais, on ajoute avec le ton du plus vif intérêt : « La Vitteleschi a changé d'amant : ce pauvre Gherardesca se désespère. — Qui a-t-elle pris ? — Montegalli, ce bel officier à moustaches, qui avait la principessa Colonna, voyez-le là-bas au parterre, cloué sous sa loge ; il est là toute la soirée, car le mari ne veut pas le voir à la maison, et vous apercevez près de la porte le pauvre Gherardesca se promenant tristement et comptant de loin les regards que son infidèle lance à son successeur. Il est très changé, et dans le dernier désespoir ; c'est en vain que ses amis veulent l'envoyer à Paris et à Londres. Il se sent mourir, dit-il, seulement à l'idée de quitter Florence. »

Chaque année, il y a vingt désespoirs pareils dans la haute société ; j'en ai vu durer trois ou quatre ans. Ces pauvres diables sont sans nulle vergogne, et prennent pour confidents toute la terre. Au reste il y a peu de société ici, et encore, quand on aime, on n'y va presque plus. Il ne faut pas croire que les grandes passions et les belles âmes soient communes nulle part, même en Italie ; seulement des cœurs plus enflammés et moins étiolés par les mille petits soins de la vanité y trouvent des plaisirs délicieux, même dans les espèces subalternes d'amour. J'y ai vu l'amour-caprice, par exemple, causer des transports et des moments d'ivresse, que la passion la plus éperdue n'a jamais amenés sous le méridien de Paris *.

Je remarquais ce soir qu'il y a des noms propres en italien pour mille circonstances particulières de l'amour qui, en français, exigeraient des périphrases à n'en plus finir; par exemple l'action de se retourner brusquement, quand du parterre on lorgne dans sa loge la femme qu'on veut avoir, et que le mari ou le servant viennent à s'approcher du parapet de la loge.

Voici les traits principaux du caractère de ce peuple.

1º L'attention accoutumée à être au service de passions profondes *ne peut pas* se mouvoir rapidement, c'est la différence la plus marquante du Français à l'Italien. Il faut voir un Italien s'embarquer dans une diligence, ou faire un payement, c'est là la *furia francese;* c'est pour cela qu'un Français des plus vulgaires, pour peu qu'il ne soit pas un fat spirituel à la Des Mazures, paraît toujours un être supérieur à une Italienne. (L'amant de la princesse D... à Rome.)

2º Tout le monde fait l'amour et non pas en cachette comme en France, le mari est le meilleur ami de l'amant.

3º Personne ne lit.

4º Il n'y a pas de société. Un homme ne compte pas pour remplir et occuper sa vie sur le bonheur qu'il tire chaque jour, de deux heures de conversation et de jeu de vanité dans telle maison. Le mot *causerie* ne se traduit pas en italien. L'on parle quand on a quelque chose à dire pour le service d'une passion, mais rarement l'on parle pour bien parler et sur tous les sujets venus.

5º Le *ridicule* n'existe pas en Italie.

En France nous cherchons à imiter tous les deux le même modèle et je suis juge compétent de la manière dont vous le copiez **. En Italie je ne sais pas si cette action singulière que je vois faire ne fait pas plaisir

---

* De ce Paris qui a donné au monde Voltaire, Molière et tant d'hommes distingués par l'esprit; mais l'on ne peut pas tout avoir, et il y aurait peu d'esprit à en prendre de l'humeur.

** Cette habitude des Français diminuant tous les jours, éloignera de nous les héros de Molière.

à celui qui la fait, et peut-être ne m'en ferait pas à moi-même.

Ce qui est affecté dans le langage ou dans les manières à Rome, est de bon ton ou inintelligible à Florence qui en est à cinquante lieues. On parle français à Lyon comme à Nantes. Le vénitien, le napolitain, le génois, le piémontais sont des langues presque entièrement différentes et seulement parlées par des gens qui sont convenus de n'imprimer jamais que dans une langue commune, celle qu'on parle à Rome. Rien n'est absurde comme une comédie dont la scène est à Milan, et dont les personnages parlent romain. La langue italienne, beaucoup plus faite pour être chantée que parlée, ne sera soutenue contre la clarté française qui l'envahit que par la musique.

En Italie la crainte du pacha et de ses espions fait estimer l'*utile;* il n'y a pas du tout d'honneur-bête *. Il est remplacé par une sorte de petite haine de société, appelée *pettegolismo.*

Enfin donner un ridicule c'est se faire un ennemi mortel, chose fort dangereuse dans un pays où la force et l'office des gouvernements se bornent à arracher l'impôt et à punir tout ce qui se distingue.

6° *Le patriotisme d'antichambre.*

Cet orgueil qui nous porte à chercher l'estime de nos concitoyens, et à faire corps avec eux, expulsé de toute noble entreprise, vers l'an 1550, par le despotisme jaloux des petits princes d'Italie, a donné naissance à un produit barbare, à une espèce de *Caliban,* un monstre plein de fureur et de sottise : le *patriotisme d'antichambre,* comme disait M. Turgot, à propos du *Siège de Calais* (le *Soldat-laboureur* de ce temps-là). J'ai vu ce monstre hébéter les gens les plus spirituels. Par exemple un étranger se fera mal vouloir même des jolies femmes s'il s'avise de trouver des défauts dans le peintre ou dans le poète de ville, on lui dit fort bien et d'un grand sérieux, qu'il ne faut pas venir chez les gens pour s'en moquer, et on lui cite à ce sujet un mot de Louis XIV sur Versailles.

A Florence on dit : il *nostro* Benvenutti, comme à Brescia il *nostro* Arrici; ils mettent sur le mot *nostro* une certaine emphase contenue et pourtant bien comique,

---

* Toutes les infractions à cet honneur sont *ridicules* dans les sociétés bourgeoises en France. Voir la *Petite Ville* de M. Picard.

à peu près comme le *Miroir* parlant avec onction de la musique nationale, et de M. Monsigny le musicien de l'Europe.

Pour ne pas rire au nez de ces braves patriotes, il faut se rappeler que, par suite des dissensions du moyen âge, envenimées par la politique atroce des papes *, chaque ville hait mortellement la cité voisine, et le nom des habitants de celle-ci passe toujours dans la première pour synonyme de quelque grossier défaut. Les papes ont su faire de ce beau pays la patrie de la haine.

Ce patriotisme d'antichambre est la grande plaie morale de l'Italie, typhus délétère qui aura encore des effets funestes longtemps après qu'elle aura secoué le joug de ses petits p[rinces] ridicules. Une des formes de ce patriotisme est la haine inexorable pour tout ce qui est étranger. Ainsi, ils trouvent les Allemands bêtes, et se mettent en colère quand on leur dit : « Qu'a produit l'Italie dans le XVIIIe siècle, d'égal à Catherine II ou à Frédéric le Grand ? Où avez-vous un jardin anglais comparable au moindre jardin allemand, vous qui par votre climat avez un véritable besoin d'ombre ? »

7º Au contraire des Anglais et des Français, les Italiens n'ont aucun préjugé politique ; on y sait par cœur le vers de La Fontaine :

Votre ennemi c'est votre M[aître].

L'aristocratie, s'appuyant sur les prêtres et sur les sociétés bibliques, est pour eux un vieux tour de passe-passe qui les fait rire. En revanche un Italien a besoin de trois mois de séjour en France pour concevoir comment un marchand de draps peut être *ultra*.

8º Je mettrais pour dernier trait de caractère l'intolérance dans la discussion et la colère, dès qu'ils ne trouvent pas sous la main un argument à lancer contre celui de leur adversaire. Alors on les voit pâlir. C'est une des formes de l'extrême sensibilité, mais ce n'est pas une de ses formes aimables ; par conséquent c'est une de celles que j'admets le plus volontiers en preuve de son existence.

J'ai voulu voir l'amour éternel, et après bien des difficultés j'ai obtenu d'être présenté ce soir au chevalier C. et à sa maîtresse auprès de laquelle il vit depuis cinquante-quatre ans. Je suis sorti attendri de la loge de ces

---

* Voir l'excellente et curieuse *Histoire de l'Église* par M. de Potter.

aimables vieillards; voilà l'art d'être heureux, art ignoré
de tant de jeunes gens.

Il y a deux mois que j'ai vu monsignor R*** duquel
j'ai été bien reçu parce que je lui portais des *Minerves*.
Il était à sa maison de campagne avec Mme D. qu'il
avvicina, comme on dit, depuis trente-quatre ans. Elle
est encore belle, mais il y a un fond de mélancolie dans
ce ménage, on l'attribue à la perte d'un fils empoisonné
autrefois par le mari.

Ici, faire l'amour n'est pas, comme à Paris, voir sa
maîtresse un quart d'heure toutes les semaines, et, le
reste du temps, accrocher un regard ou un serrement de
main : l'amant, l'heureux amant, passe quatre ou
cinq heures de chacune de ses journées avec la femme
qu'il aime. Il lui parle de ses procès, de son jardin anglais,
de ses parties de chasse, de son avancement, etc., etc.
C'est l'intimité la plus complète et la plus tendre; il la
tutoie en présence du mari, et partout.

Un jeune homme de ce pays, et fort ambitieux, à ce
qu'il croyait, appelé à une grande place à Vienne (rien
moins qu'ambassadeur), n'a pas pu se faire à l'absence.
Il a remercié de la place au bout de six mois, et est revenu
être heureux dans la loge de son amie.

Ce commerce de tous les instants serait gênant en
France, où il est nécessaire de porter dans le monde
une certaine affectation, et où votre maîtresse vous dit
fort bien : Monsieur un tel, vous êtes maussade ce soir,
vous ne dites rien. En Italie, il ne s'agit que de dire à la
femme qu'on aime tout ce qui passe par la tête, il faut
exactement penser tout haut. Il y a un certain effet
nerveux de l'intimité et de la franchise provoquant la
franchise, que l'on ne peut attraper que par là. Mais il
y a un grand inconvénient; on trouve que faire l'amour
de cette manière paralyse tous les goûts et rend insipides
toutes les autres occupations de la vie. Cet amour-là est
le meilleur remplaçant de la passion.

Nos gens de Paris qui en sont encore à concevoir *qu'on
puisse être Persan*, ne sachant que dire, s'écrieront que
ces mœurs sont indécentes. D'abord je ne suis qu'historien, et puis je me réserve de leur démontrer un jour,
par lourds raisonnements, qu'en fait de mœurs, et pour
le fond des choses, Paris ne doit rien à Bologne. Sans
s'en douter, ces pauvres gens répètent encore leur catéchisme de trois sous.

12 juillet 1821. — A Bologne il n'y a point d'odieux

dans la société. A Paris, le rôle de mari trompé est exécrable, ici (à Bologne) ce n'est rien, il n'y a pas de maris
trompés. Les mœurs sont donc les mêmes, il n'y a que
la haine de moins; le cavalier-servant de la femme est
toujours ami du mari, et cette amitié cimentée par des
services réciproques, survit bien souvent à d'autres intérêts. La plupart de ces amours durent cinq ou six ans,
plusieurs toujours. On se quitte enfin quand on ne trouve
plus de douceur à se tout dire, et passé le premier mois
de la rupture il n'y a pas d'aigreur.

Janvier 1822. — L'ancienne mode des cavaliers-ser-
vants, importée en Italie par Philippe II avec l'orgueil et
les mœurs espagnoles, est entièrement tombée dans les
grandes villes. Je ne connais d'exception que les Calabres,
où toujours le frère aîné se fait prêtre, marie le cadet et
s'établit le servant de sa belle-sœur et en même temps
l'amant.

Napoléon a ôté le libertinage à la haute Italie et même
à ce pays-ci (Naples).

Les mœurs de la génération actuelle des jolies femmes
font honte à leurs mères; elles sont plus favorables à
l'amour-passion. L'amour-physique a beaucoup perdu *.

* Vers 1780, la maxime était :

Molti averne,
Un goderne,
E cambiar spesso.

                          Voyage de Sherlok.

CHAPITRE L

L'AMOUR AUX ÉTATS-UNIS

Un gouvernement libre est un gouvernement qui ne fait point de mal aux citoyens, mais qui au contraire leur donne la sûreté et la tranquillité. Mais il y a encore loin de là au bonheur, il faut que l'homme le fasse lui-même, car ce serait une âme bien grossière que celle qui se tiendrait parfaitement heureuse parce qu'elle jouirait de la sûreté et de la tranquillité. Nous confondons ces choses en Europe; accoutumés que nous sommes à des gouvernements qui nous font du mal, il nous semble qu'en être délivrés serait le suprême bonheur; semblables en cela à des malades travaillés par des maux douloureux. L'exemple de l'Amérique montre bien le contraire. Là, le gouvernement s'acquitte fort bien de son office, et ne fait de mal à personne. Mais comme si le destin voulait déconcerter et démentir toute notre philosophie ou plutôt l'accuser de ne pas connaître tous les éléments de l'homme, éloignés comme nous le sommes depuis tant de siècles par le malheureux état de l'Europe de toute véritable expérience, nous voyons que lorsque le malheur venant des gouvernements manque aux Américains, ils semblent se manquer à eux-mêmes. On dirait que la source de la sensibilité se tarit chez ces gens-là. Ils sont justes, ils sont raisonnables, et ils ne sont point heureux.

L[a] B[ible], c'est-à-dire les ridicules conséquences et règles de conduite que des esprits bizarres déduisent de ce recueil de poèmes et de chansons, suffit-elle pour causer tout ce malheur ? L'effet me semble bien considérable pour la cause.

M. de Volney racontait que se trouvant à table à la campagne, chez un brave Américain, homme à son aise et environné d'enfants déjà grands, il entre un jeune homme dans la salle : « Bonjour, William, dit le père de famille, asseyez-vous. Vous vous portez bien à ce que je vois. » Le voyageur demanda qui était ce jeune homme : « C'est le second de mes fils. — Et d'où vient-il ? — De Canton. »

L'arrivée d'un fils des bouts de l'univers ne faisait pas plus de sensation.

Toute l'attention semble employée aux arrangements raisonnables de la vie, et à prévenir tous les inconvénients : arrivés enfin au moment de recueillir le fruit de tant de soins et d'un si long esprit d'ordre, il ne se trouve plus de vie de reste pour jouir.

On dirait que les enfants de Penn n'ont jamais lu ce vers qui semble leur histoire :

Et propter vitam, vivendi perdere causas.

Les jeunes gens des deux sexes lorsque l'hiver est venu, qui comme en Russie est la saison gaie du pays, courent ensemble en traîneaux sur la neige le jour et la nuit, ils font des courses de quinze ou vingt milles fort gaiement et sans personne pour les surveiller ; et il n'en résulte jamais d'inconvénient.

Il y a la gaieté physique de la jeunesse qui passe bientôt avec la chaleur du sang et qui est finie à vingt-cinq ans : je ne vois pas les passions qui font jouir. Il y a tant d'*habitude de raison* aux États-Unis, que la cristallisation en a été rendue impossible.

J'admire ce bonheur et ne l'envie pas ; c'est comme le bonheur d'être d'une espèce différente et inférieure. J'augure beaucoup mieux des Florides et de l'Amérique méridionale *.

Ce qui fortifie ma conjecture sur celle du Nord, c'est le manque absolu d'artistes et d'écrivains. Les États-Unis ne nous ont pas encore envoyé une scène de tragédie, un tableau ou une vie de Washington.

---

* Voir les mœurs des îles Açores : l'amour de Dieu et l'autre amour y occupent tous les instants. La religion chrétienne interprétée par les jésuites est beaucoup moins ennemie de l'homme, en ce sens, que le protestantisme anglais ; elle permet au moins de danser le dimanche ; et un jour de plaisir sur sept, c'est beaucoup pour le cultivateur qui travaille assidûment les six autres.

CHAPITRE LI

DE L'AMOUR EN PROVENCE JUSQU'A LA CONQUÊTE
DE TOULOUSE EN 1228, PAR LES BARBARES DU NORD

L'amour eut une singulière forme en Provence, depuis l'an 1100 jusqu'en 1228. Il y avait une législation établie pour les rapports des deux sexes en amour, aussi sévère et aussi exactement suivie que peuvent l'être aujourd'hui les lois du *point d'honneur*. Celles de l'amour faisaient d'abord abstraction complète des droits sacrés des maris. Elles ne supposaient aucune hypocrisie. Ces lois, prenant la nature humaine telle qu'elle est, devaient produire beaucoup de bonheur.

Il y avait la manière officielle de se déclarer amoureux d'une femme, et celle d'être agréé par elle en qualité d'amant. Après tant de mois de cour d'une certaine façon, on obtenait de lui baiser la main. La société, jeune encore, se plaisait dans les formalités et les cérémonies qui alors montraient la civilisation, et qui aujourd'hui feraient mourir d'ennui. Le même caractère se retrouve dans la langue des Provençaux, dans la difficulté et l'entrelacement de leurs rimes, dans leurs mots masculins et féminins pour exprimer le même objet; enfin dans le nombre infini de leurs poètes. Tout ce qui est *forme* dans la société, et qui aujourd'hui est si insipide, avait alors toute la fraîcheur et la saveur de la nouveauté.

Après avoir baisé la main d'une femme, on s'avançait de grade en grade à force de mérite et sans passe-droits. Il faut bien remarquer que si les maris étaient toujours hors de la question, d'un autre côté l'avancement officiel des amants s'arrêtait à ce que nous appellerions les douceurs de l'amitié la plus tendre entre personnes de sexes différents *. Mais après plusieurs mois ou plusieurs

* Mémoires de la vie de Chabanon, écrits par lui-même. Les coups de canne au plafond.

années d'épreuves, une femme étant parfaitement sûre
du caractère et de la discrétion d'un homme, cet homme
ayant avec elle toutes les apparences et toutes les facilités
que donne l'amitié la plus tendre, cette amitié devait
donner à la vertu de bien fortes alarmes.

J'ai parlé de passe-droits, c'est qu'une femme pouvait
avoir plusieurs amants, mais un seul dans les grades
supérieurs. Il semble que les autres ne pouvaient pas
être avancés beaucoup au delà du degré d'*amitié* qui
consistait à lui baiser la main et à la voir tous les jours.
Tout ce qui nous reste de cette singulière civilisation est
en vers et en vers rimés de la manière la plus baroque et
la plus difficile; il ne faut pas s'étonner si les notions que
nous tirons des ballades des troubadours sont vagues et
peu précises. On a trouvé jusqu'à un contrat de mariage
en vers. Après la conquête, en 1228, pour cause d'hérésie,
les papes prescrivirent à plusieurs reprises de brûler tout
ce qui était écrit dans la langue vulgaire. L'astuce italienne proclamait le latin la seule langue digne de gens
aussi spirituels. Ce serait une mesure bien avantageuse
si l'on pouvait la renouveler en 1822.

Tant de publicité et d'officiel dans l'amour semblent
au premier aspect ne pas s'accorder avec la vraie passion.
Si la dame disait à son servant : Allez pour l'amour de
moi visiter la tombe de Notre Seigneur Jésus-Christ à
Jérusalem, vous y passerez trois ans et reviendrez
ensuite; l'amant partait aussitôt : hésiter un instant
l'aurait couvert de la même ignominie qu'aujourd'hui
une faiblesse sur le point d'honneur. La langue de ces
gens-là a une finesse extrême pour rendre les nuances
les plus fugitives du sentiment. Une autre marque que
ces mœurs étaient fort avancées sur la route de la véritable civilisation, c'est qu'à peine sortis des horreurs du
moyen âge, et de la féodalité où la force était tout, nous
voyons le sexe le plus faible moins tyrannisé qu'il ne
l'est *légalement* aujourd'hui; nous voyons les pauvres et
faibles créatures qui ont le plus à perdre en amour et
dont les agréments disparaissent le plus vite, maîtresses
du destin des hommes qui les approchent. Un exil de
trois ans en Palestine, le passage d'une civilisation pleine
de gaieté au fanatisme et à l'ennui d'un camp de croisés
devaient être pour tout autre qu'un chrétien exalté, une
corvée fort pénible. Que peut faire à son amant une
femme lâchement abandonnée par lui à Paris ?

Il n'y a qu'une réponse que je vois d'ici : aucune femme

de Paris qui se respecte n'a d'amant. On voit que la prudence a droit de conseiller bien plus aux femmes d'aujourd'hui de ne pas se livrer à l'amour-passion. Mais une autre prudence qu'assurément je suis loin d'approuver, ne leur conseille-t-elle pas de se venger avec l'amour-physique ? Nous avons gagné à notre hypocrisie et à notre ascétisme * non pas un hommage rendu à la vertu, l'on ne contredit jamais impunément la nature, mais qu'il y a moins de bonheur sur la terre et infiniment moins d'inspirations généreuses.

Un amant qui, après dix ans d'intimité, abandonnait sa pauvre maîtresse parce qu'il s'apercevait qu'elle avait trente-deux ans, était perdu d'honneur dans l'aimable Provence; il n'avait d'autre ressource que de s'enterrer dans la solitude d'un cloître. Un homme non pas généreux, mais simplement prudent, avait donc intérêt à ne pas jouer alors plus de passion qu'il n'en avait.

Nous devinons tout cela, car il nous reste bien peu de monuments donnant des notions exactes...

Il faut juger l'ensemble des mœurs d'après quelques faits particuliers. Vous connaissez l'anecdote de ce poète qui avait offensé sa dame; après deux ans de désespoir elle daigna enfin répondre à ses nombreux messages, et lui fit dire que s'il se faisait arracher un *ongle* et qu'il lui fît présenter cet ongle par cinquante chevaliers amoureux et fidèles, elle pourrait peut-être lui pardonner. Le poète se hâta de se soumettre à l'opération douloureuse. Cinquante chevaliers bien venus de leurs dames allèrent présenter cet ongle à la belle offensée avec toute la pompe possible. Cela fit une cérémonie aussi imposante que l'entrée d'un des princes du sang dans une des villes du royaume. L'amant couvert des livrées du repentir suivait de loin son ongle. La dame, après avoir vu s'accomplir toute la cérémonie qui fut fort longue, daigna lui pardonner; il fut réintégré dans toutes les douceurs de son premier bonheur. L'histoire dit qu'ils passèrent ensemble de longues et heureuses années. Il est sûr que les deux ans de malheur prouvent une passion véritable et l'auraient fait naître quand elle n'eût pas existé avec cette force auparavant.

Vingt anecdotes que je pourrais citer montrent partout une galanterie aimable, spirituelle et conduite entre les deux sexes sur les principes de la justice; je dis galan-

_____
* Principe ascétique de Jérémie Bentham.

terie, car en tout temps l'amour-passion est une exception plus curieuse que fréquente, et l'on ne saurait lui
imposer de lois. En Provence, ce qu'il peut y avoir de
calculé et de soumis à l'empire de la raison, était fondé
sur la justice et sur l'égalité de droits entre les deux sexes,
voilà ce que j'admire surtout comme éloignant le malheur
autant qu'il est possible. Au contraire, la monarchie
absolue sous Louis XV, était parvenue à mettre à la mode
la scélératesse et la noirceur dans ces mêmes rapports *.

Quoique cette jolie langue provençale, si remplie de
délicatesse et si tourmentée par la rime **, ne fût pas
probablement celle du peuple, les mœurs de la haute
classe avaient passé aux classes inférieures très peu grossières alors en Provence, parce qu'elles avaient beaucoup
d'aisance. Elles étaient dans les premières joies d'un commerce fort prospère et fort riche. Les habitants des rives
de la Méditerranée venaient de s'apercevoir (au IXe siècle)
que faire le commerce en hasardant quelques barques
sur cette mer était moins pénible et presque aussi amusant que de détrousser les passants sur le grand chemin
voisin, à la suite de quelque petit seigneur féodal. Peu
après, les Provençaux du Xe siècle virent chez les Arabes
qu'il y avait des plaisirs plus doux que piller, violer et
se battre.

Il faut considérer la Méditerranée comme le foyer de
la civilisation européenne. Les bords heureux de cette
belle mer si favorisée par le climat s'étaient encore par
l'état prospère des habitants et par l'absence de toute
religion ou législation triste. Le génie éminemment gai
des Provençaux d'alors avait traversé la religion chrétienne sans en être altéré.

Nous voyons une vive image d'un effet semblable de
la même cause dans les villes d'Italie dont l'histoire nous
est parvenue d'une manière plus distincte et qui d'ailleurs
ont été assez heureuses pour nous laisser le Dante,
Pétrarque et la peinture.

Les Provençaux ne nous ont pas légué un grand poème,
comme la *Divine Comédie*, dans lequel viennent se réfléchir toutes les particularités des mœurs de l'époque. Ils
avaient, ce me semble, moins de passion et beaucoup plus
de gaieté que les Italiens. Ils tenaient de leurs voisins les

---

* Il faut avoir entendu parler l'aimable général Laclos, Naples, 1802.
Si l'on n'a pas eu ce bonheur, l'on peut ouvrir la *Vie privée du maréchal
de Richelieu*, trois volumes bien plaisamment rédigés.
  ** Née à Narbonne ; mélange de latin et d'arabe.

Maures d'Espagne, cette agréable manière de prendre la vie. L'amour régnait avec l'allégresse, les fêtes et les plaisirs dans les châteaux de l'heureuse Provence.

Avez-vous vu à l'Opéra le finale d'un bel opéra-comique de Rossini, tout est gaieté, beauté, magnificence idéale sur la scène. Nous sommes à mille lieues des vilains côtés de la nature humaine. L'opéra finit, la toile tombe, les spectateurs s'en vont, le lustre s'élève, on éteint les quinquets. L'odeur de lampe mal éteinte remplit la salle, le rideau se relève à moitié, l'on aperçoit des polissons sales et mal vêtus se démener sur la scène, ils s'y agitent d'une manière hideuse, ils y tiennent la place des jeunes femmes qui la remplissaient de leurs grâces il n'y a qu'un instant.

Tel fut pour le royaume de Provence l'effet de la conquête de Toulouse par l'armée des croisés. Au lieu d'amour, de grâces et de gaieté, on eut les Barbares du Nord et saint Dominique. Je ne noircirai point ces pages du récit à faire dresser les cheveux des horreurs de l'inquisition dans toute la ferveur de la jeunesse. Quant aux barbares, c'étaient nos pères; ils tuaient et saccageaient tout; ils détruisaient pour le plaisir de détruire ce qu'ils ne pouvaient emporter; une rage sauvage les animait contre tout ce qui portait quelque trace de civilisation, surtout ils n'entendaient pas un mot de cette belle langue du Midi, et leur fureur en était redoublée. Fort superstitieux, et guidés par l'affreux saint Dominique, ils croyaient gagner le ciel en tuant des Provençaux. Tout fut fini pour ceux-ci, plus d'amour, plus de gaieté, plus de poésie; moins de vingt ans après la conquête (1235), ils étaient presque aussi barbares et aussi grossiers que les Français *, que nos pères.

D'où était tombée dans ce coin du monde cette charmante forme de civilisation qui pendant deux siècles fit le bonheur des hautes classes de la société ? Des Maures d'Espagne apparemment.

---

* Voir l'*État de la puissance militaire de la Russie*, véridique ouvrage du général sir Robert Wilson.

CHAPITRE LII

LA PROVENCE AU XIIe SIÈCLE

Je vais traduire une anecdote des manuscrits provençaux; le fait que l'on va lire eut lieu vers l'an 1180, et l'histoire fut écrite vers 1250 *; l'anecdote est assurément fort connue : toute la nuance des mœurs est dans le style. Je supplie qu'on me permette de traduire mot à mot et sans chercher aucunement l'élégance du langage actuel.

« Monseigneur Raymond de Roussillon fut un vaillant baron ainsi que le savez, et eut pour femme madona Marguerite, la plus belle femme que l'on connût en ce temps, et la plus douée de toutes belles qualités, de toute valeur et de toute courtoisie. Il arriva ainsi que Guillaume de Cabstaing, qui fut fils d'un pauvre chevalier du château Cabstaing, vint à la cour de Monseigneur Raymond de Roussillon, se présenta à lui et lui demanda s'il lui plaisait qu'il fût varlet de sa cour. Monseigneur Raymond, qui le vit beau et avenant, lui dit qu'il fût le bienvenu, et qu'il demeurât en sa cour. Ainsi Guillaume demeura avec lui et sut si gentement se conduire, que petits et grands l'aimaient; et il sut tant se distinguer que Monseigneur Raymond voulut qu'il fût donzel de madona Marguerite, sa femme; et ainsi fut fait. Adonc s'efforça Guillaume de valoir encore plus et en dits et en faits. Mais ainsi comme il a coutume d'avenir en amour, il se trouva qu'amour voulut prendre madona Marguerite et enflammer sa pensée. Tant lui plaisait le faire de Guillaume, et son dire, et son semblant, qu'elle ne put se tenir un jour de lui dire : « Or ça, dis-moi, Guillaume,

---

* Le manuscrit est à la bibliothèque Laurentiana. M. Raynouard le rapporte au tome V de ses *Troubadours*, page 189. Il y a plusieurs fautes dans son texte; il a trop loué et trop peu connu les troubadours.

« si une femme te faisait semblant d'amour, oserais-tu
« bien l'aimer ? ». Guillaume qui s'en était aperçu lui
répondit tout franchement : « Oui, bien ferais-je, madame,
« pourvu seulement que semblant fût véritier. — Par
« saint Jean! fit la dame, bien avez répondu comme un
« homme de valeur; mais à présent je te veux éprouver
« si tu pourras savoir et connaître en fait de semblants
« quels sont de vérité et quels non. »

« Quand Guillaume eut entendu ces paroles, il répondit : « Madame, qu'il soit ainsi comme il vous plaira. »

« Il commença à être pensif, et Amour aussitôt lui
chercha guerre; et les pensers qu'Amour envoie aux
siens lui entrèrent dans tout le profond du cœur, et de
là en avant il fut des servants d'amour et commença à
trouver * de petits couplets avenants et gais, et des chansons à danser et des chansons de chant ** plaisant, par
quoi il était fort agréé, et plus de celle pour laquelle il
chantait. Or, Amour qui accorde à ses servants leur
récompense quand il lui plaît, voulut à Guillaume donner
le prix du sien; et le voilà qui commence à prendre la
dame si fort de pensers et de réflexions d'amour que ni
jour ni nuit elle ne pouvait reposer, songeant à la valeur
et à la prouesse qui en Guillaume s'était si copieusement
logée et mise.

« Un jour il arriva que la dame prit Guillaume et lui
dit : « Guillaume, or ça, dis-moi, t'es-tu à cette heure
« aperçu de mes semblants, s'ils sont véritables ou men-
« songers ? ». Guillaume répond : « Madona, ainsi Dieu
« me soit en aide, du moment en ça que j'ai été votre
« servant, il ne m'a pu entrer au cœur nulle pensée que
« vous ne fussiez la meilleure qui onc naquit et la plus
« véritable et en paroles et en semblants. Cela je crois
« et croirai toute ma vie. » Et la dame répondit :
« Guillaume, je vous dis que si Dieu m'aide que jà ne
« serez par moi trompé, et que vos pensers ne seront pas
« vains ni perdus. » Et elle étendit les bras et l'embrassa
doucement dans la chambre où ils étaient tous deux assis,
et ils commencèrent leur druerie ***; et il ne tarda guère
que les médisants, que Dieu ait en ire, se mirent à parler
et à deviser de leur amour, à propos des chansons que
Guillaume faisait, disant qu'il avait mis son amour en

---

* Faire.
** Il inventait les airs et les paroles.
*** *A far all' amore.*

madame Marguerite, et tant dirent-ils à tort et à travers
que la chose vint aux oreilles de monseigneur Raymond.
Alors il fut grandement peiné et fort grièvement triste,
d'abord parce qu'il lui fallait perdre son compagnon-
écuyer qu'il aimait tant, et plus encore pour la honte de
sa femme.

« Un jour il arriva que Guillaume s'en était allé à la
chasse à l'épervier avec un écuyer seulement; et monseigneur Raymond fit demander où il était; et un valet lui
répondit qu'il était allé à l'épervier, et tel qu'il le savait
ajouta qu'il était en tel endroit. Sur-le-champ Raymond
prend des armes cachées et se fait amener son cheval, et
prend tout seul son chemin vers cet endroit où Guillaume
était allé : tant il chevaucha qu'il le trouva. Quand Guillaume le vit venir, il s'en étonna beaucoup, et sur-le-
champ il lui vint de sinistres pensées, et il s'avança à sa
rencontre et lui dit : « Seigneur, soyez le bien arrivé.
Comment êtes-vous ainsi seul ? » Monseigneur Raymond répondit : « Guillaume, c'est que je vais vous cherchant pour me divertir avec vous. N'avez-vous rien pris ?
— Je n'ai guère pris, seigneur, car je n'ai guère trouvé; et
qui peu trouve ne peut guère prendre, comme dit le
proverbe. — Laissons là désormais cette conversation,
dit monseigneur Raymond, et, par la foi que vous me
devez, dites-moi vérité sur tous les sujets que je vous
voudrai demander. — Par Dieu! seigneur, dit Guillaume, si cela est chose à dire, bien vous la dirai-je. —
Je ne veux ici aucune subtilité, ainsi dit monseigneur Raymond, mais vous me direz tout entièrement sur tout ce
que je vous demanderai. — Seigneur, autant qu'il vous
plaira me demander, dit Guillaume, autant vous dirai-je
la vérité. » Et monseigneur Raymond demande : « Guillaume, si Dieu et la sainte foi vous vaut, avez-vous une
maîtresse pour qui vous chantiez ou pour laquelle Amour
vous étreigne ? » Guillaume répond : « Seigneur, et comment ferais-je pour chanter, si Amour ne me pressait pas ?
Sachez la vérité, monseigneur, qu'Amour m'a tout en
son pouvoir. » Raymond répond : « Je veux bien le croire,
qu'autrement vous ne pourriez pas si bien chanter; mais
je veux savoir s'il vous plaît qui est votre dame. — Ah!
seigneur, au nom de Dieu, dit Guillaume, voyez ce que
vous me demandez. Vous savez trop bien qu'il ne faut
pas nommer sa dame, et que Bernard de Ventadour dit :

En une chose ma raison me sert ★,
Que jamais homme ne m'a demandé ma joie,
Que je ne lui en aie menti volontiers.
Car cela ne me semble pas bonne doctrine,
Mais plutôt folie et acte d'enfant,
Que quiconque est bien traité en amour
En veuille ouvrir son cœur à un autre homme,
A moins qu'il ne puisse le servir et l'aider.

« Monseigneur Raymond répond : « Et je vous donne ma foi que je vous servirai selon mon pouvoir. » Raymond en dit tant que Guillaume lui répondit :

« Seigneur, il faut que vous sachiez que j'aime la sœur de madame Marguerite votre femme et que je pense en avoir échange d'amour. Maintenant que vous le savez, je vous prie de venir à mon aide ou du moins de ne pas me faire dommage. — Prenez main et foi, fit Raymond, car je vous jure et vous engage que j'emploierai pour vous tout mon pouvoir. » Et alors il lui donna sa foi, et quand il la lui eut donnée, Raymond lui dit : « Je veux que nous allions à son château, car il est près d'ici. — Et je vous en prie, Guillaume, par Dieu. » Et ainsi ils prirent leur chemin vers le château de *Liet*. Et, quand ils furent au château ils furent bien accueillis par *En* ★★ Robert de Tarascon, qui était mari de madame Agnès, la sœur de madame Marguerite, et par madame Agnès elle-même. Et monseigneur Raymond prit madame Agnès par la main, il la mena dans la chambre, et ils s'assirent sur le lit. Et monseigneur Raymond dit : « Maintenant, dites-moi, belle-sœur, par la foi que vous me devez, aimez-vous d'amour ? » Et elle dit : « Oui, Seigneur. — Et qui ? fit-il. — Oh! cela, je ne vous le dis pas, répondit-elle; et quels discours me tenez-vous là ? »

« A la fin tant il la pria, qu'elle dit qu'elle aimait Guillaume de Cabstaing. Elle dit cela parce qu'elle voyait Guillaume triste et pensif, et elle savait bien comme quoi il aimait sa sœur; et ainsi elle craignait que Raymond n'eût de mauvaises pensées de Guillaume. Une telle réponse causa une grande joie à Raymond. Agnès conta tout à son mari, et le mari lui répondit qu'elle avait bien fait, et lui donna parole qu'elle avait la liberté de faire ou

---

★ On traduit mot à mot les vers provençaux cités par Guillaume.
★★ *En*, manière de parler parmi les Provençaux, que nous traduisons par le *sire*.

dire tout ce qui pourrait sauver Guillaume. Agnès n'y
manqua pas. Elle appela Guillaume dans sa chambre
tout seul, et resta tant avec lui, que Raymond pensa
qu'il devait avoir eu d'elle plaisir d'amour; et tout cela
lui plaisait, et il commença à penser que ce qu'on lui
avait dit de lui n'était pas vrai et qu'on parlait en l'air.
Agnès et Guillaume sortirent de la chambre, le souper
fut préparé et l'on soupa en grande gaieté. Et après souper Agnès fit préparer le lit des deux proche de la porte
de sa chambre, et si bien firent de semblant en semblant
la dame et Guillaume, que Raymond crut qu'il couchait
avec elle.

« Et le lendemain, ils dînèrent au château avec grande
allégresse, et après dîner ils partirent avec tous les honneurs d'un noble congé et vinrent à Roussillon. Et aussitôt que Raymond le put, il se sépara de Guillaume et
s'en vint à sa femme, et lui conta ce qu'il avait vu de
Guillaume et de sa sœur, de quoi eut sa femme une
grande tristesse toute la nuit. Et le lendemain elle fit
appeler Guillaume, et le reçut mal, et l'appela faux ami
et traître. Et Guillaume lui demanda merci, comme
homme qui n'avait faute aucune de ce dont elle l'accu-
sait, et lui conta tout ce qui s'était passé mot à mot. Et
la femme manda sa sœur, et par elle sut bien que Guillaume n'avait pas tort. Et pour cela elle lui dit et commanda qu'il fît une chanson par laquelle il montrât
qu'il n'aimait aucune femme excepté elle, et alors il fit
la chanson qui dit

> *La douce pensée*
> *Qu'amour souvent me donne.*

« Et quand Raymond de Roussillon ouït la chanson
que Guillaume avait faite pour sa femme, il le fit venir
pour lui parler assez loin du château et il lui coupa la tête,
qu'il mit dans un carnier, il lui tira le cœur du corps et
il le mit avec la tête. Il s'en alla au château, il fit rôtir le
cœur et apporter à table à sa femme, et il le lui fit manger
sans qu'elle le sût. Quand elle l'eut mangé, Raymond se
leva et dit à sa femme que ce qu'elle venait de manger
était le cœur du seigneur Guillaume de Cabstaing, et lui
montra la tête et lui demanda si le cœur avait été bon à
manger. Et elle entendit ce qu'il disait et vit et connut la
tête du seigneur Guillaume. Elle lui répondit et dit que
le cœur avait été si bon et savoureux, que jamais autre

manger ou autre boire ne lui ôterait de la bouche le goût
que le cœur du seigneur Guillaume y avait laissé. Et
Raymond lui courut sus avec une épée. Elle se prit à
fuir, se jeta d'un balcon en bas et se cassa la tête.

« Cela fut su dans toute la Catalogne et dans toutes les
terres du roi d'Aragon. Le roi Alphonse et tous les barons
de ces contrées eurent grande douleur et grande tristesse
de la mort du seigneur Guillaume et de la femme que
Raymond avait aussi laidement mise à mort. Ils lui firent
la guerre à feu et à sang. Le roi Alphonse d'Aragon ayant
pris le château de Raymond, il fit placer Guillaume et
sa dame dans un monument devant la porte de l'église
d'un bourg nommé Perpignac. Tous les parfaits amants,
toutes les parfaites amantes prièrent Dieu pour leurs
âmes. Le roi d'Aragon prit Raymond, le fit mourir en
prison et donna tous ses biens aux parents de Guillaume
et aux parents de la femme qui mourut pour lui. »

CHAPITRE LIII

L'ARABIE

C'est sous la tente noirâtre de l'Arabe-Bédouin qu'il faut chercher le modèle et la patrie du véritable amour. Là comme ailleurs la solitude et un beau climat ont fait naître la plus noble des passions du cœur humain, celle qui pour trouver le bonheur a besoin de l'inspirer au même degré qu'elle le sent.

Il fallait, pour que l'amour parût tout ce qu'il peut être dans le cœur de l'homme, que l'égalité entre la maîtresse et son amant fût établie autant que possible. Elle n'existe point cette égalité dans notre triste Occident : une femme quittée est malheureuse ou déshonorée. Sous la tente de l'Arabe, la foi donnée *ne peut pas* se violer. Le mépris et la mort suivent immédiatement ce crime.

La générosité est si sacrée chez ce peuple qu'il est permis de *voler* pour donner. D'ailleurs les dangers y sont de tous les jours et la vie s'écoule toute pour ainsi dire dans une solitude passionnée. Même réunis les Arabes parlent peu.

Rien ne change chez l'habitant du désert; tout y est éternel et immobile. Les mœurs singulières, dont je ne puis, par ignorance, que donner une faible esquisse, existaient probablement dès le temps d'Homère *. Elles ont été décrites pour la première fois vers l'an 600 de notre ère, deux siècles avant Charlemagne.

On voit que c'est nous qui fûmes les barbares à l'égard de l'Orient quand nous allâmes le troubler par nos croisades **. Aussi devons-nous ce qu'il y a de noble dans nos mœurs à ces croisades et aux Maures d'Espagne.

Si nous nous comparons aux Arabes, l'orgueil de

* 900 ans avant Jésus-Christ.
** 1095.

l'homme prosaïque sourira de pitié. Nos arts sont extrêmement supérieurs aux leurs, nos législations sont en
apparence encore plus supérieures; mais je doute que
nous l'emportions dans l'art du bonheur domestique : il
nous a toujours manqué bonne foi et simplicité; dans les
relations de famille le trompeur est le premier malheureux. Il n'y a plus de sécurité pour lui : toujours injuste
il a toujours peur.

A l'origine des plus anciens monuments historiques,
nous voyons les Arabes divisés de toute antiquité en un
grand nombre de tribus indépendantes, errant dans le
désert. Suivant que ces tribus pouvaient, avec plus ou
moins de facilité, pourvoir aux premiers besoins de
l'homme, elles avaient des mœurs plus ou moins élé-
gantes. La générosité était la même partout, mais suivant
le degré d'opulence de la tribu, elle se montrait par le
don du quartier de chevreau nécessaire à la vie physique,
ou par celui de cent chameaux, don provoqué par quelque
relation de famille ou d'hospitalité.

Le siècle héroïque des Arabes, celui où ces âmes généreuses brillèrent pures de toute affectation de bel esprit
ou de sentiment raffiné, fut celui qui précéda Mohammed
et qui correspond au ve siècle de notre ère, à la fondation
de Venise et au règne de Clovis. Je supplie notre orgueil
de comparer les chants d'amour qui nous restent des
Arabes, et les mœurs nobles retracées dans les *Mille et
une Nuits* aux horreurs dégoûtantes qui ensanglantent
chaque page de Grégoire de Tours, l'historien de Clovis,
ou d'Éginhard, l'historien de Charlemagne.

Mohammed fut un *puritain*, il voulut proscrire les
plaisirs qui ne font de mal à personne; il a tué l'amour
dans les pays qui ont admis l'islamisme *; c'est pour
cela que sa religion a toujours été moins pratiquée dans
l'Arabie, son berceau, que dans tous les autres pays
mahométans.

Les Français ont rapporté d'Égypte quatre volumes
in-folio, intitulés : le *Livre des Chansons*. Ces volumes
contiennent :

1º Les biographies des poètes qui ont fait les chansons.

2º Les chansons elles-mêmes. Le poète y chante tout
ce qui l'intéresse, il y loue son coursier rapide et son arc,
après avoir parlé de sa maîtresse. Ces chants furent sou-

---

* Mœurs de Constantinople. La seule manière de tuer l'amour-
passion est d'empêcher toute cristallisation par la facilité.

vent les lettres d'amour de leurs auteurs ; ils y donnaient
à l'objet aimé un tableau fidèle de toutes les affections
de leur âme. Ils parlent quelquefois de nuits froides pendant lesquelles ils ont été obligés de brûler leur arc et
leurs flèches. Les Arabes sont une nation sans maisons.

3° Les biographies des musiciens qui ont fait la
musique de ces chansons.

4° Enfin l'indication des formules musicales ; ces formules sont des hiéroglyphes pour nous : cette musique
nous restera à jamais inconnue, et d'ailleurs ne nous
plairait pas.

Il y a un autre recueil intitulé : *Histoire des Arabes qui
sont morts d'amour.*

Ces livres si curieux sont extrêmement peu connus ;
le petit nombre de savants qui pourraient les lire ont eu
le cœur desséché par l'étude, et par les habitudes acadé-
miques.

Pour nous reconnaître au milieu de monuments si
intéressants par leur antiquité et par la beauté singulière
des mœurs qu'ils font deviner, il faut demander quelques
faits à l'histoire.

De tout temps, et surtout avant Mohammed, les
Arabes se rendaient à La Mecque pour faire le tour de
la *Caaba* ou maison d'Abraham. J'ai vu à Londres un
modèle fort exact de la ville sainte. Ce sont sept à
huit cents maisons à toits en terrasse, jetés au milieu
d'un désert de sable dévoré par le soleil. A l'une des
extrémités de la ville, l'on découvre un édifice immense
à peu près de forme carrée ; cet édifice entoure la Caaba ;
il se compose d'une longue suite de portiques nécessaires
sous le soleil d'Arabie pour effectuer la promenade sacrée.
Ce portique est bien important dans l'histoire des mœurs
et de la poésie arabes : ce fut apparemment pendant des
siècles le seul lieu où les hommes et les femmes se trou-
vassent réunis. On faisait pêle-mêle, à pas lents, et en
récitant en chœur des poésies sacrées, le tour de la Caaba ;
c'est une promenade de trois quarts d'heure : ces tours
se répétaient plusieurs fois dans la même journée ; c'était
là le rite sacré pour lequel hommes et femmes accou-
raient de toutes les parties du désert. C'est sous le portique de la Caaba que se sont polies les mœurs arabes.
Il s'établit bientôt une lutte entre les pères et les amants ;
bientôt ce fut par des odes d'amour que l'Arabe dévoila
sa passion à la jeune fille sévèrement surveillée par ses
frères ou son père, à côté de laquelle il faisait la prome-

nade sacrée. Les habitudes généreuses et sentimentales
de ce peuple, existaient déjà dans le camp, mais il me
semble que la galanterie arabe est née autour de la
Caaba : c'est aussi la patrie de leur littérature. D'abord elle
exprima la passion avec simplicité et véhémence, telle
que la sentait le poète ; plus tard le poète, au lieu de
songer à toucher son amie, pensa à écrire de belles
choses ; alors naquit l'affectation que les Maures portèrent en Espagne et qui gâte encore aujourd'hui les
livres de ce peuple *.

Je vois une preuve touchante du respect des Arabes
pour le sexe le plus faible dans la formule de leur divorce.
La femme en l'absence du mari duquel elle voulait se
séparer, détendait la tente et la relevait en ayant soin d'en
placer l'ouverture du côté opposé à celui qu'elle occupait
auparavant. Cette simple cérémonie séparait à jamais les
deux époux.

FRAGMENTS

extraits et traduits d'un recueil arabe intitulé :

LE DIVAN DE L'AMOUR

Compilé par Ebn-Abi-Hadglat (Manuscrits de la Bibliothèque du roi, nᵒˢ 1461 et 1462).

Mohammed, fils de Djaâfar Elahouâzadi, raconte que
Djamil étant malade de la maladie dont il mourut, Elâbas,
fils de Sohail, le visita et le trouva prêt à rendre l'âme.
O fils de Sohail ! lui dit Djamil, que penses-tu d'un homme
qui n'a jamais bu de vin, qui n'a jamais fait de gain illi-
cite, qui n'a jamais donné injustement la mort à nulle
créature vivante que Dieu ait défendu de tuer, et qui
rend témoignage qu'il n'y a d'autre dieu que Dieu et
que Mohammed est son prophète ? — Je pense, répondit
Ben Sohail, que cet homme sera sauvé et obtiendra le
paradis : mais quel est-il, cet homme que tu dis ? —
C'est moi, répliqua Djamil. — Je ne croyais pas que tu

---

* Il y a un fort grand nombre de manuscrits arabes à Paris. Ceux
des temps postérieurs ont de l'affectation, mais jamais aucune imitation des Grecs ou des Romains ; c'est ce qui les fait mépriser des
savants.

professasses l'islamisme, dit alors Ben Sohail; et d'ailleurs il y a vingt ans que tu fais l'amour à Bothaina et que tu la célèbres dans tes vers. — Me voici, répondit Djamil, au premier des jours de l'autre monde et au dernier des jours de ce monde; et je veux que la clémence de notre maître Mohammed ne s'étende pas sur moi au jour du jugement, si j'ai jamais porté la main sur Bothaina pour quelque chose de répréhensible.

Ce Djamil et Bothaina, sa maîtresse, appartenaient tous les deux aux Benou-Azra, qui sont une tribu célèbre en amour parmi toutes les tribus des Arabes. — Aussi, leur manière d'aimer a-t-elle passé en proverbe; et Dieu n'a point fait de créatures aussi tendres qu'eux en amour.

Sahid, fils d'Agba, demanda un jour à un Arabe : De quel peuple es-tu ? — Je suis du peuple chez lequel on meurt quand on aime, répondit l'Arabe. — Tu es donc de la tribu de Azra ? ajouta Sahid. — Oui, par le maître de la Caaba, répliqua l'Arabe. — D'où vient donc que vous aimez de la sorte ? demanda ensuite Sahid. — Nos femmes sont belles et nos jeunes gens sont chastes, répondit l'Arabe.

Quelqu'un demanda un jour à Arouâ-Ben-Hezam * : Est-il donc bien vrai, comme on le dit de vous, que vous êtes de tous les hommes ceux qui avez le cœur le plus tendre en amour ? — Oui, par Dieu, cela est vrai, répondit Arouâ, et j'ai connu dans ma tribu trente jeunes gens que la mort a enlevés, et qui n'avaient d'autre maladie que l'amour.

Un Arabe des Benou-Fazârat dit un jour à un autre Arabe des Benou-Azra : Vous autres, Benou-Azra, vous pensez que mourir d'amour est une douce et noble mort; mais c'est là une faiblesse manifeste et une stupidité; et ceux que vous prenez pour des hommes de grand cœur ne sont que des insensés et de molles créatures. — Tu ne parlerais pas ainsi, lui répondit l'Arabe de la tribu de Azra, si tu avais vu les grands yeux noirs de nos femmes voilés par-dessus de leurs longs sourcils, et décochant des flèches par-dessous; si tu les avais vues sourire, et leurs dents briller entre leurs lèvres brunes.

Abou-el-Hassan, Ali, fils d'Abdalla, Elzagouni, raconte ce qui suit : Un musulman aimait une fille chrétienne

---

* Cet Arouâ-Ben-Hezam était de la tribu de Azra dont il vient d'être fait mention. Il est célèbre comme poète, et plus célèbre encore comme un des nombreux martyrs de l'amour que les Arabes comptent parmi eux.

jusqu'au point d'en perdre la raison. Il fut obligé de faire
un voyage dans un pays étranger avec un ami qui était
dans la confidence de son amour. Ses affaires s'étant pro-
longées dans ce pays, il y fut attaqué d'une maladie mortelle, et dit alors à son ami : Voilà que mon terme
approche, je ne rencontrerai plus dans ce monde celle
que j'aime, et je crains, si je meurs musulman, de ne pas
la rencontrer non plus dans l'autre vie. Il se fit chrétien
et mourut. Son ami se rendit auprès de la jeune chrétienne qu'il trouva malade. Elle lui dit : Je ne verrai plus
mon ami dans ce monde; mais je veux me retrouver
avec lui dans l'autre : ainsi donc je rends témoignage
qu'il n'y a d'autre dieu que Dieu, et que Mohammed
est le prophète de Dieu. Là-dessus, elle mourut; et que
la miséricorde de Dieu soit sur elle ★.

Eltemini raconte qu'il y avait dans la tribu des Arabes
de Tagleb, une fille chrétienne fort riche qui aimait un
jeune musulman. Elle lui offrit sa fortune et tout ce
qu'elle avait de précieux, sans pouvoir parvenir à se faire
aimer de lui. Quand elle eut perdu toute espérance, elle
donna cent dinars à un artiste pour lui faire une figure
du jeune homme qu'elle aimait. L'artiste fit cette figure,
et quand la jeune fille l'eut, elle la plaça dans un endroit
où elle venait tous les jours. Là, elle commençait par
embrasser cette figure, et puis s'asseyait à côté d'elle et
passait le reste de la journée à pleurer. Quand le soir
était venu, elle saluait la figure et se retirait. Elle fit cela
pendant longtemps. Le jeune homme vint à mourir; elle
voulut le voir et l'embrasser mort, après quoi elle retourna
auprès de sa figure, la salua, l'embrassa comme à l'ordinaire et se coucha à côté d'elle. Le matin venu on l'y
trouva morte, la main étendue vers des lignes d'écriture
qu'elle avait tracées avant de mourir ★.

Oueddah, du pays de Yamen, était renommé pour sa
beauté entre les Arabes. — Lui et Om-el-Bonain, fille
de Abd-el-Aziz, fils de Merouan, n'étant encore que des
enfants, s'aimaient déjà tellement, que l'un ne pouvait
souffrir d'être un moment séparé de l'autre. — Lorsque
Om-el-Bonain devint la femme de Oualid-Ben-Abd-
el-Malek, Oueddah en perdit la raison. — Après être
resté longtemps dans un état d'égarement et de souf-
france, il se rendit en Syrie et commença à rôder chaque
jour autour de l'habitation de Oualid, fils de Malek, sans
trouver d'abord de moyen de parvenir à ce qu'il désirait.
— A la fin, il fit la rencontre d'une jeune fille qu'il réussit

à s'attacher à force de persévérance et de soins. Quand
il crut pouvoir se fier à elle, il lui demanda si elle connaissait Om-el-Bonain. — Sans doute, puisque c'est ma maîtresse, répondit la jeune fille. — Eh bien! reprit Oueddah,
ta maîtresse est ma cousine et si tu veux lui porter de
mes nouvelles tu lui feras certainement plaisir. — Je lui
en porterai volontiers, répondit la jeune fille; et là-dessus
elle courut aussitôt vers Om-el-Bonain pour lui donner
des nouvelles de Oueddah. Prends garde à ce que tu dis!
s'écria celle-ci : Quoi! Oueddah est vivant ? — Assurément, dit la jeune fille. — Va lui dire, poursuivit alors
Om-el-Bonain, de ne point s'écarter jusqu'à ce qu'il lui
arrive un messager de ma part. Elle prit ensuite ses
mesures pour introduire Oueddah chez elle, où elle le
garda caché dans un coffre. Elle l'en faisait sortir pour
être avec lui quand elle se croyait en sûreté; et quand il
arrivait quelqu'un qui aurait pu le voir, elle le faisait
rentrer dans le coffre.

Il arriva un jour que l'on apporta à Oualid une perle,
et il dit à l'un de ses serviteurs : Prends cette perle et
porte-la à Om-el-Bonain. Le serviteur prit la perle et
la porta à Om-el-Bonain. Ne s'étant pas fait annoncer
il entra chez elle dans un moment où elle était avec
Oueddah, de sorte qu'il put lancer un coup d'œil dans
l'appartement de Om-el-Bonain sans que celle-ci y prît
garde. Le serviteur de Oualid s'acquitta de sa commission
et demanda quelque chose à Om-el-Bonain pour le bijou
qu'il lui avait apporté. Elle le refusa sévèrement, et lui
fit une réprimande. Le serviteur sortit courroucé contre
elle, et, allant dire à Oualid ce qu'il avait vu, il lui décrivit le coffre où il avait vu entrer Oueddah. — Tu mens,
esclave sans mère, tu mens, lui dit Oualid; et il court
brusquement chez Om-el-Bonain. Il y avait dans l'appartement plusieurs coffres; il s'assied sur celui où était
renfermé Oueddah, et que lui avait décrit l'esclave, en
disant à Om-el-Bonain : Donne-moi un de ces coffres.
— Ils sont tous à toi, ainsi que moi-même, répondit
Om-el-Bonain. — Eh bien, poursuivit Oualid, je désire
avoir celui sur lequel je suis assis. — Il y a dans celui-là
des choses nécessaires à une femme, dit Om-el-Bonain.
— Ce ne sont point ces choses-là, c'est le coffre que je
désire, continua Oualid. — Il est à toi, répondit-elle.
Oualid fit aussitôt emporter le coffre, et fit appeler
deux esclaves auxquels il donna l'ordre de creuser une
fosse en terre jusqu'à la profondeur où il se trouverait de

l'eau. Approchant ensuite sa bouche du coffre : On m'a dit quelque chose de toi, cria-t-il. Si l'on m'a dit vrai, que toute ta trace de toi soit séparée, que toute nouvelle de toi soit ensevelie. Si l'on m'a dit faux, je ne fais rien de mal en enfouissant un coffre : ce n'est que du bois enterré. Il fit pousser alors le coffre dans la fosse et la fit combler des pierres et des terres que l'on en avait retirées. Depuis lors Om-el-Bonain ne cessa de fréquenter cet endroit, et d'y pleurer jusqu'à ce qu'on l'y trouvât un jour sans vie, la face contre terre * ★.

* Ces fragments sont extraits de divers chapitres du recueil cité. Les trois marqués d'une ★ sont tirés du dernier chapitre qui est une biographie très sommaire d'un assez grand nombre d'Arabes martyrs de l'amour.

CHAPITRE LIV

DE L'ÉDUCATION DES FEMMES

Par l'actuelle éducation des jeunes filles, qui est le fruit du hasard et du plus sot orgueil, nous laissons oisives chez elles les facultés les plus brillantes et les plus riches en bonheur pour elles-mêmes et pour nous. Mais quel est l'homme prudent qui ne se soit écrié au moins une fois en sa vie :

> *Une femme en sait toujours assez,*
> *Quand la capacité de son esprit se hausse*
> *A connaître un pourpoint d'avec un haut-de-chausse.*
>
> *Les femmes savantes*, acte II, scène VII.

A Paris, la première louange pour une jeune fille à marier est cette phrase : Elle a beaucoup de douceur dans le caractère et, par habitude moutonne, rien ne fait plus d'effet sur les sots épouseurs. Voyez-les deux ans après, déjeunant tête à tête avec leur femme par un temps sombre, la casquette sur la tête et entourés de trois grands laquais.

On a vu porter aux États-Unis, en 1818, une loi qui condamne à trente-quatre coups de fouet l'homme qui montrera à lire à un nègre de la Virginie *. Rien de plus conséquent et de plus raisonnable que cette loi.

Les États-Unis d'Amérique eux-mêmes ont-ils été plus utiles à la mère patrie lorsqu'ils étaient ses esclaves ou depuis qu'ils sont ses égaux ? Si le travail d'un homme libre vaut deux ou trois fois celui du même homme réduit en esclavage, pourquoi n'en serait-il pas de même de la pensée de cet homme ?

---

* Je regrette de ne pas trouver dans le manuscrit italien la citation de la source officielle de ce fait; je désire que l'on puisse le démentir.

Si nous l'osions, nous donnerions aux jeunes filles une éducation d'esclave, la preuve en est qu'elles ne savent d'utile que ce que nous ne voulons pas leur apprendre.

Mais ce peu d'éducation qu'elles accrochent par malheur, elles le tournent contre nous, diraient certains maris. — Sans doute, et Napoléon aussi avait raison de ne pas donner des armes à la garde nationale, et les ultras aussi ont raison de proscrire l'enseignement mutuel; armez un homme et puis continuez à l'opprimer, et vous verrez qu'il sera assez pervers pour tourner, s'il le peut, ses armes contre vous.

Même quand il nous serait loisible d'élever les jeunes filles en idiotes avec des *Ave Maria* et des chansons lubriques comme dans les couvents de 1770, il y aurait encore plusieurs petites objections :

1º En cas de mort du mari elles sont appelées à gouverner la jeune famille.

2º Comme mères, elles donnent aux enfants mâles, aux jeunes tyrans futurs, la première éducation, celle qui forme le caractère, celle qui plie l'âme à *chercher le bonheur par telle route plutôt que par telle autre*, ce qui est toujours une affaire faite à quatre ou cinq ans.

3º Malgré tout notre orgueil, dans nos petites affaires intérieures, celles dont surtout dépend notre bonheur, parce qu'en l'absence des passions le bonheur est fondé sur l'absence des petites vexations de tous les jours, les conseils de la compagne nécessaire de notre vie ont la plus grande influence; non pas que nous voulions lui accorder la moindre influence, mais c'est qu'elle répète les mêmes choses vingt ans de suite; et où est l'âme qui ait la vigueur romaine de résister à la même idée répétée pendant toute une vie ? Le monde est plein de maris qui se laissent mener; mais c'est par faiblesse et non par sentiment de justice et d'égalité. Comme ils accordent par force, on est toujours tenté d'abuser, et il est quelquefois nécessaire d'abuser pour conserver.

4º Enfin, en amour, à cette époque qui, dans les pays du midi, comprend souvent douze ou quinze années, et les plus belles de la vie, notre bonheur est en entier entre les mains de la femme que nous aimons. Un moment d'orgueil déplacé peut nous rendre à jamais malheureux, et comment un esclave transporté sur le trône ne serait-il pas tenté d'abuser du pouvoir ? De là, les fausses délicatesses et l'orgueil féminin. Rien de plus inutile que ces représentations; les hommes sont *despotes*, et voyez quels cas font d'autres despotes des conseils les plus sensés; l'homme qui peut tout ne goûte qu'un seul genre d'avis, ceux qui lui enseignent à augmenter son pouvoir. Où les pauvres jeunes filles trouveront-elles un Quiroga et un Riego pour donner aux despotes qui les oppriment et les dégradent, pour les mieux opprimer, de ces avis salutaires que l'on récompense par des grades et des cordons au lieu de la potence de Porlier ?

Si une telle révolution demande plusieurs siècles, c'est que par un hasard bien funeste toutes les premières expériences doivent nécessairement contredire la vérité. Éclairez l'esprit d'une jeune fille, formez son caractère, donnez-lui enfin une bonne éducation dans le vrai sens du mot, s'apercevant tôt ou tard de sa supériorité sur les autres femmes, elle devient pédante, c'est-à-dire l'être le plus désagréable et le plus dégradé qui existe au monde. Il n'est aucun de nous qui ne préférât, pour passer la vie avec elle, une servante à une femme savante.

Plantez un jeune arbre au milieu d'une épaisse forêt, privé d'air et de soleil par ses voisins, ses feuilles seront étiolées, il prendra une forme élancée et ridicule qui *n'est pas celle de la nature*. Il faut planter à la fois toute la forêt; quelle est la femme qui s'enorgueillit de savoir lire ?

Des pédants nous répètent depuis deux mille ans que les femmes ont l'esprit plus vif et les hommes plus de solidité; que les femmes ont plus de délicatesse dans les idées, et les hommes plus de force d'attention. Un badaud de Paris qui se promenait autrefois dans les jardins de Versailles concluait aussi de tout ce qu'il voyait que les arbres naissent taillés.

J'avouerai que les petites filles ont moins de force physique que les petits garçons : cela est concluant pour l'esprit, car l'on sait que Voltaire et d'Alembert étaient les premiers hommes de leur siècle pour donner un coup de poing. On convient qu'une petite fille de dix ans a vingt fois plus de finesse qu'un petit polisson du même âge. Pourquoi à vingt ans est-elle une grande idiote, gauche, timide et ayant peur d'une araignée et le polisson un homme d'esprit ?

Les femmes ne savent que ce que nous ne voulons

pas leur apprendre, que ce qu'elles lisent dans l'expérience de la vie. De là l'extrême désavantage pour elles de naître dans une famille très riche; au lieu d'être en contact avec des êtres *naturels* à leur égard, elles se trouvent environnées de femmes de chambre ou de dames de compagnie déjà corrompues et étiolées par la richesse *. Rien de bête comme un prince.

Les jeunes filles se sentant esclaves ont de bonne heure les yeux ouverts; elles voient tout, mais sont trop ignorantes pour voir bien. Une femme de trente ans, en France, n'a pas les connaissances acquises d'un petit garçon de quinze ans; une femme de cinquante la raison d'un homme de vingt-cinq. Voyez Mme de Sévigné admirant les actions les plus absurdes de Louis XIV. Voyez la puérilité des raisonnements de Mme d'Épinay **.

Les femmes doivent nourrir et soigner leurs enfants. — Je nie le premier article, j'accorde le second. — *Elles doivent de plus régler les comptes de leur cuisinière.* — Donc elles n'ont pas le temps d'égaler un petit garçon de quinze ans, en connaissances acquises. Les hommes doivent être juges, banquiers, avocats, négociants, médecins, prêtres, etc. Et cependant ils trouvent du temps pour lire les discours de Fox et la *Lusiade* de Camoëns.

A Pékin, le magistrat qui court de bonne heure au palais pour chercher les moyens de mettre en prison et de ruiner, en tout bien tout honneur, un pauvre journaliste qui a déplu au sous-secrétaire d'État chez lequel il a eu l'honneur de dîner la veille, est sûrement aussi occupé que sa femme qui règle les comptes de sa cuisinière, fait faire son bas à sa petite fille, lui voit prendre ses leçons de danse et de piano, reçoit une visite du vicaire de la paroisse qui lui apporte la *Quotidienne*, et va ensuite choisir un chapeau rue de Richelieu, et faire un tour aux Tuileries.

Au milieu de ses nobles occupations, ce magistrat trouve encore le temps de songer à cette promenade que sa femme fait aux Tuileries, et s'il était aussi bien avec le pouvoir qui règle l'univers, qu'avec celui qui règne dans l'État, il demanderait au ciel d'accorder

---

* *Mémoires* de Mme de Staal, de Collé, de Duclos, de la margrave de Bayreuth.
** Premier volume.

aux femmes, pour leur bien, huit ou dix heures de sommeil de plus. Dans la situation actuelle de la société, le loisir, qui pour l'homme est la source de tout bonheur et de toute richesse, non seulement n'est pas un avantage pour les femmes, mais c'est une de ces funestes libertés dont le digne magistrat voudrait aider à nous délivrer.

CHAPITRE LV

OBJECTIONS CONTRE L'ÉDUCATION
DES FEMMES

Mais les femmes sont chargées des petits travaux du ménage. — Mon colonel M. S*** a quatre filles, élevées dans les meilleurs principes, c'est-à-dire qu'elles travaillent toute la journée; quand j'arrive elles chantent la musique de Rossini que je leur ai apportée de Naples; du reste elles lisent la Bible de Royaumont, elles apprennent le bête de l'histoire, c'est-à-dire les tables chronologiques et les vers de Le Ragois; elles savent beaucoup de géographie, font des broderies admirables, et j'estime que chacune de ces jolies petites filles peut gagner, par son travail, huit sous par jour. Pour trois cents journées cela fait quatre cent quatre-vingts francs par an, c'est moins que ce qu'on donne à l'un de leurs maîtres. C'est pour quatre cent quatre-vingts francs par an qu'elles perdent à jamais le temps pendant lequel il est donné à la machine humaine d'acquérir des idées.

Si les femmes lisent avec plaisir les dix ou douze bons volumes qui paraissent chaque année en Europe, elles abandonneront bientôt le soin de leurs enfants. — C'est comme si nous avions peur, en plantant d'arbres le rivage de l'Océan, d'arrêter le mouvement de ses vagues. Ce n'est pas dans ce sens que l'éducation est toute-puissante. Au reste depuis quatre cents ans l'on présente la même objection contre toute espèce d'éducation. Non seulement une femme de Paris a plus de vertus en 1820 qu'en 1720, du temps du système de Law et du Régent, mais encore la fille du fermier général le plus riche d'alors avait une moins bonne éducation que la fille du plus mince avocat d'aujourd'hui. Les devoirs du ménage en sont-ils moins bien remplis?

non certes. Et pourquoi ? c'est que la misère, la maladie, la honte, l'instinct, forcent à s'en acquitter. C'est comme si l'on disait d'un officier qui devient trop aimable, qu'il perdra l'art de monter à cheval; on oublie qu'il se cassera le bras la première fois qu'il prendra cette liberté.

L'acquisition des idées produit les mêmes effets bons et mauvais chez les deux sexes. La vanité ne nous manquera jamais même dans l'absence la plus complète de toutes les raisons d'en avoir; voyez les bourgeois d'une petite ville; forçons-la du moins à s'appuyer sur un vrai mérite, sur un mérite utile ou agréable à la société.

Les demi-sots entraînés par la révolution qui change tout en France, commencent à avouer, depuis vingt ans, que les femmes peuvent faire quelque chose; mais elles doivent se livrer aux occupations convenables à leur sexe : élever des fleurs, former des herbiers, faire nicher des serins, on appelle cela des plaisirs innocents.

1º Ces innocents plaisirs valent mieux que de l'oisiveté. Laissons cela aux sottes, comme nous laissons aux sots la gloire de faire des couplets, pour la fête du maître de la maison. Mais est-ce de bonne foi que l'on voudrait proposer à Mme Roland ou à Mistress Hutchinson * de passer leur temps à élever un petit rosier du Bengale ?

Tout ce raisonnement se réduit à ceci : l'on veut pouvoir dire de son esclave : Il est trop bête pour être méchant.

Mais au moyen d'une certaine loi nommée *sympathie*, loi de la nature qu'à la vérité les yeux vulgaires n'aperçoivent jamais, les défauts de la compagne de votre vie ne nuisent pas à votre bonheur, en raison du mal direct qu'ils peuvent vous occasionner. J'aimerais presque mieux que ma femme, dans un moment de colère, essayât de me donner un coup de poignard une fois par an, que de me recevoir avec humeur, tous les soirs.

Enfin entre gens qui vivent ensemble, le bonheur est contagieux.

Que votre amie ait passé la matinée, pendant que

---

* Voir les *Mémoires* de ces femmes admirables. J'aurais d'autres noms à citer, mais ils sont inconnus du public, et d'ailleurs on ne peut pas même indiquer le mérite vivant.

vous étiez au Champ de Mars ou à la Chambre des
Communes, à colorier une rose, d'après le bel ouvrage
de Redouté, ou à lire un volume de Shakespeare, ses
plaisirs auront été également innocents; seulement avec
les idées qu'elle a prises dans sa rose, elle vous ennuiera
bientôt à votre retour, et de plus elle aura soif d'aller
le soir dans le monde chercher des sensations un peu
plus vives. Si elle a bien lu Shakespeare au contraire,
elle est aussi fatiguée que vous, a eu autant de plaisir,
et sera plus heureuse d'une promenade solitaire dans le
bois de Vincennes, en vous donnant le bras, que de
paraître dans la soirée la plus à la mode. Les plaisirs
du grand monde n'en sont pas pour les femmes heureuses.

Les ignorants sont les ennemis nés de l'éducation
des femmes. Aujourd'hui ils passent leur temps avec
elles, ils leur font l'amour, et en sont bien traités; que
deviendraient-ils si les femmes venaient à se dégoûter
du boston ? Quand nous autres nous revenons d'Amérique, ou des Grandes Indes avec un teint basané et un
ton qui reste un peu grossier pendant six mois, comment
pourraient-ils répondre à nos récits, s'ils n'avaient cette
phrase : « Quant à nous, les femmes sont de notre côté.
— Pendant que vous étiez à New-York, la couleur des
tilburys a changé; c'est le tête-de-nègre qui est de mode
aujourd'hui. » Et nous écoutons avec attention, car ce
savoir-là est utile. Telle jolie femme ne nous regardera
pas, si notre calèche est de mauvais goût.

Ces mêmes sots se croyant obligés, en vertu de la
prééminence de leur sexe, à savoir plus que les femmes,
seraient ruinés de fond en comble, si les femmes s'avi-
saient d'apprendre quelque chose. Un sot de trente ans
se dit, en voyant au château d'un de ses amis des jeunes
filles de douze : « C'est auprès d'elles que je passerai ma
vie dans dix ans d'ici. » Qu'on juge de ses exclamations
et de son effroi, s'il les voyait étudier quelque chose
d'utile.

Au lieu de la société et de la conversation des hommes-
femmes, une femme instruite, si elle a acquis des idées,
sans perdre les grâces de son sexe, est sûre de trouver
parmi les hommes les plus distingués de son siècle, une
considération allant presque jusqu'à l'enthousiasme.

*Les femmes deviendraient les rivales, et non les compagnes
de l'homme.* — Oui, aussitôt que par un édit vous aurez
supprimé l'amour. En attendant cette belle loi, l'amour

redoublera de charmes et de transports, voilà tout. La base sur laquelle s'établit la *cristallisation* deviendra plus large; l'homme pourra jouir de toutes ses idées auprès de la femme qu'il aime, la nature tout entière prendra de nouveaux charmes à leurs yeux, et comme les idées réfléchissent toujours quelques nuances de caractères, ils se connaîtront mieux et feront moins d'imprudences; l'amour sera moins aveugle et produira moins de malheurs.

Le désir de plaire met à jamais la pudeur, la délicatesse et toutes les grâces féminines, hors de l'atteinte de toute éducation quelconque. C'est comme si l'on craignait d'apprendre aux rossignols à ne pas chanter au printemps.

Les grâces des femmes ne tiennent pas à l'ignorance; voyez les dignes épouses des bourgeois de votre village, voyez en Angleterre les femmes des gros marchands. L'affectation qui est une *pédanterie* (car j'appelle pédanterie, l'affectation de me parler, hors de propos, d'une robe de Leroy ou d'une romance de Romagnesi, tout comme l'affectation de citer Fra Paolo et le concile de Trente à propos d'une discussion sur nos doux missionnaires); la pédanterie de la robe et du bon ton, la nécessité de dire sur Rossini précisément la phrase convenable, tuent les grâces des femmes de Paris; cependant, malgré les terribles effets de cette maladie contagieuse, n'est-ce pas à Paris que sont les femmes les plus aimables de France? Ne serait-ce point que ce sont celles dans la tête desquelles le hasard a mis le plus d'idées justes et intéressantes? Or ce sont ces idées-là que je demande aux livres. Je ne leur proposerai certainement pas de lire Grotius ou Pufendorf depuis que nous avons le commentaire de Tracy sur Montesquieu.

La délicatesse des femmes tient à cette hasardeuse position où elles se trouvent placées de si bonne heure, à cette nécessité de passer leur vie au milieu d'ennemis cruels et charmants.

Il y a peut-être cinquante mille femmes en France, qui par leur fortune sont dispensées de tout travail. Mais sans travail il n'y a pas de bonheur. (Les passions forcent elles-mêmes à des travaux, et à des travaux fort rudes, qui emploient toute l'activité de l'âme.)

Une femme qui a quatre enfants, et dix mille livres de rente, *travaille* en faisant des bas, ou une robe pour sa fille. Mais il est impossible d'accorder qu'une femme qui a carrosse à elle travaille en faisant une broderie ou un meuble de tapisserie. A part quelques petites lueurs de vanité, il est impossible qu'elle y mette aucun intérêt; elle ne travaille pas.

Donc son bonheur est gravement compromis.

Et, qui plus est, le bonheur du despote, car une femme dont le cœur n'est animé depuis deux mois par aucun intérêt autre que celui de la tapisserie, aura peut-être l'insolence de sentir que l'amour-goût, ou l'amour de vanité, ou enfin même l'amour-physique est un très grand bonheur comparé à son état habituel.

Une femme ne doit pas faire parler de soi. — A quoi je réponds de nouveau, quelle est la femme citée parce qu'elle sait lire ?

Et qui empêche les femmes, en attendant la révolution dans leur sort, de cacher l'étude qui fait habituellement leur occupation et leur fournit chaque jour une honnête ration de bonheur ? Je leur révélerai un secret, en passant : lorsqu'on s'est donné un but, par exemple de se faire une idée nette de la conjuration de Fiesque, à Gênes, en 1547, le livre le plus insipide prend de l'intérêt; c'est comme en amour la rencontre d'un être indifférent qui vient de voir ce qu'on aime; et cet intérêt double tous les mois jusqu'à ce qu'on ait abandonné la conjuration de Fiesque.

Le vrai théâtre des vertus d'une femme, c'est la chambre d'un malade. — Mais vous faites-vous fort d'obtenir de la bonté divine qu'elle redouble la fréquence des maladies pour donner de l'occupation à nos femmes ? C'est raisonner sur l'exception.

D'ailleurs je dis qu'une femme doit occuper chaque jour trois ou quatre heures de loisir, comme les hommes de sens occupent leurs heures de loisir.

Une jeune mère dont le fils a la rougeole ne pourrait pas, quand elle le voudrait, trouver du plaisir à lire le voyage de Volney en Syrie, pas plus que son mari, riche banquier, ne pourrait, au moment d'une faillite, avoir du plaisir à méditer Malthus.

C'est là l'unique manière pour les femmes riches de se distinguer du vulgaire des femmes : la supériorité morale. On a ainsi *naturellement* d'autres sentiments *.

---

* Voir mistress Hutchinson refusant d'être utile à sa famille et à son mari qu'elle adorait, en trahissant quelques régicides auprès des ministres du parjure Charles II (tome II, p. 284).

Vous voulez faire d'une femme un auteur ? — Exactement comme vous annoncez le projet de faire chanter
votre fille à l'Opéra en lui donnant un maître de chant.
Je dirai qu'une femme ne doit jamais écrire que comme
Mme de Staal (de Launay), des œuvres posthumes à
publier après sa mort. Imprimer pour une femme de
moins de cinquante ans, c'est mettre son bonheur à la
plus terrible des loteries; si elle a le bonheur d'avoir un
amant, elle commencera par le perdre.

Je ne vois qu'une exception, c'est une femme qui fait
des livres pour nourrir ou élever sa famille. Alors elle
doit toujours se retrancher dans l'intérêt d'argent en
parlant de ses ouvrages, et dire, par exemple, à un chef
d'escadron : « Votre état vous donne quatre mille francs
par an, et moi avec mes deux traductions de l'anglais
j'ai pu, l'année dernière, consacrer trois mille cinq cents
francs de plus à l'éducation de mes deux fils. »

Hors de là, une femme doit imprimer comme le
baron d'Holbach ou Mme de La Fayette; leurs meilleurs amis l'ignoraient. Publier un livre ne peut être
sans inconvénient que pour une *fille;* le vulgaire pouvant la mépriser à son aise à cause de son état, la portera
aux nues à cause de son talent, et même s'engouera de
ce talent.

Beaucoup d'hommes en France parmi ceux qui ont
six mille livres de rente, font leur bonheur habituel par
la littérature sans songer à rien imprimer; lire un bon
livre est pour eux un des plus grands plaisirs. Au bout
de dix ans ils se trouvent avoir doublé leur esprit, et
personne ne niera qu'en général plus on a d'esprit moins
on a de passions incompatibles avec le bonheur des
autres *. Je ne crois pas que l'on nie davantage que les
fils d'une femme qui lit Gibbon et Schiller auront plus
de génie que les enfants de celle qui dit le chapelet et
lit Mme de Genlis.

Un jeune avocat, un marchand, un médecin, un ingé-
nieur peuvent être lancés dans la vie sans aucune éducation, ils se la donnent tous les jours en pratiquant
leur état. Mais quelles ressources ont leurs femmes
pour acquérir les qualités estimables et nécessaires ?
Cachées dans la solitude de leur ménage, le grand livre

---

* C'est ce qui me fait espérer beaucoup de la génération naissante
des privilégiés. J'espère aussi que les maris qui liront ce chapitre
seront moins despotes pendant trois jours.

de la vie et de la nécessité reste fermé pour elles. Elles dépensent toujours de la même manière, en discutant un compte avec leur cuisinière, les trois louis que leur mari leur donne tous les lundis.

Je dirai, dans l'intérêt des despotes : Le dernier des hommes, s'il a vingt ans et des joues bien roses, est dangereux pour une femme qui ne sait rien, car elle est toute à l'instinct; aux yeux d'une femme d'esprit, il fera justement autant d'effet qu'un beau laquais.

Le plaisant de l'éducation actuelle, c'est qu'on n'apprend rien aux jeunes filles, qu'elles ne doivent oublier bien vite, dès qu'elles seront mariées. Il faut quatre heures par jour pendant six ans, pour bien jouer de la harpe; pour bien peindre la miniature ou l'aquarelle, il faut la moitié de ce temps. La plupart des jeunes filles n'arrivent pas même à une médiocrité supportable; de là le proverbe si vrai : qui dit amateur dit ignorant *.

Et supposons une jeune fille avec quelque talent, trois ans après qu'elle est mariée elle ne prend pas sa harpe ou ses pinceaux une fois par mois : ces objets de tant de travail lui sont devenus ennuyeux, à moins que le hasard ne lui ait donné l'âme d'un artiste, chose toujours fort rare et qui rend peu propre aux soins domestiques.

C'est ainsi que sous un vain prétexte de décence, l'on n'apprend rien aux jeunes filles qui puisse les guider dans les circonstances qu'elles rencontreront dans la vie; on fait plus, on leur cache, on leur nie ces circonstances afin d'ajouter à leur force : 1º l'effet de la surprise, 2º l'effet de la défiance rejetée sur toute l'éducation comme ayant été menteuse **. Je soutiens qu'on doit parler de l'amour à des jeunes filles bien élevées. Qui osera avancer de bonne foi que dans nos mœurs actuelles les jeunes filles de seize ans ignorent l'existence de l'amour ? par qui reçoivent-elles cette idée si importante et si difficile à bien donner ? Voyez Julie d'Étanges se plaindre des connaissances qu'elle doit à la Chaillot, une femme de chambre de la maison. Il faut savoir gré à Rousseau d'avoir osé être peintre fidèle en un siècle de fausse décence.

L'éducation actuelle des femmes étant peut-être la

---

* Le contraire de ce proverbe est vrai en Italie où les plus belles voix se trouvent parmi les amateurs étrangers au théâtre.
** Éducation donnée à Mme d'Épinay (*Mémoires*, tome I).

plus plaisante absurdité de l'Europe moderne, moins
elles ont d'éducation proprement dite, et plus elles
valent *. C'est pour cela peut-être qu'en Italie, en
Espagne, elles sont si supérieures aux hommes et je
dirais même si supérieures aux femmes des autres pays.

---

* J'excepte l'éducation des manières; on entre mieux dans un
salon rue Verte, que rue Saint-Martin.

CHAPITRE LVI

Suite

Toutes nos idées sur les femmes nous viennent en France du c[atéchisme] de trois sous; et ce qu'il y a de plaisant, c'est que beaucoup de gens qui n'admettraient pas l'autorité de ce livre pour régler une affaire de cinquante francs, la suivent à la lettre et stupidement pour l'objet qui, dans l'état de vanité des habitudes du XIXe siècle, importe peut-être le plus à leur bonheur.

Il ne faut pas de divorce parce que le mariage est un *mystère*, et quel mystère? l'emblème de l'union de Jésus-Christ avec son église. Et que devenait ce mystère si l'*Église* se fût trouvée un nom du genre masculin * ? Mais quittons des préjugés qui tombent **, observons seulement ce spectacle singulier, la racine de l'arbre a été sapée par la hache du ridicule; mais les branches continuent à fleurir. Pour revenir à l'observation des faits et de leurs conséquences :

---

*   *Tu es Petrus, et super hanc petram*
            Ædificabo Ecclesiam meam.
            Voir M. de Potter, *Histoire de l'Église*.

** La religion est une affaire entre chaque homme et la divinité. De quel droit venez-vous vous placer entre mon Dieu et moi? Je ne prends de procureur fondé par le contrat social que pour les choses que je ne puis pas faire moi-même.

Pourquoi un Français ne payerait-il pas son p[rêtre] comme son boulanger ? Si nous avons de bon pain à Paris, c'est que l'État ne s'est pas encore avisé de déclarer gratuite la fourniture du pain et de mettre tous les boulangers à la charge du trésor.

Aux Etats-Unis, chacun paye son prêtre; ces messieurs sont obligés d'avoir du mérite et mon voisin ne s'avise pas de mettre son bonheur à m'imposer son prêtre (*Lettres* de Birkbeck).

Que sera-ce si j'ai la conviction, comme nos p[rêtre]s, que mon prêtre est l'allié intime de mon e[nnemi] ? Donc, à moins d'un Luther, il n'y aura plus de catholicisme en F[rance] en 1850. Cette religion ne pouvait être sauvée, en 1820, que par M. Grégoire, voyez comme on le traite.

Dans les deux sexes, c'est de la manière dont on a employé la jeunesse que dépend le sort de l'extrême vieillesse; cela est vrai de meilleure heure pour les femmes. Comment une femme de quarante-cinq ans est-elle reçue dans le monde ? d'une manière sévère et plutôt inférieure à son mérite; on les flatte à vingt ans, on les abandonne à quarante.

Une femme de quarante-cinq ans n'a d'importance que par ses enfants ou par son amant.

Une mère qui excelle dans les beaux-arts ne peut communiquer son talent à son fils que dans le cas extrêmement rare, où ce fils a reçu de la nature précisément l'âme de ce talent. Une mère qui a l'esprit cultivé donnera à son jeune fils une idée, non seulement de tous les talents purement agréables, mais encore de tous les talents utiles à l'homme en société, et il pourra choisir. La barbarie des Turcs tient en grande partie à l'état d'abrutissement moral des belles Géorgiennes. Les jeunes gens nés à Paris doivent à leurs mères l'incontestable supériorité qu'ils ont à seize ans sur les jeunes provinciaux de leur âge. C'est de seize à vingt-cinq ans que la chance tourne.

Tous les jours les gens qui ont inventé le paratonnerre, l'imprimerie, l'art de faire le drap, contribuent à notre bonheur, et il en est de même des Montesquieu, des Racine, des La Fontaine. Or le nombre des génies que produit une nation est proportionnel au nombre d'hommes qui reçoivent une culture suffisante *, et rien ne me prouve que mon bottier n'ait pas l'âme qu'il faut pour écrire comme Corneille; il lui manque l'éducation nécessaire pour développer ses sentiments, et lui apprendre à les communiquer au public.

D'après le système actuel de l'éducation des jeunes filles, tous les génies qui naissent *femmes* sont perdus pour le bonheur du public; dès que le hasard leur donne les moyens de se montrer, voyez-les atteindre aux talents les plus difficiles; voyez de nos jours une Catherine II, qui n'eut d'autre éducation que le danger et le catinisme; une Mme Roland, une Alessandra Mari, qui, dans Arezzo, lève un régiment et le lance contre les Français; une Caroline, reine de Naples, qui sait arrêter la contagion du libéralisme mieux que nos Castlereagh et nos P... Quant à ce qui met obstacle à la supériorité des

* Voir les généraux en 1795.

femmes dans les ouvrages de l'esprit, on peut voir le chapitre de la pudeur, article 9. Où ne fût pas arrivée miss Edgeworth si la considération nécessaire à une jeune miss anglaise ne lui eût fait une nécessité, lorsqu'elle débuta, de transporter la chaire dans le roman* ?

Quel est l'homme dans l'amour ou dans le mariage qui a le bonheur de pouvoir communiquer ses pensées telles qu'elles se présentent à lui, à la femme avec laquelle il passe sa vie ? Il trouve un bon cœur qui partage ses peines, mais toujours il est obligé de mettre ses pensées en petite monnaie s'il veut être entendu, et il serait ridicule d'attendre des conseils raisonnables d'un esprit qui a besoin d'un tel régime pour saisir les objets. La femme la plus parfaite, suivant les idées de l'éducation actuelle, laisse son partner isolé dans les dangers de la vie et bientôt court risque de l'ennuyer.

Quel excellent conseiller un homme ne trouverait-il pas dans sa femme si elle savait penser! un conseiller dont, après tout, hors un seul objet, et qui ne dure que le matin de la vie, les intérêts sont exactement identiques avec les siens.

Une des plus belles prérogatives de l'esprit, c'est qu'il donne de la considération à la vieillesse. Voyez l'arrivée de Voltaire à Paris faire pâlir la majesté royale. Mais quant aux pauvres femmes, dès qu'elles n'ont plus le brillant de la jeunesse, leur unique et triste bonheur est de pouvoir se faire illusion sur le rôle qu'elles jouent dans le monde.

Les débris des talents de la jeunesse ne sont plus qu'un ridicule, et ce serait un bonheur pour nos femmes actuelles de mourir à cinquante ans. Quant à la vraie morale, plus on a d'esprit et plus on voit clairement que la justice est le seul chemin du bonheur. Le génie est un pouvoir, mais il est encore plus un flambeau pour découvrir le grand art d'être heureux.

La plupart des hommes ont un moment dans leur vie où ils peuvent faire de grandes choses, c'est celui où

---

* Sous le rapport des arts, c'est là le grand défaut d'un gouvernement raisonnable et aussi le seul éloge raisonnable de la monarchie à la Louis XIV. Voir la stérilité littéraire de l'Amérique. Pas une seule romance comme celles de Robert Burns ou des Espagnols du XIIIe siècle.

* Voir les admirables romances des Grecs modernes, celles des Espagnols et des Danois du XIIIe siècle, et encore mieux les poésies arabes du VIIe siècle.

rien ne leur semble impossible. L'ignorance des femmes fait perdre au genre humain cette chance magnifique. L'amour fait tout au plus aujourd'hui bien monter à cheval, ou bien choisir son tailleur.

Je n'ai pas le temps de garder les avenues contre la critique; si j'étais maître d'établir des usages, je donnerais aux jeunes filles, autant que possible, exactement la même éducation qu'aux jeunes garçons. Comme je n'ai pas l'intention de faire un livre à propos de bottes, on n'exigera pas que je dise en quoi l'éducation actuelle des hommes est absurde (on ne leur enseigne pas les deux premières sciences, la logique et la morale). La prenant telle qu'elle est cette éducation, je dis qu'il vaut mieux la donner aux jeunes filles, que de leur montrer uniquement à faire de la musique, des aquarelles et de la broderie.

Donc, apprendre aux jeunes filles à lire, à écrire et l'arithmétique par l'enseignement mutuel dans des écoles centrales-couvents, où la présence de tout homme, les professeurs exceptés, serait sévèrement punie. Le grand avantage de réunir les enfants, c'est que, quelque bornés que soient les professeurs, les enfants apprennent malgré eux de leurs petits camarades l'art de vivre dans le monde et de ménager les intérêts. Un professeur sensé devrait expliquer aux enfants leurs petites querelles et leurs amitiés, et commencer ainsi son cours de morale plutôt que par l'histoire du *Veau d'or* *.

Sans doute, d'ici à quelques années, l'enseignement mutuel sera appliqué à tout ce qui s'apprend; mais, prenant les choses dans leur état actuel, je voudrais que les jeunes filles étudiassent le latin comme les petits garçons; le latin est bon parce qu'il apprend à s'ennuyer; avec le latin, l'histoire, les mathématiques, la connaissance des plantes utiles comme nourriture ou comme remède, ensuite la logique et les sciences morales, etc. La danse,

---

* Mon cher élève, monsieur votre père a de la tendresse pour vous; c'est ce qui fait qu'il me donne quarante francs par mois pour que je vous apprenne les mathématiques, le dessin, en un mot à gagner de quoi vivre. Si vous aviez froid faute d'un petit manteau, monsieur votre père souffrirait. Il souffrirait parce qu'il a de la sympathie, etc., etc. Mais, quand vous aurez dix-huit ans, il faudra que vous gagniez vous-même l'argent nécessaire pour acheter ce manteau. Monsieur votre père a, dit-on, vingt-cinq mille livres de rente; mais vous êtes quatre enfants, donc il faudra vous déshabituer de la voiture dont vous jouissez chez monsieur votre père, etc., etc.

la musique et le dessin doivent se commencer à cinq ans.

A seize ans, une jeune fille doit songer à se trouver un mari et recevoir de sa mère des idées justes sur l'amour, le mariage et le peu de probité des hommes *.

* Hier soir, j'ai vu deux charmantes petites filles de quatre ans chanter des chansons d'amour fort vives dans une escarpolette que je faisais aller. Les femmes de chambre leur apprennent ces chansons, et leur mère leur dit qu'*amour* et *amant* sont des mots vides de sens.

CHAPITRE LVI *bis*

DU MARIAGE

La fidélité des femmes dans le mariage lorsqu'il n'y a pas d'amour, est probablement une chose contre nature *.

On a essayé d'obtenir cette chose contre nature par la peur de l'enfer et les sentiments religieux; l'exemple de l'Espagne et de l'Italie montre jusqu'à quel point on a réussi.

On a voulu l'obtenir en France par l'opinion, c'était la seule digue capable de résister; mais on l'a mal construite. Il est absurde de dire à une jeune fille : Vous serez fidèle à l'époux de votre choix et ensuite de la marier par force à un vieillard ennuyeux **.

Mais les jeunes filles se marient avec plaisir. — C'est que, dans le système contraint de l'éducation actuelle,

---

* *Anzi certamente. Coll'amore uno non trova gusto a bevere acqua altra che quella di questo fonte prediletto. Resta naturale allora la fedeltà.*

Coll' matrimonio senza amore, in men di due anni l'acqua di questo fonte diventa amara. Esiste sempre però in natura il bisogno d'acqua. I costumi fanno superare la natura, ma solamente quando si può vincerla in un istante : la moglie indiana che si abruccia (21 ottobre 1821) dopo la morte del vecchio marito che odiava, la ragazza europea che trucida barbaramente il tenero bambino al quale testè diede vita. Senza l'altissimo muro del monistero, le monache anderebbero via.

** Même les minuties, tout chez nous est comique en ce qui concerne l'éducation des femmes. Par exemple, en 1820, sous le règne de ces mêmes nobles qui ont proscrit le divorce, le ministère envoie à la ville de Laon un buste et une statue de Gabrielle d'Estrées. La statue sera placée sur la place publique, apparemment pour répandre parmi les jeunes filles l'amour des Bourbons et les engager en cas de besoin à n'être pas cruelles aux rois aimables et à donner des rejetons à cette illustre famille.

Mais en revanche le même ministère refuse à la ville de Laon le buste du maréchal Sérurier, brave homme qui n'était pas galant et qui de plus avait grossièrement commencé sa carrière par le métier de simple soldat. (Discours du général Foy, *Courrier* du 17 juin 1820. Dulaure, dans sa curieuse *Histoire de Paris*, article : *amours de Henri IV*.)

l'esclavage qu'elles subissent dans la maison de leur mère est d'un intolérable ennui ; d'ailleurs elles manquent de lumières, enfin c'est le vœu de la nature. Il n'y a qu'un moyen d'obtenir plus de fidélité des femmes dans le mariage, c'est de donner la liberté aux jeunes filles et le divorce aux gens mariés.

Une femme perd toujours dans un premier mariage les plus beaux jours de la jeunesse, et par le divorce elle donne aux sots quelque chose à dire contre elle.

Les jeunes femmes qui ont beaucoup d'amants n'ont que faire du divorce. Les femmes d'un certain âge, qui ont eu beaucoup d'amants, croient réparer leur réputation, et en France y réussissent toujours, en se montrant extrêmement sévères envers des erreurs qui les ont quittées. Ce sera quelque pauvre jeune femme vertueuse et éperdument amoureuse qui demandera le divorce et qui se fera honnir par des femmes qui ont eu cinquante hommes.

CHAPITRE LVII

DE CE QU'ON APPELLE VERTU

Moi, j'honore du nom de vertu l'habitude de faire des actions pénibles et utiles aux autres.

Saint Siméon Stylite qui se tient vingt-deux ans sur le haut d'une colonne et qui se donne les étrivières n'est guère vertueux à mes yeux, j'en conviens, et c'est ce qui donne un ton trop leste à cet essai.

Je n'estime guère non plus un chartreux qui ne mange que du poisson et qui ne se permet de parler que le jeudi. J'avoue que j'aime mieux le général Carnot qui, dans un âge avancé, supporte les rigueurs de l'exil dans une petite ville du Nord, plutôt que de faire une bassesse.

J'ai quelque espoir que cette déclaration extrêmement vulgaire portera à sauter le reste du chapitre.

Ce matin, jour de fête, à Pesaro (7 mai 1819), étant obligé d'aller à la messe, je me suis fait donner un missel et je suis tombé sur ces paroles :

Joanna Alphonsi quinti Lusitaniæ regis filia, tanta divini amoris flamma præventa fuit, ut ab ipsa pueritia, rerum caducarum pertæsa, solo cælestis patriæ desiderio flagraret.

La vertu si touchante prêchée par les phrases si belles du *Génie du Christianisme* se réduit donc à ne pas manger de truffes de peur des crampes d'estomac. C'est un calcul fort raisonnable si l'on croit à l'enfer, mais calcul de l'intérêt le plus personnel et le plus prosaïque. La vertu *philosophique* qui explique si bien le retour de Régulus à Carthage, et qui a amené des traits semblables dans notre révolution *, prouve au contraire générosité dans l'âme.

---

* *Mémoires* de Mme Roland. M. Grangeneuve qui va se promener à huit heures dans une certaine rue pour se faire tuer par le capucin Chabot. On croyait une mort utile à la cause de la liberté.

C'est uniquement pour ne pas être brûlée en l'autre monde, dans une grande chaudière d'huile bouillante, que Mme de Tourvel résiste à Valmont. Je ne conçois pas comment l'idée d'être le rival d'une chaudière d'huile bouillante n'éloigne pas Valmont par le mépris.

Combien Julie d'Étanges, respectant ses serments et le bonheur de M. de Wolmar, n'est-elle pas plus touchante ?

Ce que je dis de Mme de Tourvel, je le trouve applicable à la haute vertu de Mistress Hutchinson. Quelle âme le puritanisme enleva à l'amour !

Un des travers les plus plaisants dans le monde, c'est que les hommes croient toujours savoir ce qu'il leur est évidemment nécessaire de savoir. Voyez-les parler de politique, cette science si compliquée; voyez-les parler de mariage et de mœurs.

CHAPITRE LVIII

SITUATION DE L'EUROPE A L'ÉGARD DU MARIAGE

Jusqu'ici nous n'avons traité la question du mariage que par le raisonnement *; la voici traitée par les faits.

Quel est le pays du monde où il y a le plus de mariages heureux ? Incontestablement c'est l'Allemagne protestante.

J'extrais le morceau suivant du journal du capitaine Salviati sans y changer un seul mot.

« Halberstadt, 23 juin 1807... M. de Bulow cependant est bonnement et ouvertement amoureux de Mlle de Feltheim; il la suit partout et toujours; lui parle sans cesse, et très souvent la retient à dix pas de nous. Cette préférence ouverte choque la société, la rompt, et aux rives de la Seine passerait pour le comble de l'indécence. Les Allemands songent bien moins que nous à ce qui rompt la société, et l'indécence n'est presque qu'un mal de convention. Il y a cinq ans que M. de Bulow fait ainsi la cour à Mina qu'il n'a pas pu épouser à cause de la guerre. Toutes les demoiselles de la société ont leur amant connu de tout le monde, mais aussi parmi les Allemands de la connaissance de mon ami, M. de Mermann, il n'en est pas un seul qui ne se soit marié par amour; savoir :

« Mermann, son frère George, M. de Voigt, M. de Lasing, etc. Il vient de m'en nommer une douzaine.

« La manière ouverte et passionnée dont tous ces amants font la cour à leurs maîtresses serait le comble de l'indécence, du ridicule et de la malhonnêteté en France.

« Mermann me disait ce soir en revenant du *Chasseur vert*, que, de toutes les femmes de sa famille très nom-

* L'auteur avait lu un chapitre intitulé *dell'Amore* dans la traduction italienne de l'idéologie de M. de Tracy. Le lecteur trouvera dans ce chapitre des idées d'une bien autre portée philosophique que tout ce qu'il peut rencontrer ici.

breuse, il ne croyait pas qu'il y en eût une seule qui eût trompé son mari. Mettons qu'il se trompe de moitié, c'est encore un pays singulier.

« Sa proposition scabreuse à sa belle-sœur, Mme de Munichow, dont la famille va s'éteindre faute d'héritiers mâles, et les biens très considérables retourner au prince, reçue avec froideur, mais « ne m'en parlez jamais ».

« Il en dit quelque chose en termes très couverts à la céleste Philippine (qui vient d'obtenir le divorce contre son mari qui voulait simplement la vendre au souverain); indignation non jouée, diminuée dans les termes au lieu d'être exagérée : « Vous n'avez donc plus d'estime du « tout pour notre sexe ? Je crois pour votre honneur que « vous plaisantez. »

« Dans un voyage au Brocken avec cette vraiment belle femme, elle s'appuyait sur son épaule en dormant, ou feignant de dormir, un cahot la jette un peu sur lui, il lui serre la taille, elle se jette de l'autre côté de la voiture; il ne pense pas qu'elle soit inséductible, mais il croit qu'elle se tuerait le lendemain de sa faute. Ce qu'il y a de certain, c'est qu'il l'a aimée passionnément, qu'il en a été aimé de même, qu'ils se voyaient sans cesse et qu'elle est sans reproche; mais le soleil est bien pâle à Halberstadt, le gouvernement bien minutieux, et ces deux personnages bien froids. Dans leurs tête-à-tête les plus passionnés, Kant et Klopstock étaient toujours de la partie.

« Mermann me contait qu'un homme marié, convaincu d'adultère, peut être condamné par les tribunaux de Brunswick à dix ans de prison; la loi est tombée en désuétude, mais fait du moins que l'on ne plaisante point sur ces sortes d'affaires; la qualité d'homme à aventures galantes est bien loin d'être comme en France un avantage que l'on ne peut presque dénier en face à un mari sans l'insulter.

« Quelqu'un qui dirait à mon colonel ou à Ch... qu'ils n'ont plus de femmes depuis leur mariage en serait fort mal reçu.

« Il y a quelques années qu'une femme de ce pays, dans un retour de religion, dit à son mari, homme de la cour de Brunswick, qu'elle l'avait trompé six ans de suite. Ce mari aussi sot que sa femme alla conter le propos au duc; le galant fut obligé de donner sa démission de tous ses emplois et de quitter le pays dans les vingt-quatre heures sur la menace du duc de faire agir les lois. »

« *Halberstadt, 7 juillet 1807.*

« Ici les maris ne sont pas trompés, il est vrai, mais quelles femmes, grands dieux! Des statues, des masses à peine organisées. Avant le mariage elles sont fort agréables,, lestes comme des gazelles, et un œil vif et tendre qui comprend toujours les allusions de l'amour. C'est qu'elles sont à la chasse d'un mari. A peine ce mari trouvé, elles ne sont plus exactement que des faiseuses d'enfant, en perpétuelle adoration devant le faiseur. Il faut que dans une famille de quatre ou cinq enfants, il y en ait toujours un de malade, puisque la moitié des enfants meurt avant sept ans, et dans ce pays, dès qu'un des bambins est malade, la mère ne sort plus. Je les vois trouver un plaisir indicible à être caressées par leurs enfants. Peu à peu elles perdent toutes leurs idées. C'est comme à Philadelphie. Des jeunes filles de la gaieté la plus folle et la plus innocente y deviennent, en moins d'un an, les plus ennuyeuses des femmes. Pour en finir sur les mariages de l'Allemagne protestante, la dot de la femme est à peu près nulle à cause des fiefs. Mlle de Diesdorff, fille d'un homme qui a quarante mille livres de rente, aura peut-être deux mille écus de dot (sept mille cinq cents francs).

« M. de Mermann a eu quatre mille écus de sa femme.

« Le supplément de dot est payable en vanité, à la « cour. On trouverait dans la bourgeoisie, me disait Mer- « mann, des partis de cent ou cent cinquante mille écus « (six cent mille francs au lieu de quinze). Mais on ne « peut plus être présenté à la cour, on est séquestré de « toute société où se trouve un prince, ou une princesse, « *c'est affreux.* » Ce sont ses termes et c'était le cri du cœur.

« Une femme allemande qui aurait l'âme de Phi★★★, avec son esprit, sa figure noble et sensible, le feu qu'elle devait avoir à dix-huit ans (elle en a vingt-sept), étant honnête et pleine de naturel par les mœurs du pays, n'ayant, par la même cause, que la petite dose utile de religion, rendrait sans doute son mari fort heureux. Mais comment se flatter d'être constant auprès des mères de famille si insipides ?

« *Mais il était marié*, m'a-t-elle répondu ce matin comme je blâmais les quatre ans de silence de l'amant de Corinne, lord Oswald. Elle a veillé jusqu'à trois heures pour lire *Corinne;* ce roman lui a donné une profonde

émotion, et elle me répond avec sa touchante candeur :
Mais il était marié.

« Phi*** a tant de naturel et une sensibilité si naïve
que même en ce pays du naturel, elle semble prude aux
petits esprits montés sur de petites âmes. Leurs plaisanteries lui font mal au cœur, et elle ne le cache guère.

« Quand elle est en bonne compagnie elle rit comme
une folle des plaisanteries les plus gaies. C'est elle qui
m'a conté l'histoire de cette jeune princesse de seize ans,
depuis si célèbre, qui entreprenait souvent de faire monter dans son appartement l'officier de garde à sa porte. »

LA SUISSE

Je connais peu de familles plus heureuses que celles de
l'*Oberland*, partie de la Suisse située près de Berne, et il
est de notoriété publique (1816) que les jeunes filles y
passent avec leur amant les nuits du samedi au dimanche.

Les sots qui connaissent le monde pour avoir fait le
voyage de Paris, à Saint-Cloud, vont se récrier ; heureusement je trouve dans un écrivain suisse, la confirmation
de ce que j'ai vu moi-même * pendant quatre mois.

« Un bon paysan se plaignait de quelques dégâts faits
dans son verger ; je lui demandai pourquoi il n'avait pas
de chien. — « Mes filles ne se marieraient jamais. » Je
ne comprenais pas sa réponse ; il me conte qu'il avait eu
un chien si méchant qu'il n'y avait plus de garçons qui
osassent escalader ses fenêtres.

« Un autre paysan, maire de son village, pour me faire
l'éloge de sa femme, me disait que, du temps qu'elle
était fille, il n'y en avait point qui eût plus de *kilter* ou
veilleurs (qui eût plus de jeunes gens qui allassent passer
la nuit avec elle).

« Un colonel généralement estimé fut obligé, dans une
course de montagnes, de passer la nuit au fond d'une des
vallées les plus solitaires et les plus pittoresques du pays.
Il logea chez le premier magistrat de la vallée, homme
riche et accrédité. L'étranger remarqua en entrant une
jeune fille de seize ans, modèle de grâce, de fraîcheur et
de simplicité ; c'était la fille du maître de la maison. Il y
avait ce soir-là bal champêtre : l'étranger fit la cour à la
jeune fille qui était réellement d'une beauté frappante.

---

* *Principes philosophiques du colonel Weiss*, 7ᵉ édition, tome II,
page 245.

Enfin, se faisant courage, il osa lui demander s'il ne pourrait pas *veiller* avec elle. — « Non, répondit la jeune fille, je couche avec ma cousine, mais je viendrai moi-même chez vous. » Qu'on juge du trouble que causa cette réponse. On soupe, l'étranger se lève, la jeune fille prend le flambeau et le suit dans sa chambre, il croit toucher au bonheur. — « Non, lui dit-elle avec candeur, il faut d'abord « que je demande permission à maman. » La foudre l'eût moins atterré. Elle sort, il reprend courage et se glisse auprès du salon de bois de ces bonnes gens; il entend la fille qui d'un ton caressant priait sa mère de lui accorder la permission qu'elle désirait : elle l'obtient enfin. « N'est-« ce pas, vieux, dit la mère à son mari qui était déjà au lit, « tu consens que Trineli passe la nuit avec M. le colonel ? « — De bon cœur, répond le père, je crois qu'à un tel « homme, je prêterais encore ma femme. — Eh bien! va, « dit la mère à Trineli; mais sois brave fille, et n'ôte pas « ta jupe... » Au point du jour, Trineli, respectée par l'étranger, se leva vierge : elle arrangea les coussins du lit, prépara du café et de la crème pour son veilleur, et après que, assise sur le lit, elle eut déjeuné avec lui, elle coupe un petit morceau de son *broustpletz* (pièce de velours qui couvre le sein). « Tiens, lui dit-elle, conserve « ce souvenir d'une nuit heureuse; je ne l'oublierai « jamais; pourquoi es-tu colonel ? » Et, lui ayant donné un dernier baiser, elle s'enfuit; il ne put plus la revoir *. » Voilà l'excès opposé à nos mœurs françaises et que je suis loin d'approuver.

Je voudrais, si j'étais législateur, qu'on prît, en France comme en Allemagne, l'usage des soirées dansantes. Trois fois par semaine les jeunes filles iraient avec leurs mères à un bal commencé à sept heures finissant à minuit, et exigeant pour tous frais un violon et des verres d'eau. Dans une pièce voisine, les mères, peut-être un peu jalouses de l'heureuse éducation de leurs filles, joueraient au boston; dans une troisième, les pères trouveraient les journaux et parleraient politique. Entre minuit et une heure toutes les familles se réuniraient, et regagneraient le toit paternel. Les jeunes filles apprendraient à connaître les jeunes hommes; la fatuité et l'indiscrétion qui la suit leur deviendraient bien vite odieuses; enfin, *elles se choi-*

---

* Je suis heureux de pouvoir dire avec les paroles d'un autre des faits extraordinaires que j'ai eu l'occasion d'observer. Certainement sans M. de Weiss je n'eusse pas rapporté ce trait de mœurs. J'en ai omis d'aussi caractéristiques à Valence et à Vienne.

siraient un mari. Quelques jeunes filles auraient des amours malheureuses, mais le nombre des maris trompés et des mauvais ménages diminuerait dans une immense proportion. Alors il serait moins absurde de chercher à punir l'infidélité par la honte; la loi dirait aux jeunes femmes : Vous avez choisi votre mari, soyez-lui fidèle. Alors j'admettrais la poursuite et la punition par les tribunaux de ce que les Anglais appellent *criminal conversation*. Les tribunaux pourraient imposer au profit des prisons, et des hôpitaux, une amende égale aux deux tiers de la fortune du séducteur, et une prison de quelques années.

Une femme pourrait être poursuivie pour adultère devant un jury. Le jury devrait d'abord déclarer que la conduite du mari a été irréprochable.

La femme convaincue pourrait être condamnée à la prison pour la vie. Si le mari avait été absent plus de deux ans, la femme ne pourrait être condamnée qu'à une prison de quelques années. Les mœurs publiques se modèleraient bientôt sur ces lois et les perfectionneraient *.

Alors les nobles et les prêtres, tout en regrettant amèrement les siècles décents de Mme de Montespan ou de Mme Du Barry, seraient forcés de permettre le divorce **.

---

* L'*Examiner*, journal anglais, en rendant compte du procès de la reine (numéro 662, du 3 septembre 1820), ajoute :

« *We have a system of sexual morality, under which thousands of women become mercenary prostitutes whom virtuous women are taught to scorn, while virtuous men retain the privilege of frequenting those very women, without it's being regarded as any thing more than a venial offence.* »

Il y a une noble hardiesse dans le pays du *Cant* à oser exprimer, sur cet objet, une vérité, quelque triviale et palpable qu'elle soit; cela est encore plus méritoire à un pauvre journal qui ne peut espérer de succès qu'en étant acheté par les gens riches, lesquels regardent les évêques et la Bible comme l'unique sauvegarde de leurs belles livrées.

** Mme de Sévigné écrivait à sa fille, le 23 décembre 1671 : « Je ne sais si vous avez appris que Villarceaux, en parlant au roi d'une charge pour son fils, prit habilement l'occasion de lui dire qu'il y avait des gens qui se mêlaient de dire à sa nièce (Mlle de Rouxel), que Sa Majesté avait quelque dessein pour elle; que si cela était, il le suppliait de se servir de lui, et qu'il s'y emploierait avec succès. Le roi se mit à rire, et dit : *Villarceaux, nous sommes trop vieux, vous et moi, pour attaquer des demoiselles de quinze ans.* Et comme un galant homme se moqua de lui et conta ce discours chez les dames » (tome II, p. 340).

Mémoires de Lauzun, de Bezenval, de Mme d'Épinay, etc., etc. Je supplie qu'on ne me condamne pas tout à fait sans relire ces mémoires.

Il y aurait dans un village, en vue de Paris, un élysée pour les femmes malheureuses, une maison de refuge où, sous peine des galères, il n'entrerait d'autre homme que le médecin et l'aumônier. Une femme qui voudrait obtenir le divorce serait tenue, avant tout, d'aller se constituer prisonnière dans cet élysée; elle y passerait deux années sans sortir une seule fois. Elle pourrait écrire, mais jamais recevoir de réponse.

Un conseil composé de pairs de France et de quelques magistrats estimés dirigerait, au nom de la femme, les poursuites pour le divorce, et réglerait la pension à payer par le mari à l'établissement. La femme qui succomberait dans sa demande devant les tribunaux serait admise à passer le reste de sa vie à l'élysée. Le gouvernement compléterait à l'administration de l'élysée deux mille francs par femme réfugiée. Pour être reçue à l'élysée, il faudrait avoir eu une dot de plus de vingt mille francs. La sévérité du régime moral serait extrême.

Après deux ans d'une totale séparation du monde, une femme divorcée pourrait se remarier.

Une fois arrivées à ce point, les chambres pourraient examiner si, pour établir l'émulation du mérite entre les jeunes filles, il ne conviendrait pas d'attribuer aux garçons une part double de celles des sœurs dans le partage de l'héritage paternel. Les filles qui ne trouveraient pas à se marier auraient une part égale à celle des mâles. On peut remarquer en passant que ce système détruirait peu à peu l'habitude des mariages de convenance trop inconvenants. La possibilité du divorce rendrait inutiles les excès de bassesse.

Il faudrait établir sur divers points de la France, et dans des villages pauvres, trente abbayes pour les vieilles filles. Le gouvernement chercherait à entourer ces établissements de considération, pour consoler un peu la tristesse des pauvres filles qui y achèveraient leur vie. Il faudrait leur donner tous les hochets de la dignité.

Mais laissons ces chimères.

CHAPITRE LIX

Parmi les jeunes gens, lorsque l'on s'est bien moqué d'un pauvre amoureux et qu'il a quitté le salon, ordinairement la conversation finit par agiter la question de savoir s'il vaut mieux prendre les femmes comme le don Juan de Mozart, ou comme Werther. Le contraste serait plus exact si j'eusse cité Saint-Preux, mais c'est un si plat personnage que je ferais tort aux âmes tendres en le leur donnant pour représentant.

Le caractère de don Juan requiert un plus grand nombre de ces vertus utiles et estimées dans le monde : l'admirable intrépidité, l'esprit de ressources, la vivacité, le sang-froid, l'esprit amusant, etc.

Les don Juan ont de grands moments de sécheresse et une vieillesse fort triste; mais la plupart des hommes n'arrivent pas à la vieillesse.

Les amoureux jouent un pauvre rôle le soir dans le salon, car l'on n'a de talent et de force auprès des femmes qu'autant qu'on met à les avoir exactement le même intérêt qu'à une partie de billard. Comme la société connaît aux amoureux un grand intérêt dans la vie, quelque esprit qu'ils aient, ils prêtent le flanc à la plaisanterie; mais le matin en s'éveillant, au lieu d'avoir l'humeur jusqu'à ce que quelque chose de piquant et de malin les soit venu ranimer, ils songent à ce qu'ils aiment et font des châteaux en Espagne habités par le bonheur.

L'amour à la Werther ouvre l'âme à tous les arts, à toutes les impressions douces et romantiques, au clair de lune, à la beauté des bois, à celle de la peinture, en un mot au sentiment et à la jouissance du *beau*, sous quelque forme qu'il se présente, fût-ce sous un habit de bure. Il fait trouver le bonheur même sans les richesses *. Ces âmes-là, au lieu d'être sujettes à se blaser comme Meilhan, Bezenval, etc., deviennent folles par excès de sensibilité comme Rousseau. Les femmes douées d'une certaine élévation d'âme qui, après la première jeunesse, savent voir l'amour où il est, et quel est cet amour, échappent en général aux don Juan qui ont pour eux plutôt le nombre que la qualité des conquêtes. Remarquez, au désavantage de la considération des âmes tendres, que la publicité est nécessaire au triomphe des don Juan comme le secret à ceux des Werther. La plupart des gens qui s'occupent de femmes par état, sont nés au sein d'une grande aisance, c'est-à-dire sont, par le fait de leur éducation et par l'imitation de ce qui les entourait dans leur jeunesse, égoïstes et secs **.

Les vrais don Juan finissent même par regarder les femmes comme le parti ennemi, et par se réjouir de leurs malheurs de tous genres.

Au contraire, l'aimable duc delle Pignatelle nous montrait à Munich la vraie manière d'être heureux par la volupté, même sans l'amour-passion. « Je vois qu'une femme me plaît, me disait-il un soir, quand je me trouve tout interdit auprès d'elle et que je ne sais que lui dire. » Bien loin de mettre son amour-propre à rougir et à se venger de ce moment d'embarras, il le cultivait précieusement comme la source du bonheur. Chez cet aimable jeune homme, l'amour-goût était tout à fait exempt de la vanité qui corrode; c'était une nuance affaiblie, mais pure et sans mélange, de l'amour véritable; et il respec-

---

* Premier volume de la *Nouvelle Héloïse*, et tous les volumes si Saint-Preux se fût trouvé avoir l'ombre du caractère; mais c'était un vrai poète, un bavard sans résolution, qui n'avait du cœur qu'après avoir péroré, d'ailleurs homme fort plat. Ces gens-là ont l'immense avantage de ne pas choquer l'orgueil féminin et de ne jamais donner d'*étonnement* à leur amie. Qu'on pèse ce mot; c'est peut-être là tout le secret du succès des hommes plats auprès des femmes distinguées. Cependant l'amour n'est une passion qu'autant qu'il fait oublier l'amour-propre. Elles ne sentent donc pas complètement l'amour les femmes qui, comme L[éonore], lui demandent les plaisirs de l'orgueil. Sans s'en douter, elles sont à la même hauteur que l'homme prosaïque, objet de leur mépris, qui cherche dans l'amour, l'amour et la vanité. Elles, elles veulent l'amour et l'orgueil, mais l'amour se retire la rougeur sur le front; c'est le plus orgueilleux des despotes: ou il est tout, ou il n'est rien.

** Voir une page d'André Chénier, *Œuvres*, page 370; ou bien ouvrir les yeux dans le monde, ce qui est plus difficile. « En général ceux que nous appelons patriciens sont plus éloignés que les autres hommes de rien aimer », dit l'empereur Marc-Aurèle (*Pensées*, p. 50).

tait toutes les femmes comme des êtres charmants envers qui nous sommes bien injustes (20 février 1820).

Comme on ne se choisit pas un tempérament, c'est-à-dire une âme, l'on ne se donne pas un rôle supérieur. J.-J. Rousseau et le duc de Richelieu auraient eu beau faire, malgré tout leur esprit, ils n'auraient pu changer de carrière auprès des femmes. Je croirais volontiers que le duc n'a jamais eu de moments comme ceux que Rousseau trouva dans la parc de la Chevrette, auprès de Mme d'Houdetot; à Venise, en écoutant la musique des *Scuole;* et à Turin, aux pieds de Mme Bazile. Mais aussi il n'eut jamais à rougir du ridicule dont Rousseau se couvre auprès de Mme de Larnage et dont le remords le poursuit le reste de sa vie.

Le rôle des Saint-Preux est plus doux et remplit tous les moments de l'existence; mais il faut convenir que celui de don Juan est bien plus brillant. Si Saint-Preux change de goût au milieu de sa vie, solitaire et retiré, avec des habitudes pensives, il se trouve sur la scène du monde à la dernière place; tandis que don Juan se voit une réputation superbe parmi les hommes, et pourra peut-être encore plaire à une femme tendre en lui faisant le sacrifice sincère de ses goûts libertins.

Par toutes les raisons présentées jusqu'ici, il me semble que la question se balance. Ce qui me fait croire les Werther plus heureux, c'est que don Juan réduit l'amour à n'être qu'une affaire ordinaire. Au lieu d'avoir comme Werther des réalités qui se modèlent sur ses désirs, il a des désirs imparfaitement satisfaits par la froide réalité, comme dans l'ambition, l'avarice et les autres passions. Au lieu de se perdre dans les rêveries enchanteresses de la cristallisation, il pense comme un général au succès de ses manœuvres *, et en un mot tue l'amour au lieu d'en jouir plus qu'un autre, comme croit le vulgaire.

Ce qui précède me semble sans réplique. Une autre raison qui l'est pour le moins autant à mes yeux, mais, que grâce à la méchanceté de la providence, il faut pardonner aux hommes de ne pas reconnaître, c'est que l'habitude de la justice me paraît, sauf les accidents, la route la plus assurée pour arriver au bonheur, et les Werther ne sont pas scélérats **.

---

* Comparez *Lovelace* à *Tom Jones.*
** Voir la *Vie privée du duc de Richelieu,* 3 volumes in-8°. Pourquoi

Pour être heureux dans le crime il faudrait exactement n'avoir pas de remords. Je ne sais si un tel être peut exister *; je ne l'ai jamais rencontré, et je parierais que l'aventure de Mme Michelin troublait les nuits du duc de Richelieu.

Il faudrait, ce qui est impossible, n'avoir exactement pas de sympathie, ou pouvoir mettre à mort le genre humain **.

Les gens qui ne connaissent l'amour que par les romans éprouveront une répugnance naturelle en lisant ces phrases en faveur de la vertu en amour. C'est que par les lois du roman la peinture de l'amour vertueux est essentiellement ennuyeuse et peu intéressante. Le sentiment de la vertu paraît ainsi de loin neutraliser celui de l'amour, et les paroles *amour vertueux* semblent synonymes d'amour faible. Mais tout cela est une *infirmité* de l'art de peindre, qui ne fait rien à la passion telle qu'elle existe dans la nature ***.

Je demande la permission de faire le portrait du plus intime de mes amis.

Don Juan abjure tous les devoirs qui le lient au reste des hommes. Dans le grand marché de la vie, c'est un marchand de mauvaise foi qui prend toujours et ne paye jamais. L'idée de l'égalité lui inspire la rage que l'eau donne à l'hydrophobe; c'est pour cela que l'orgueil de la naissance va si bien au caractère de don Juan. Avec l'idée de l'égalité des droits disparaît celle de la justice, ou plutôt si don Juan est sorti d'un sang illustre, ces idées communes ne l'ont jamais approché; et je croirais assez qu'un homme qui porte un nom histo-

---

au moment où un assassin tue un homme ne tombe-t-il pas mort aux pieds de sa victime ? Pourquoi les maladies ? et, s'il y a des maladies, pourquoi un Troistaillons ne meurt-il pas de la colique ? Pourquoi Henri IV règne-t-il vingt et un ans, et Louis XV, cinquante-neuf ? Pourquoi la durée de la vie n'est-elle pas en proportion exacte avec le degré de vertu de chaque homme ? Et autres questions *infâmes*, diront les philosophes anglais, qu'il n'y a assurément aucun mérite à poser, mais auxquelles il y aurait quelque mérite à répondre autrement que par des injures et du *cant*.

* Voir Néron après le meurtre de sa mère dans Suétone; et cependant de quelles belles masses de flatterie n'était-il pas environné !

** La cruauté n'est qu'une sympathie souffrante. Le *pouvoir* n'est le premier des bonheurs, après l'amour, que parce que l'on croit être en état de *commander la sympathie*.

*** Si l'on peint aux yeux du spectateur le sentiment de la vertu à côté du sentiment de l'amour, on se trouve avoir représenté un cœur partagé entre deux sentiments. La vertu dans les romans n'est bonne qu'à sacrifier : Julie d'Étanges.

rique est plus disposé qu'un autre à mettre le feu à
une ville pour se faire cuire un œuf *. Il faut l'excuser;
il est tellement possédé de l'amour de soi-même qu'il
arrive au point de perdre l'idée du mal qu'il cause, et
de ne voir plus que lui dans l'univers qui puisse jouir
ou souffrir. Dans le feu de la jeunesse, quand toutes les
passions font sentir la vie dans notre propre cœur et
éloignent la méfiance de celui des autres, don Juan,
plein de sensations et de bonheur apparent, s'applaudit
de ne songer qu'à soi, tandis qu'il voit les autres hommes
sacrifier au devoir; il croit avoir trouvé le grand art
de vivre. Mais au milieu de son triomphe, à peine à
trente ans, il s'aperçoit avec étonnement que la vie lui
manque, il éprouve un dégoût croissant pour ce qui
faisait tous ses plaisirs. Don Juan me disait à Thorn,
dans un accès d'humeur noire : « Il n'y a pas vingt
« variétés de femmes, et une fois qu'on en a eu deux
« ou trois de chaque variété, la satiété commence. »
Je répondais : « Il n'y a que l'imagination qui échappe
« pour toujours à la satiété. Chaque femme inspire
« un intérêt différent, et bien plus, la même femme, si
« le hasard vous la présente deux ou trois ans plus tôt
« ou plus tard dans le cours de la vie, et si le hasard
« veut que vous aimiez, est aimée d'une manière dif-
« férente. Mais une femme tendre, même en vous
« aimant, ne produirait sur vous, par ses prétentions
« à l'égalité, que l'irritation de l'orgueil. Votre manière
« d'avoir les femmes tue toutes les autres jouissances de
« la vie; celle de Werther les centuple. »
   Ce triste drame arrive au dénouement. On voit le
don Juan vieillissant s'en prendre aux choses de sa
propre satiété, et jamais à soi. On le voit tourmenté du
poison qui le dévore, s'agiter en tous sens et changer
continuellement d'objet. Mais quel que soit le brillant
des apparences, tout se termine pour lui à changer de

---

* Voir Saint-Simon, fausse couche de Mme la duchesse de Bourgogne; et Mme de Motteville, *passim*. Cette princesse, qui s'étonnait
que les autres femmes eussent cinq doigts à la main comme elle;
ce duc d'Orléans, Gaston, frère de Louis XIII, trouvant si simple que
ses favoris allassent à l'échafaud pour lui faire plaisir. Voyez, en 1820,
ces messieurs mettre en avant une loi d'élection qui peut ramener
les Robespierre en France, etc., etc.; voyez Naples en 1799. (Je
laisse cette note écrite en 1820. Liste des grands seigneurs de 1778
avec des notes sur leur moralité, données par le général Laclos, vue à
Naples, chez le marquis Berio; manuscrit de plus de trois cents pages
bien scandaleux.)

peine; il se donne de l'ennui paisible, ou de l'ennui agité; voilà le seul choix qui lui reste.

Enfin il découvre et s'avoue à soi-même cette fatale vérité; dès lors il est réduit pour toute jouissance à faire sentir son pouvoir, et à faire ouvertement le mal pour le mal. C'est aussi le dernier degré du malheur habituel; aucun poète n'a osé en présenter l'image fidèle; ce tableau ressemblant ferait horreur.

Mais on peut espérer qu'un homme supérieur détournera ses pas de cette route fatale, car il y a une contradiction au fond du caractère de don Juan. Je lui ai supposé beaucoup d'esprit, et beaucoup d'esprit conduit à la découverte de la vertu par le chemin du temple de la gloire *.

La Rochefoucauld qui s'entendait pourtant en amour-propre, et qui dans la vie réelle n'était rien moins qu'un nigaud d'homme de lettres **, dit (267) : « Le plaisir de l'amour est d'aimer, et l'on est plus heureux par la passion que l'on a, que par celle que l'on inspire. »

Le bonheur de don Juan n'est que de la vanité basée, il est vrai, sur des circonstances amenées par beaucoup d'esprit et d'activité; mais il doit sentir que le moindre général qui gagne une bataille, que le moindre préfet qui contient un département, a une jouissance plus remarquable que la sienne; tandis que le bonheur du duc de Nemours quand Mme de Clèves lui dit qu'elle l'aime est, je crois, au-dessus du bonheur de Napoléon à Marengo.

L'amour à la don Juan est un sentiment dans le genre du goût pour la chasse. C'est un besoin d'activité qui doit être réveillé par des objets divers et mettant sans cesse en doute votre talent.

L'amour à la Werther est comme le sentiment d'un écolier qui fait une tragédie et mille fois mieux; c'est un but nouveau dans la vie auquel tout se rapporte, et qui change la face de tout. L'amour-passion jette aux yeux d'un homme toute la nature avec ses aspects sublimes, comme une nouveauté inventée d'hier. Il s'étonne de n'avoir jamais vu le spectacle singulier qui se découvre à son âme. Tout est neuf, tout est vivant,

---

* Le caractère du jeune privilégié, en 1822, est assez correctement représenté par le brave Bothwell, d'*Old Mortality*.

** Voir les *Mémoires* de Retz, et le mauvais moment qu'il fit passer au coadjuteur, entre deux portes, au Parlement.

tout respire l'intérêt le plus passionné *. Un amant
voit la femme qu'il aime dans la ligne d'horizon de tous
les paysages qu'il rencontre, et faisant cent lieues pour
aller l'entrevoir un instant, chaque arbre, chaque rocher
lui parle d'elle d'une manière différente, et lui en apprend
quelque chose de nouveau. Au lieu du fracas de ce
spectacle magique, don Juan a besoin que les objets
extérieurs qui n'ont de prix pour lui que par leur degré
d'utilité lui soient rendus piquants par quelque intrigue
nouvelle.

L'amour à la Werther a de singuliers plaisirs ; après
un an ou deux, quand l'amant n'a plus pour ainsi dire
qu'une âme avec ce qu'il aime, et cela, chose étrange,
même indépendamment des succès en amour, même
avec les rigueurs de sa maîtresse, quoi qu'il fasse ou
qu'il voie, il se demande : Que dirait-elle si elle était
avec moi ? que lui dirais-je de cette vue de *Casa-Lecchio* ? Il lui parle, il écoute ses réponses, il rit des plaisanteries qu'elle lui fait. A cent lieues d'elle et sous le
poids de sa colère, il se surprend à se faire cette réflexion : Léonore était fort gaie ce soir. Il se réveille :
Mais mon Dieu, se dit-il en soupirant, il y a des fous à
Bedlam qui le sont moins que moi !

— « Mais vous m'impatientez, me dit un de mes
amis auquel je lis cette remarque : vous opposez sans
cesse l'homme passionné au don Juan, ce n'est pas
là la question. Vous auriez raison si l'on pouvait à
volonté se donner une passion. Mais dans l'indifférence que faire ? » — L'amour-goût sans horreurs.
Les horreurs viennent toujours d'une petite âme qui
a besoin de se rassurer sur son propre mérite.

Continuons. Les don Juan doivent avoir bien de
la peine à convenir de la vérité de cet état de l'âme
dont je parlais tout à l'heure. Outre qu'ils ne peuvent
le voir ni le sentir, il choque trop leur vanité. L'erreur
de leur vie est de croire conquérir en quinze jours ce
qu'un amant transi obtient à peine en six mois. Ils se
fondent sur des expériences faites aux dépens de ces
pauvres diables qui n'ont ni l'âme qu'il faut pour plaire,
en révélant ses mouvements naïfs à une femme tendre,
ni l'esprit nécessaire pour le rôle de don Juan. Ils ne
veulent pas voir que ce qu'ils obtiennent, fût-il même
accordé par la même femme, n'est pas la même chose.

---

* Vol[terre]. 1819. Les chèvrefeuilles à la descente.

> *L'homme prudent sans cesse se méfie;*
> *C'est pour cela que des amants trompeurs*
> *Le nombre est grand, les dames que l'on prie*
> *Font soupirer longtemps des serviteurs*
> *Qui n'ont jamais été faux de leur vie.*
> *Mais du trésor qu'elles donnent enfin*
> *Le prix n'est su que du cœur qui le goûte :*
> *Plus on l'achète et plus il est divin;*
> *Le los d'amour ne vaut que ce qu'il coûte.*

> NIVERNOIS, *le Troubadour Guillaume*
> *de La Tour*, III, 342.

L'amour-passion à l'égard des don Juan peut se comparer à une route singulière, escarpée, incommode, qui commence à la vérité parmi des bosquets charmants, mais bientôt se perd entre des rochers taillés à pic, dont l'aspect n'a rien de flatteur pour les yeux vulgaires. Peu à peu la route s'enfonce dans les hautes montagnes au milieu d'une forêt sombre dont les arbres immenses en interceptant le jour, par leurs têtes touffues et élevées jusqu'au ciel, jettent une sorte d'horreur dans les âmes non trempées par le danger.

Après avoir erré péniblement comme dans un labyrinthe infini dont les détours multipliés impatientent l'amour-propre, tout à coup l'on fait un détour, et l'on se trouve dans un monde nouveau, dans la délicieuse vallée de Cachemire de *Lalla-Rookh*.

Comment les don Juan, qui ne s'engagent jamais dans cette route ou qui n'y font tout au plus que quelques pas, pourraient-ils juger des aspects qu'elle présente au bout du voyage ? . . . .
. . . .

« Vous voyez que l'inconstance est bonne :
Il me faut du nouveau, n'en fût-il plus au monde. »
— Bien, vous vous moquez des serments et de la justice. Que cherche-t-on par l'inconstance ? le plaisir apparemment.

Mais le plaisir que l'on rencontre auprès d'une jolie femme désirée quinze jours et gardée trois mois, est *différent* du plaisir que l'on trouve avec une maîtresse désirée trois ans et gardée dix.

Si je ne mets pas *toujours*, c'est qu'on dit que la vieillesse, changeant nos organes, nous rend incapables d'aimer; pour moi, je n'en crois rien. Votre maîtresse, devenue votre amie intime, vous donne d'autres plaisirs, les plaisirs de la vieillesse. C'est une fleur qui après avoir été rose le matin, dans la saison des fleurs, se change en un fruit délicieux le soir, quand les roses ne sont plus de saison *.

Une maîtresse désirée trois ans est réellement maîtresse dans toute la force du terme; on ne l'aborde qu'en tremblant, et, dirais-je aux don Juan, l'homme qui tremble ne s'ennuie pas. Les plaisirs de l'amour sont toujours en proportion de la crainte.

Le malheur de l'inconstance, c'est l'ennui; le malheur de l'amour-passion, c'est le désespoir et la mort. On remarque les désespoirs d'amour, ils font anecdote; personne ne fait attention aux vieux libertins blasés qui crèvent d'ennui et dont Paris est pavé.

« L'amour brûle la cervelle à plus de gens que l'ennui. » — Je le crois bien, l'ennui ôte tout, jusqu'au courage de se tuer.

Il y a tel caractère fait pour ne trouver le plaisir que dans la variété. Mais un homme qui porte aux nues le vin de Champagne aux dépens du Bordeaux, ne fait que dire avec plus ou moins d'éloquence : J'aime mieux le Champagne.

Chacun de ces vins a ses partisans et tous ont raison, s'ils se connaissent bien eux-mêmes, et s'ils courent après le genre de bonheur qui est le mieux adapté à leurs organes ** et à leurs habitudes. Ce qui gâte le parti de l'inconstance, c'est que tous les sots se rangent de ce côté par manque de courage.

Mais enfin chaque homme, s'il veut se donner la peine de s'étudier soi-même, a son *beau idéal*, et il me semble qu'il y a toujours un peu de ridicule à vouloir convertir son voisin.

---

* Voir les *Mémoires* de Collé, sa femme.
** Les physiologistes qui connaissent les organes vous disent : l'injustice, dans les relations de la vie sociale, produit sécheresse, défiance et malheur.

FRAGMENTS DIVERS

J'ai réuni sous ce titre, ce que j'aurais voulu rendre encore plus modeste, un choix fait sans trop de sévérité parmi trois ou quatre cents cartes à jouer sur lesquelles j'ai trouvé des lignes tracées au crayon ; souvent ce qu'il faut bien appeler le manuscrit original, faute d'un nom plus simple, est bâti de morceaux de papier de toute grandeur écrits au crayon, et que Lisio attachait avec de la cire pour ne pas avoir l'embarras de recopier. Il m'a dit une fois que rien de ce qu'il notait ne lui semblait, une heure après, valoir la peine d'être recopié. Je suis entré dans ce détail avec l'espérance qu'il me servira d'excuse pour les répétitions.

1.

On peut tout acquérir dans la solitude, hormis du caractère.

2.

En 1821, la haine, l'amour et l'avarice, les trois passions les plus fréquentes, et avec le jeu, presque les seules à Rome.

Les Romains paraissent *méchants* au premier abord ; ils ne sont qu'extrêmement méfiants, et avec une imagination qui s'enflamme à la plus légère apparence.

S'ils font des méchancetés *gratuites*, c'est un homme rongé par la peur, et qui cherche à se rassurer en essayant son fusil.

3.

Si je disais, comme je le crois, que la *bonté* est le trait distinctif du caractère des habitants de Paris, je craindrais beaucoup de les offenser.

« Je ne veux pas être bon. »

4.

Une marque de l'amour vient de naître, c'est que
tous les plaisirs et toutes les peines que peuvent donner
toutes les autres passions et tous les autres besoins de
l'homme cessent à l'instant de l'affecter.

5.

La pruderie est une espèce d'avarice, la pire de toutes.

6.

Avoir le caractère solide, c'est avoir une longue et
ferme expérience des mécomptes et des malheurs de
la vie. Alors l'on désire constamment, ou l'on ne désire
pas du tout.

7.

L'amour tel qu'il est dans la haute société, c'est
l'amour des combats, c'est l'amour du jeu.

8.

Rien ne tue l'amour-goût comme les bouffées d'amour-
passion dans le partner.

Contessina L., *Forli, 1819.*

9.

Grand défaut des femmes, le plus choquant de tous
pour un homme un peu digne de ce nom. Le public,
en fait de sentiments ne s'élève guère qu'à des idées
basses, et elles font le public juge suprême de leur
vie; je dis même les plus distinguées, et souvent sans
s'en douter, et même en croyant, et disant le contraire.

Brescia, 1819.

10.

Prosaïque est un mot nouveau qu'autrefois je trouvais ridicule, car rien de plus froid que nos poésies ; s'il y a quelque chaleur en France depuis cinquante ans, c'est assurément dans la prose.

Mais enfin la contessina L[éonore] se servait du mot *prosaïque* et j'aime à l'écrire.

La définition est dans *Don Quichotte* et dans le *Contraste parfait du maître et de l'écuyer*. Le maître, grand et pâle ; l'écuyer, gras et frais. Le premier tout héroïsme et courtoisie ; le second tout égoïsme et servilité ; le premier toujours rempli d'imaginations romanesques et touchantes ; le second un modèle d'esprit de conduite, un recueil de proverbes bien sages ; le premier toujours nourrissant son âme de quelque contemplation héroïque et hasardée ; l'autre ruminant quelque plan bien sage et dans lequel il ne manque pas d'admettre soigneusement en ligne de compte l'influence de tous les petits mouvements honteux et égoïstes du cœur humain.

Au moment où le premier devrait être détrompé par le *non-succès* de ses imaginations d'hier, il est déjà occupé de ses châteaux en Espagne d'aujourd'hui.

Il faut avoir un mari prosaïque et prendre un amant romanesque.

Marlborough avait l'âme *prosaïque ;* Henri IV amoureux à cinquante-cinq ans d'une jeune princesse qui n'oubliait pas son âge, un cœur romanesque *.

Il y a moins d'âmes prosaïques dans la noblesse que dans le tiers-état.

C'est le défaut du commerce, il rend prosaïque.

11.

Rien d'intéressant comme la passion, c'est que tout y est imprévu, et que l'agent y est victime. Rien de plat comme l'amour-goût où tout est calcul comme dans toutes les prosaïques affaires de la vie.

---

* Dulaure, *Histoire de Paris*.
Scène muette dans l'appartement de la reine, le soir de la fuite de la princesse de Condé ; les ministres collés contre les murs et silencieux ; le roi se promenant à grands pas.

12.

On finit toujours, à la fin de la visite, par traiter son amant mieux qu'on ne voudrait.

L. *2 novembre 1818.*

13.

L'influence du rang se fait toujours sentir à travers le génie chez un parvenu. Voyez Rousseau tombant amoureux de toutes les *dames* qu'il rencontrait, et pleurant de ravissement, parce que le duc de L[uxembourg], un des plus plats courtisans de l'époque, daigne se promener à droite plutôt qu'à gauche, pour accompagner un M. Coindet, ami de Rousseau.

L. *3 mai 1820.*

14.

Ravenne, 23 janvier 1820.

Les femmes ici n'ont que l'éducation des choses, une mère ne se gêne guère pour être au désespoir, ou au comble de la joie, par amour, devant ses filles de douze à quinze ans. Rappelez-vous que dans ces climats heureux beaucoup de femmes sont très bien jusqu'à quarante-cinq ans, et la plupart sont mariées à dix-huit.

La Valchiusa, disant hier de Lampugnani : Ah! celui-là était fait pour moi, il savait aimer, etc., etc., et suivant longtemps ce discours avec une amie, devant sa fille, jeune personne très alerte de quatorze à quinze ans, qu'elle menait aussi aux promenades sentimentales avec cet amant.

Quelquefois les jeunes filles accrochent des maximes de conduite excellentes. Par exemple Mme Guarnacci adressant à ses deux filles, et à deux hommes qui en toute leur vie ne lui ont fait que cette visite, des maximes approfondies pendant une demi-heure, et appuyées d'exemples à leur connaissance (celui de la Cercara en Hongrie), sur l'époque précise à laquelle il convient de punir par l'infidélité les amants qui se conduisent mal.

15.

Le sanguin, le Français véritable (le colonel M[ath]is),
au lieu de se tourmenter par excès de sentiment comme
Rousseau, s'il a un rendez-vous pour demain soir, à
sept heures, se peint tout en couleur de rose jusqu'au
moment fortuné. Ces gens-là ne sont guère susceptibles
de l'amour-passion, il troublerait leur belle tranquillité.
Je vais jusqu'à dire que peut-être ils prendraient ses
transports pour du malheur, du moins ils seraient humiliés de sa timidité.

16.

La plupart des hommes du monde, par vanité, par
méfiance, par crainte du malheur ne se livrent à aimer
une femme qu'après l'intimité.

17.

Les âmes très tendres ont besoin de la facilité chez une
femme pour encourager la cristallisation.

18.

Une femme voit la voix du public dans le premier
sot ou la première amie perfide qui se déclare auprès
d'elle l'interprète fidèle du public.

19.

Il y a un plaisir délicieux à serrer dans ses bras une
femme qui vous a fait beaucoup de mal, qui a été votre
cruelle ennemie pendant longtemps et qui est prête à
l'être encore. Bonheur des officiers français en Espagne,
1812.

20.

Il faut la solitude pour jouir de son cœur et pour
aimer, mais il faut être répandu dans le monde pour
réussir.

21.

Toutes les observations des Français sur l'amour sont bien écrites, avec exactitude, point outrées, mais ne portent que sur des affections légères, disait l'aimable cardinal Lante.

22.

Tous les *mouvements de passion* de la comédie des *Innamorati* de Goldoni sont excellents, c'est le style et les pensées qui révoltent par la plus dégoûtante bassesse : c'est le contraire d'une comédie française.

23.

Jeunesse de 1822. Qui dit penchant sérieux, disposition active, dit sacrifice du présent à l'avenir; rien n'élève l'âme comme le pouvoir et l'habitude de faire de tels sacrifices. Je vois plus de probabilité pour les grandes passions en 1832 qu'en 1772.

24.

Le tempérament bilieux, quand il n'a pas des formes trop repoussantes, est peut-être celui de tous qui est le plus propre à frapper et à nourrir l'imagination des femmes. Si le tempérament bilieux n'est pas placé dans de belles circonstances, comme le Lauzun de Saint-Simon (*Mémoires*, tome V, 380), le difficile, c'est de s'y accoutumer. Mais, une fois ce caractère saisi par une femme, il doit l'entraîner. Oui, même le sauvage et fanatique Balfour *(Old Mortality.)* C'est pour elles le contraire du prosaïque.

25.

En amour on doute souvent de ce qu'on croit le plus (La R. 355). Dans toute autre passion l'on ne doute plus de ce qu'on s'est une fois prouvé.

26.

Les vers furent inventés pour aider la mémoire. Plus
tard on les conserva pour augmenter le plaisir par la
vue de la difficulté vaincue. Les garder aujourd'hui
dans l'art dramatique, reste de barbarie. Exemple :
l'ordonnance de la cavalerie, mise en vers par M. de
Bonnay.

27.

Tandis que ce servant jaloux se nourrit d'ennui,
d'avarice, de haine et de passions vénéneuses et froides,
je passe une nuit heureuse à rêver à elle, à elle qui me
traite mal par méfiance.

S.

28.

Il n'y a qu'une grande âme qui ose avoir un style
simple; c'est pour cela que Rousseau a mis tant de rhétorique dans la *Nouvelle Héloïse*, ce qui la rend illisible
à trente ans.

29.

« Le plus grand reproche que nous puissions nous
faire est assurément de laisser s'évanouir, comme ces
fantômes légers que produit le sommeil, les idées d'honneur et de justice qui, de temps en temps, s'élèvent dans
notre cœur. »

Lettre de Iéna, mars 1819.

30.

Une femme honnête est à la campagne, elle passe
une heure dans la serre chaude avec son jardinier;
des gens dont elle a contrarié les vues l'accusent d'avoir
trouvé un amant dans ce jardinier.

Que répondre ? Absolument parlant, la chose est possible. Elle pourrait dire : « Mon caractère jure pour
moi, voyez les mœurs de toute ma vie », mais ces choses

sont également invisibles, et aux méchants qui ne veulent rien voir et aux sots qui ne peuvent rien voir.

SALVIATI. *Rome, 23 juillet 1819.*

31.

J'ai vu un homme découvrir que son rival était aimé, et celui-ci ne pas le voir à cause de sa passion.

32.

Plus un homme est éperdument amoureux, plus grande est la violence qu'il est obligé de se faire pour oser risquer de fâcher la femme qu'il aime et lui prendre la main.

33.

Rhétorique, ridicule mais à la différence de celle de Rousseau inspirée par la vraie passion : Mémoires de M. de Mau(breuil), lettre de S(and).

34.

NATUREL

J'ai vu, ou j'ai cru voir ce soir le triomphe du *naturel* dans une jeune personne qui, il est vrai, me semble avoir un grand caractère. Elle adore un de ses cousins, cela me semble évident et elle doit s'être avoué à elle-même l'état de son cœur. Ce cousin l'aime, mais comme elle est très sérieuse avec lui, il croit ne pas plaire, et se laisse entraîner aux marques de préférence que lui donne Clara, une jeune veuve amie de Mélanie. Je crois qu'il va l'épouser; Mélanie le voit et souffre tout ce qu'un cœur fier et rempli malgré lui d'une passion violente peut souffrir. Elle n'aurait qu'à changer un peu ses manières; mais elle regarde comme une bassesse qui aurait des conséquences durant toute sa vie de s'écarter un instant du *naturel*.

35.

Sapho ne vit dans l'amour que le délire des sens ou le plaisir physique sublimé par la cristallisation. Anacréon y chercha un amusement pour les sens et pour l'esprit. Il y avait trop peu de sûreté dans l'antiquité pour qu'on eût le loisir d'avoir un amour-passion.

36.

Il ne me faut que le fait précédent pour rire un peu des gens qui trouvent Homère supérieur au Tasse. L'amour-passion existait du temps d'Homère et pas très loin de la Grèce.

37.

Femme tendre qui cherchez à voir si l'homme que vous adorez vous aime d'amour-passion, étudiez la première jeunesse de votre amant. Tout homme distingué fut d'abord, à ses premiers pas dans la vie, un enthousiaste ridicule ou un infortuné. L'homme à l'humeur gaie et douce, et au bonheur facile, ne peut aimer avec la passion qu'il faut à votre cœur.

Je n'appelle passion que celle éprouvée par de longs malheurs, et de ces malheurs que les romans se gardent bien de peindre, et d'ailleurs qu'ils ne *peuvent pas* peindre.

38.

Une résolution forte change sur-le-champ le plus extrême malheur en un état supportable. Le soir d'une bataille perdue, un homme fuit à toutes jambes sur un cheval harassé; il entend distinctement le galop du groupe de cavaliers qui le poursuivent; tout à coup, il s'arrête, descend de cheval, renouvelle l'amorce de sa carabine et de ses pistolets, et prend la résolution de se défendre. A l'instant, au lieu de voir la mort, il voit la croix de la Légion d'honneur.

39.

Fond des mœurs anglaises. Vers 1730, quand nous avions déjà Voltaire et Fontenelle, on inventa en Angleterre une machine pour séparer le grain qu'on vient de battre des petits fragments de paille; cela s'opérait au moyen d'une roue qui donnait à l'air le mouvement nécessaire pour enlever les fragments de paille; mais en ce pays *biblique* les paysans prétendirent qu'il était impie d'aller contre la volonté de la divine Providence, et de produire ainsi un vent factice, au lieu de demander au ciel, par une ardente prière, le vent nécessaire pour vanner le blé, et d'attendre le moment marqué par le dieu d'Israël. Comparez cela aux paysans français *.

40.

Nul doute que ce ne soit une folie pour un homme de s'exposer à l'amour-passion. Quelquefois cependant le remède opère avec trop d'énergie. Les jeunes Américaines des États-Unis sont tellement pénétrées et fortifiées d'idées raisonnables que l'amour, cette fleur de la vie, y a déserté la jeunesse. On peut laisser en toute sûreté, à Boston, une jeune fille seule avec un bel étranger, et croire qu'elle ne songe qu'à la dot du futur.

41.

En France, les hommes qui ont perdu leur femme sont tristes, les veuves au contraire gaies et heureuses. Il y a un proverbe parmi les femmes sur la félicité de cet état. Il n'y a donc pas d'égalité dans le contrat d'union.

---

* Pour l'état actuel des mœurs anglaises, voir la *Vie de M. Beattie*, écrite par un ami intime. On sera édifié de l'humilité profonde de M. Beattie recevant dix guinées d'une vieille marquise pour calomnier Hume. L'aristocratie tremblante s'appuie sur des évêques à 200.000 livres de rente, et paye en argent ou en considération des écrivains *prétendus libéraux* pour dire des injures à Chénier (*Edinburg Review*, 1821).

Le *cant* le plus dégoûtant pénètre partout. Tout ce qui n'est pas peinture de sentiments sauvages et énergiques en est étouffé; impossible d'écrire une page gaie en anglais.

42.

Les gens heureux en amour ont l'air profondément
attentif, ce qui, pour un Français, veut dire profondément
triste.

Dresde, 1818.

43.

Plus on plaît généralement, moins on plaît profondément.

44.

L'imitation des premiers jours de la vie fait que nous
contractons les passions de nos parents, même quand ces
passions empoisonnent notre vie. (Orgueil de L[éonore].)

45.

La source la plus respectable de l'*orgueil féminin*, c'est
la crainte de se dégrader aux yeux de son amant par
quelque démarche précipitée ou par quelque action qui
peut lui sembler peu féminine.

46.

Le véritable amour rend la pensée de la mort fréquente,
aisée, sans terreurs, un simple objet de comparaison, le
prix qu'on donnerait pour bien des choses.

47.

Que de fois ne me suis-je pas écrié au milieu de mon
courage : Si quelqu'un me tirait un coup de pistolet dans
la tête je le remercierais avant que d'expirer, si j'en avais
le temps! On ne peut avoir de courage envers ce qu'on
aime qu'en l'aimant moins.

S. Février, 1820.

48.

Je ne saurais aimer, me disait une jeune femme; Mirabeau et les lettres à Sophie m'ont dégoûtée des grandes âmes. Ces lettres fatales m'ont fait l'impression d'une expérience personnelle. — Cherchez ce qu'on ne voit jamais dans les romans; que deux ans de constance avant l'intimité, vous assurent du cœur de votre amant.

49.

Le *ridicule* effraye l'amour. Le ridicule impossible en Italie, ce qui est de bon ton à Venise est bizarre à Naples, donc rien n'est bizarre. Ensuite rien de ce qui fait plaisir n'est blâmé. Voilà qui tue l'honneur bête, et une moitié de la comédie.

50.

Les enfants commandent par les larmes, et quand on ne les écoute pas ils se font mal exprès. Les jeunes femmes se *piquent* d'amour-propre.

51.

C'est une réflexion commune; mais que sous ce prétexte l'on oublie de croire que tous les jours les âmes qui sentent deviennent plus rares, et les esprits cultivés plus communs.

52.

ORGUEIL FÉMININ

Bologne, 18 avril, deux heures du matin.

Je viens de voir un exemple frappant, mais tout calcul fait, il faudrait quinze pages pour en donner une idée juste, j'aimerais mieux, si j'en avais le courage, noter les conséquences de ce que j'ai vu à n'en pas douter. Voilà donc une conviction qu'il faut renoncer à communiquer. Il y a trop de petites circonstances. Cet orgueil est l'op-

posé de la vanité française. Autant que je puis m'en souvenir, le seul ouvrage où je l'aie vu esquissé, c'est la
partie des *Mémoires* de Mme Roland, où elle conte les
petits raisonnements qu'elle faisait étant fille.

53.

En France, la plupart des femmes ne font aucun cas
d'un jeune homme jusqu'à ce qu'elles en aient fait un fat.
Ce n'est qu'alors qu'il peut flatter la vanité.

Duclos.

54.

Modène, 1820.

Zilietti me dit à minuit, chez l'aimable Marchesina R... : « Je n'irai pas dîner avec vous demain à
San-Michele (c'est une auberge); hier j'ai dit des bons
mots, j'ai été plaisant en parlant à Cl***, cela pourrait
me faire remarquer. »
N'allez pas croire que Zilietti soit sot ou timide. C'est
un homme prudent et fort riche de cet heureux pays-ci.

55.

Ce qu'il faut admirer en Amérique, c'est le gouvernement et non la société. Ailleurs, c'est le gouvernement
qui fait le mal. Ils ont changé de rôle à Boston, et le
gouvernement fait l'hypocrite pour ne pas choquer la
société.

56.

Les jeunes filles d'Italie, si elles aiment, sont livrées
entièrement aux inspirations de la nature. Elles ne peuvent
être aidées tout au plus que par un petit nombre de
maximes fort justes qu'elles ont apprises en écoutant aux
portes.
Comme si le hasard avait décidé que tout ici concour-
rait à préserver le *naturel*, elles ne lisent pas de romans
par la raison qu'il n'y en a pas. A Genève et en France,
au contraire, on fait l'amour à seize ans, pour faire

un roman, et l'on se demande à chaque démarche et presque à chaque larme : Ne suis-je pas bien comme Julie d'Étanges ?

57.

Le mari d'une jeune femme qui est adorée par son amant qu'elle traite mal, et auquel elle permet à peine de lui baiser la main, n'a tout au plus que le plaisir physique le plus grossier, là où le premier trouverait les délices et les transports du bonheur le plus vif qui existe sur cette terre.

58.

Les lois de l'*imagination* sont encore si peu connues que j'admets l'aperçu suivant qui peut-être n'est qu'une erreur.

Je crois distinguer deux espèces d'imaginations :

1º L'imagination ardente, impétueuse, prime-sautière, conduisant sur-le-champ à l'action, se rongeant elle-même et languissant si l'on diffère seulement de vingt-quatre heures, comme celle de Fabio. L'impatience est son premier caractère, elle se met en colère contre ce qu'elle ne peut obtenir. Elle voit tous les objets extérieurs, mais ils ne font que l'enflammer, elle les assimile à sa propre substance, et les tourne sur-le-champ au profit de la passion.

2º L'imagination qui ne s'enflamme que peu à peu, lentement, mais qui avec le temps ne voit plus les objets extérieurs et parvient à ne plus s'occuper ni se nourrir que de sa passion. Cette dernière espèce d'imagination s'accommode fort bien de la lenteur et même de la rareté des idées. Elle est favorable à la constance. C'est celle de la plupart des pauvres jeunes filles allemandes mourant d'amour et de phtisie. Ce triste spectacle, si fréquent au delà du Rhin, ne se rencontre jamais en Italie.

59.

Habitudes de l'imagination. Un Français est *réellement* choqué de huit changements de décorations par acte de tragédie. Le plaisir de voir *Macbeth* est impossible pour cet homme; il se console en *damnant* Shakspeare.

60.

En France, la province pour tout ce qui regarde les femmes est à quarante ans en arrière de Paris. A C[orbeil] une femme mariée me dit qu'elle ne s'est permis de lire que certains morceaux des *Mémoires* de Lauzun. Cette sottise me glace, je ne trouve plus une parole à lui dire, c'est bien là en effet, un livre que l'on quitte.

Manque de naturel, grand défaut des femmes de province. Leurs gestes multipliés et gracieux. Celles qui jouent le premier rôle dans leur ville, pire que les autres.

61.

Goethe, ou tout autre homme de génie allemand, estime l'argent ce qu'il vaut. Il ne faut penser qu'à sa fortune tant qu'on n'a pas six mille francs de rente, et puis n'y plus penser. Le sot, de son côté, ne comprend pas l'avantage qu'il y a à sentir et penser comme Goethe; toute sa vie, il ne sent que par l'argent et ne pense qu'à l'argent. C'est par le mécanisme de ce double vote que dans le monde les prosaïques semblent l'emporter sur les cœurs nobles.

62.

En Europe le désir est enflammé par la contrainte, en Amérique il s'émousse par la liberté.

63.

Une certaine manie discutante s'est emparée de la jeunesse et l'enlève à l'amour. En examinant si Napoléon a été utile à la France, on laisse s'enfuir l'âge d'aimer; même parmi ceux qui veulent être jeunes, l'affectation de la cravate, de l'éperon, de l'air martial, l'occupation de soi fait oublier de regarder cette jeune fille qui passe d'un air si simple et à laquelle son peu de fortune ne permet de sortir qu'une fois tous les huit jours.

64.

J'ai supprimé le chapitre *Prude*, et quelques autres.
Je suis heureux de trouver le passage suivant dans les
Mémoires d'Horace Walpole :

THE TWO ELIZABETHS. *Let us compare the daughters
of two ferocious men, and see which was sovereign of a
civilised nation, which of a barbarous one. Both were
Elizabeths. The daughter of Peter (of Russia) was absolute
yet spared a competitor and a rival; and thought the person
of an empress had sufficient allurements for as many of
her subjects as she chose to honour with the communica-
tion. Elizabeth of England could neither forgive the claim
of Mary Stuart nor her charms, but ungenerously empri-
soned her (as George IV Napoleon), when imploring protection and, without the sanction of either despotism or law,
sacrificed many to her great and little jealousy. Yet this
Elizabeth, piqued herself on chastity; and while she prac-
tised every ridiculous art of coquetry to be admired at an
unseemly age, kept off lovers whom she encouraged, and
neither gratified her own desires nor their ambition. Who
can help preferring the honest, openhearted barbarian empress?* (LORD ORFORD'S *Memoirs*.)

65.

L'extrême familiarité peut détruire la *cristallisation*.
Une charmante jeune fille de seize ans devenait amoureuse d'un beau jeune homme du même âge qui ne
manquait pas chaque soir, à la tombée de la nuit *, de
passer sous ses fenêtres. La mère l'invite à passer huit
jours à la campagne. Le remède était hardi, j'en conviens,
mais la jeune fille avait une âme romanesque, et le beau
jeune homme était un peu plat : elle le méprisa au bout
de trois jours.

66.

Bologne, 17 avril 1817.

Ave Maria *(twilight)*, en Italie heure de la tendresse,

* A l'*Ave Maria.*

des plaisirs de l'âme et de la mélancolie : sensation augmentée par le son de ces belles cloches.

Heures des plaisirs qui ne tiennent aux sens que par les souvenirs.

67.

Le premier amour d'un jeune homme qui entre dans le monde est ordinairement un amour ambitieux. Il se déclare rarement pour une jeune fille douce, aimable, innocente. Comment trembler, adorer, se sentir en présence d'une divinité ? Un adolescent a besoin d'aimer un être dont les qualités l'élèvent à ses propres yeux. C'est au déclin de la vie qu'on en revient tristement à aimer le simple et l'innocent, désespérant du sublime. Entre les deux, se place l'amour véritable, qui ne pense à rien qu'à soi-même.

68.

Les grandes âmes ne sont pas soupçonnées, elles se cachent; ordinairement il ne paraît qu'un peu d'originalité. Il y a plus de grandes âmes qu'on ne le croirait.

69.

Quel moment que le premier serrement de main de la femme qu'on aime! Le seul bonheur à comparer à celui-ci est le ravissant bonheur du pouvoir, celui que les ministres et rois font semblant de mépriser. Ce bonheur a aussi sa *cristallisation* qui demande une imagination plus froide et plus raisonnable. Voyez un homme qui vient d'être nommé ministre depuis un quart d'heure par Napoléon.

70.

La nature a donné la force au nord et l'esprit au midi, me disait le célèbre Jean de Muller, à Cassel, en 1808.

71.

Rien de plus faux que la maxime : « Nul n'est héros pour son valet de chambre », ou plutôt rien de plus vrai dans le sens *monarchique* : héros affecté comme l'Hippolyte de *Phèdre*. Desaix, par exemple, aurait été un héros même pour son valet de chambre (je ne sais, il est vrai, s'il en avait un), et plus héros pour son valet de chambre que pour tout autre. Sans le bon ton et le degré de comédie indispensable, Turenne et Fénelon eussent été des Desaix.

72.

Voici un blasphème : Moi, Hollandais, j'ose dire : les Français n'ont ni le vrai plaisir de la conversation, ni le vrai plaisir du théâtre : au lieu de délassement et de laisser aller parfait, c'est un travail. Au nombre des fatigues qui ont hâté la mort de Mme de Staël, j'ai ouï compter le travail de la conversation pendant son dernier hiver *.

W.

73.

Le degré de tension des nerfs de l'oreille pour écouter chaque note explique assez bien la partie physique du plaisir de la musique.

74.

Ce qui avilit les femmes galantes, c'est l'idée qu'elles ont, et qu'on a, qu'elles commettent une grande faute.

75.

A l'armée, dans une retraite, avertissez d'un péril inutile à braver un soldat italien, il vous remercie presque et l'évite soigneusement. Indiquez le même péril par humanité à un soldat français, il croit que vous le défiez, se *pique* d'amour-propre, et court aussitôt s'y exposer. S'il l'osait, il chercherait à se moquer de vous.

Gyat, 1812.

* *Mémoires* de Marmontel, conversation de Montesquieu.

76.

Toute idée extrêmement utile, si elle ne peut être exposée qu'en des termes fort simples, sera nécessairement méprisée en France. Jamais l'*enseignement mutuel* n'eût pris, trouvé par un Français. C'est exactement le contraire en Italie.

77.

Pour peu que vous ayez de passion pour une femme, ou que votre imagination ne soit pas épuisée, si elle a la maladresse de vous dire un soir d'un air tendre et interdit : « Hé bien! oui; venez demain à midi, je ne recevrai personne »; vous ne pouvez plus dormir, vous ne pouvez plus penser à rien, la matinée est un supplice; enfin l'heure sonne, et il vous semble que chaque coup de l'horloge vous retentit dans le diaphragme.

78.

En amour, quand on *divise* de l'argent, on augmente l'amour; quand on en *donne*, on *tue* l'amour.

On éloigne le malheur actuel, et pour l'avenir l'odieux de la crainte de manquer, ou bien l'on fait naître la *politique* et le sentiment d'être deux, on détruit la sympathie.

79.

(Messe des Tuileries, 1811.)

Les cérémonies de la cour avec les poitrines découvertes des femmes, qu'elles étalent là comme les officiers leurs uniformes, et sans que tant de charmes fassent plus de sensation, rappellent involontairement à l'esprit les scènes de l'Arétin.

On voit ce que tout le monde fait *par intérêt d'argent* pour plaire à un homme, on voit tout un public agir à la fois sans morale et surtout sans passion. Cela joint à la présence de femmes très décolletées avec la physionomie de la méchanceté et le rire sardonique pour tout ce qui n'est pas intérêt personnel payé comptant par de bonnes jouissances, donne l'idée des scènes du Bagno, et jette bien loin toute difficulté fondée sur la vertu ou sur la satisfaction intérieure d'une âme contente d'elle-même.

J'ai vu, au milieu de tout cela, le sentiment de l'isolement disposer les cœurs tendres à l'amour.

80.

Si l'âme est employée à avoir de la mauvaise honte, et à la surmonter, elle ne peut pas avoir du plaisir. Le plaisir est un luxe; pour en jouir il faut que la sûreté, qui est le nécessaire, ne coure aucun risque.

81.

Marque d'amour que ne savent pas feindre les femmes intéressées. Y a-t-il une véritable joie dans la réconciliation ? ou songe-t-on aux avantages à en retirer ?

82.

Les pauvres gens qui peuplent la *Trappe* sont des malheureux qui n'ont pas eu tout à fait assez de courage pour se tuer. J'excepte toujours les chefs qui ont le plaisir d'être chefs.

83.

C'est un malheur d'avoir connu la beauté italienne, on devient insensible. Hors de l'Italie on aime mieux la conversation des hommes.

84.

La prudence italienne tend à se conserver la vie, ce qui admet le jeu de l'imagination. (Voir une version de la mort du fameux acteur comique Pertica, le 24 décembre 1821). La prudence anglaise, toute relative à amasser ou conserver assez d'argent pour couvrir la dépense, réclame au contraire une exactitude minutieuse et de tous les jours, habitude qui paralyse l'imagination. Remarquez qu'elle donne en même temps la plus grande force à l'idée du *devoir*.

85.

L'immense respect pour l'argent, grand et premier défaut de l'Anglais et de l'Italien, est moins sensible en France, et tout à fait réduit à de justes bornes en Allemagne.

86.

Les femmes françaises, n'ayant jamais vu le bonheur des passions *vraies*, sont peu difficiles sur le bonheur intérieur de leur ménage, et le *tous les jours* de la vie.

Compiègne.

87.

« Vous me parlez d'ambition comme chasse-ennui, disait Kamensky, tout le temps que je faisais chaque soir deux lieues au galop pour aller voir la princesse à Kolich, j'étais en société intime avec un despote que je respectais, qui avait tout mon bonheur en son pouvoir, et la satisfaction de tous mes désirs possibles. »

Wilna, 1812.

88.

La perfection dans les petits soins de savoir-vivre et de toilette, une grande bonté, nul génie, de l'attention pour une centaine de petites choses chaque jour, l'incapacité de s'occuper plus de trois jours d'un même événement; joli contraste avec la sévérité puritaine, la cruauté biblique, la probité stricte, l'amour-propre timide et souffrant, le *cant* universel; et cependant voilà les deux premiers peuples du monde!

89.

Puisque parmi les princesses il y a eu une Cathe-rine II impératrice, pourquoi parmi les bourgeoises

n'y aurait-il pas une femme Samuel Bernard ou La-
grange ?

90.

Alviza appelle un manque de délicatesse impardon-
nable, d'oser écrire des lettres où vous parlez d'amour
à une femme que vous adorez, et qui, en vous regardant tendrement, vous jure qu'elle ne vous aimera
jamais.

91.

Il a manqué au plus grand philosophe qu'aient eu
les Français de vivre dans quelque solitude des Alpes,
dans quelque séjour éloigné, et de lancer de là son
livre dans Paris sans y venir jamais lui-même. Voyant
Helvétius si simple et si honnête homme, jamais des
gens musqués et affectés comme Suard, Marmontel,
Diderot, ne purent penser que c'était là un grand philosophe. Ils furent de bonne foi en méprisant sa raison
profonde ; d'abord elle était simple, péché irrémissible
en France ; en second lieu, l'homme, non pas le livre,
était rabaissé par une faiblesse : il attachait une importance extrême à avoir ce qu'on appelle en France de la
gloire, à être à la mode parmi les contemporains comme
Balzac, Voiture, Fontenelle.

Rousseau avait trop de sensibilité et trop peu de raison, Buffon trop d'hypocrisie à son jardin des plantes,
Voltaire trop d'enfantillage dans la tête, pour pouvoir
juger le principe d'Helvétius.

Ce philosophe commit la petite maladresse d'appeler
ce principe l'*intérêt*, au lieu de lui donner le joli nom
de *plaisir* *, mais que penser du bon sens de toute
une littérature qui se laisse fourvoyer par une aussi
petite faute ?

Un homme d'esprit ordinaire, le prince Eugène de
Savoie, par exemple, à la place de Régulus, serait resté
tranquillement à Rome où il se serait même moqué de
la bêtise du sénat de Carthage ; Régulus y retourne. Le

---

*   *Torva leæna lupum sequitur, lupus ipse capellam ;*
       Florentem cytisum sequitur lasciva capella.
       .... *Trahit sua quemque voluptas.*
                                           VIRGILE, *églogue II.*

prince Eugène aurait suivi son *intérêt* exactement comme Régulus suivit le sien.

Dans presque tous les événements de la vie, une âme généreuse voit la possibilité d'une action dont l'âme commune n'a pas même l'idée. A l'instant même où la possibilité de cette action devient visible à l'âme généreuse, il est de *son intérêt* de la faire.

Si elle n'exécutait pas cette action qui vient de lui apparaître, elle se mépriserait soi-même; elle serait malheureuse. On a des devoirs suivant la portée de son esprit. Le principe d'Helvétius est vrai même dans les exaltations les plus folles de l'amour, même dans le suicide. Il est contre sa nature, il est impossible que l'homme ne fasse pas toujours, et dans quelque instant que vous vouliez le prendre, ce qui dans le moment est possible et lui fait le plus de plaisir.

92.

Avoir de la fermeté dans le caractère, c'est avoir éprouvé l'effet des autres sur soi-même, donc il faut les autres.

93.

L'AMOUR ANTIQUE

L'on n'a point imprimé de lettres d'amour posthumes des dames romaines. Pétrone a fait un livre charmant, mais n'a peint que la débauche.

Pour l'*amour* à Rome, après la Didon * et la seconde églogue de Virgile, nous n'avons rien de plus précis que les écrits des trois grands poètes Ovide, Tibulle et Properce.

Or, les élégies de Parny ou la lettre d'Héloïse à Abélard, de Colardeau, sont des peintures bien imparfaites et bien vagues si on les compare à quelques lettres de *la Nouvelle Héloïse*, à celles d'une *Religieuse portugaise*, de Mlle de Lespinasse, de la Sophie de Mirabeau, de *Werther*, etc., etc.

La poésie avec ses comparaisons obligées, sa mytho-

---

* Voir le *regard* de Didon, dans la superbe esquisse de M. Guérin au Luxembourg.

logie que ne croit pas le poète, sa dignité de style à
la Louis XIV, et tout l'attirail de ses ornements appelés
poétiques, est bien au-dessous de la prose, dès qu'il
s'agit de donner une idée claire et précise des mouvements du cœur; or, dans ce genre, on n'émeut que par
la clarté.

Tibulle, Ovide et Properce furent de meilleur goût
que nos poètes; ils ont peint l'amour tel qu'il put exister
chez les fiers citoyens de Rome; encore vécurent-ils
sous Auguste qui, après avoir fermé le temple de Janus,
cherchait à ravaler les citoyens à l'état de sujets loyaux
d'une monarchie.

Les maîtresses de ces trois grands poètes furent des
femmes coquettes, infidèles et vénales; ils ne cher-
chèrent auprès d'elles que des plaisirs physiques, et je
croirais qu'ils n'eurent jamais l'idée des sentiments
sublimes * qui, treize siècles plus tard, firent palpiter le
sein de la tendre Héloïse.

J'emprunte le passage suivant à un littérateur distingué et qui connaît beaucoup mieux que moi les poètes
latins.

« Le brillant génie d'Ovide **, l'imagination riche
de Properce, l'âme sensible de Tibulle, leur inspi-
rèrent sans doute des vers de nuances différentes, mais
ils aimèrent de la même manière des femmes à peu près
de la même espèce. Ils désirent, ils triomphent, ils ont
des rivaux heureux, ils sont jaloux, ils se brouillent
et se raccommodent; ils sont infidèles à leur tour, on
leur pardonne, et ils retrouvent un bonheur qui bientôt
est troublé par le retour des mêmes chances.

« Corinne est mariée. La première leçon que lui
donne Ovide est pour lui apprendre par quelle adresse
elle doit tromper son mari; quels signes ils doivent se
faire devant lui et devant le monde, pour s'entendre
et n'être entendus que d'eux seuls. La jouissance suit
de près; bientôt des querelles, et ce qu'on n'attendait
pas d'un homme aussi galant qu'Ovide, des injures et
des coups; puis des excuses, des larmes et le pardon.
Il s'adresse quelquefois à des subalternes, à des domestiques, au portier de son amie pour qu'il lui ouvre la
nuit, à une maudite vieille qui la corrompt et lui apprend

---

* Tout ce qu'il y a de beau au monde, étant devenu partie de la
beauté de la femme que vous aimez, vous vous trouvez disposé à
faire tout ce qu'il y a de beau au monde.
** Ginguené, *Histoire littéraire de l'Italie*, volume II, page 490.

à se donner à prix d'or, à un vieil eunuque qui la garde, à une jeune esclave pour qu'elle lui remette des tablettes où il demande un rendez-vous. Le rendez-vous est refusé : il maudit ses tablettes qui ont eu un si mauvais succès. Il en obtient un plus heureux : il s'adresse à l'Aurore pour qu'elle ne vienne pas interrompre son bonheur.

« Bientôt il s'accuse de ses nombreuses infidélités, de son goût pour toutes les femmes. Un instant après Corinne est aussi infidèle : il ne peut supporter l'idée qu'il lui a donné des leçons dont elle profite avec un autre. Corinne à son tour est jalouse; elle s'emporte en femme plus colère que tendre; elle l'accuse d'aimer une jeune esclave. Il lui jure qu'il n'en est rien, et il écrit à cette esclave; et tout ce qui avait fâché Corinne était vrai. Comment l'a-t-elle pu savoir ? Quels indices les ont trahis ? Il demande à la jeune esclave un nouveau rendez-vous. Si elle le lui refuse, il menace de tout avouer à Corinne. Il plaisante avec un ami de ses deux amours, de la peine et des plaisirs qu'ils lui donnent. Peu après c'est Corinne seule qui l'occupe. Elle est toute à lui. Il chante son triomphe comme si c'était sa première victoire. Après quelques incidents que pour plus d'une raison il faut laisser dans Ovide, et d'autres qu'il serait trop long de rappeler, il se trouve que le mari de Corinne est devenu trop facile. Il n'est plus jaloux; cela déplaît à l'amant qui le menace de quitter sa femme s'il ne reprend sa jalousie. Le mari lui obéit trop; il fait si bien surveiller Corinne qu'Ovide ne peut plus en approcher. Il se plaint de cette surveillance qu'il a provoquée, mais il saura bien la tromper; par malheur il n'est pas le seul à y parvenir. Les infidélités de Corinne recommencent et se multiplient; ses intrigues deviennent si publiques, que la seule grâce qu'Ovide lui demande, c'est qu'elle prenne quelque peine pour le tromper, et qu'elle se montre un peu moins évidemment ce qu'elle est. Telles furent les mœurs d'Ovide et de sa maîtresse, tel est le caractère de leurs amours.

« Cinthie est le premier amour de Properce, et ce sera le dernier. Dès qu'il est heureux, il est jaloux. Cinthie aime trop la parure; il lui demande de fuir le luxe et d'aimer la simplicité. Il est livré lui-même à plus d'un genre de débauche. Cinthie l'attend; il ne se rend qu'au matin auprès d'elle, sortant de table et pris de vin. Il la trouve endormie; elle est longtemps

sans que tout le bruit qu'il fait, sans que ses caresses
mêmes la réveillent; elle ouvre enfin les yeux et lui fait
les reproches qu'il mérite. Un ami veut le détacher de
Cinthie; il fait à cet ami l'éloge de sa beauté, de ses
talents. Il est menacé de la perdre : elle part avec un
militaire; elle va suivre les camps, elle s'expose à tout
pour suivre son soldat. Properce ne s'emporte point, il
pleure, il fait des vœux pour qu'elle soit heureuse. Il
ne sortira point de la maison qu'elle a quittée; il ira au-
devant des étrangers qui l'auront vue; il ne cessera de
les interroger sur Cinthie. Elle est touchée de tant
d'amour. Elle quitte le soldat, et reste avec le poète.
Il remercie Apollon et les muses; il est ivre de son
bonheur. Ce bonheur est bientôt troublé par de nouveaux accès de jalousie, interrompu par l'éloignement
et par l'absence. Loin de Cinthie, il ne s'occupe que
d'elle. Ses infidélités passées lui en font craindre de
nouvelles. La mort ne l'effraye pas, il ne craint que de
perdre Cinthie; qu'il soit sûr qu'elle lui sera fidèle, il
descendra sans regret au tombeau.

« Après de nouvelles trahisons, il s'est cru délivré
de son amour, mais bientôt il reprend ses fers. Il fait
le portrait le plus ravissant de sa maîtresse, de sa beauté,
de l'élégance de sa parure, de ses talents pour le chant,
la poésie et la danse, tout redouble et justifie son amour.
Mais Cinthie, aussi perverse qu'elle est aimable, se
déshonore dans toute la ville par des aventures d'un
tel éclat, que Properce ne peut plus l'aimer sans honte.
Il en rougit, mais il ne peut se détacher d'elle. Il sera
son amant, son époux; jamais il n'aimera que Cinthie.
Ils se quittent et se reprennent encore. Cinthie est
jalouse, il la rassure. Jamais il n'aimera une autre femme.
Ce n'est point en effet une seule femme qu'il aime :
ce sont toutes les femmes. Il n'en possède jamais assez,
il est insatiable de plaisirs. Il faut pour le rappeler à lui-
même que Cinthie l'abandonne encore. Ses plaintes
alors sont aussi vives que si jamais il n'eût été infidèle
lui-même. Il veut fuir. Il se distrait par la débauche.
Il s'était enivré comme à son ordinaire. Il feint qu'une
troupe d'amours le rencontre et le ramène aux pieds
de Cinthie. Leur raccommodement est suivi de nouveaux orages. Cinthie, dans un de leurs soupers, s'échauffe
de vin comme lui, renverse la table, lui jette les coupes
à la tête; il trouve cela charmant. De nouvelles perfidies
le forcent enfin à rompre sa chaîne; il veut partir; il va

voyager dans la Grèce ; il fait tout le plan de son voyage, mais il renonce à ce projet, et c'est pour se voir encore l'objet de nouveaux outrages. Cinthie ne se borne plus à le trahir, elle le rend la risée de ses rivaux ; mais une maladie vient la saisir, elle meurt. Elle lui reproche ses infidélités, ses caprices, l'abandon où il l'a laissée à ses derniers moments, et jure qu'elle-même, malgré les apparences, lui fut toujours fidèle. Telles sont les mœurs et les aventures de Properce et de sa maîtresse, telle est en abrégé l'histoire de leurs amours. Voilà la femme qu'une âme comme celle de Properce fut réduite à aimer.

« Ovide et Properce furent souvent infidèles, mais jamais inconstants. Ce sont deux libertins fixés qui portent souvent çà et là leurs hommages, mais qui reviennent toujours reprendre la même chaîne. Corinne et Cinthie ont toutes les femmes pour rivales : elles n'en ont particulièrement aucune. La muse de ces deux poètes est fidèle si leur amour ne l'est pas, et aucun nom que ceux de Corinne et de Cinthie ne figure dans leurs vers. Tibulle, amant et poète plus tendre, moins vif et moins emporté qu'eux dans ses goûts, n'a pas la même constance. Trois beautés sont l'une après l'autre les objets de son amour et de ses vers. Délie est la première, la plus célèbre, et aussi la plus aimée. Tibulle a perdu sa fortune, mais il lui reste la campagne et Délie ; qu'il la possède dans la paix des champs, qu'il puisse en expirant presser la main de Délie dans la sienne ; qu'elle suive en pleurant sa pompe funèbre, il ne forme point d'autres vœux. Délie est enfermée par un mari jaloux ; il pénétrera dans sa prison malgré les Argus et les triples verrous. Il oubliera dans ses bras toutes ses peines. Il tombe malade, et Délie seule l'occupe. Il l'engage à être toujours chaste, *à mépriser l'or*, à n'accorder qu'à lui ce qu'il a obtenu d'elle. Mais Délie ne suit point ce conseil. Il a cru pouvoir supporter son infidélité : il y succombe et demande grâce à Délie et à Vénus. Il cherche dans le vin un remède qu'il n'y trouve pas ; il ne peut ni adoucir ses regrets, ni se guérir de son amour. Il s'adresse au mari de Délie trompé comme lui ; il lui révèle toutes les ruses dont elle se sert pour attirer et pour voir ses amants. Si ce mari ne sait pas la garder, qu'il la lui confie : il saura bien les écarter et garantir de leurs pièges celle qui les outrage tous deux. Il s'apaise, il revient à elle, il se souvient de la mère de Délie qui protégeait leurs amours ;

le souvenir de cette bonne femme rouvre son cœur à des sentiments tendres, et tous les torts de Délie sont oubliés. Mais elle en a bientôt de plus graves. Elle s'est laissé corrompre par l'or et les présents, elle est à un autre, à d'autres. Tibulle rompt enfin une chaîne honteuse, et lui dit adieu pour toujours.

« Il passe sous les lois de Némésis et n'en est pas plus heureux; elle n'aime que l'or, et se soucie peu des vers et des dons du génie. Némésis est une femme avare qui se donne au plus offrant; il maudit son avarice, mais il l'aime, et ne peut vivre s'il n'en est aimé. Il tâche de la fléchir par des images touchantes. Elle a perdu sa jeune sœur; il ira pleurer sur son tombeau, et confier ses chagrins à cette cendre muette. Les mânes de la sœur de Némésis s'offenseront des larmes que Némésis fait répandre. Qu'elle n'aille pas mépriser leur colère. La triste image de sa sœur viendrait la nuit troubler son sommeil... Mais ces tristes souvenirs arrachent des pleurs à Némésis. Il ne veut point à ce prix acheter même le bonheur. Nééra est sa troisième maîtresse. Il a joui longtemps de son amour; il ne demande aux dieux que de vivre et de mourir avec elle; mais elle part, elle est absente; il ne peut s'occuper que d'elle, il ne demande qu'elle aux dieux; il a vu en songe Apollon qui lui a annoncé que Nééra l'abandonne. Il refuse de croire à ce songe; il ne pourrait survivre à ce malheur, et cependant ce malheur existe. Nééra est infidèle; il est encore une fois abandonné. Tel fut le caractère et le sort de Tibulle, tel est le triple et assez triste roman de ses amours.

« C'est en lui surtout qu'une douce mélancolie domine, qu'elle donne même au plaisir une teinte de rêverie et de tristesse qui en fait le charme. S'il y eut un poète ancien qui mit du moral dans l'amour, ce fut Tibulle; mais ces nuances de sentiment qu'il exprime si bien *sont en lui*, il ne songe pas plus que les deux autres à les chercher ou à les faire naître chez ses maîtresses; leurs grâces, leur beauté, sont tout ce qui l'enflamme; leurs faveurs, ce qu'il désire ou ce qu'il regrette; leur perfidie, leur vénalité, leur abandon, ce qui le tourmente. De toutes ces femmes devenues célèbres par les vers de trois grands poètes, Cinthie paraît la plus aimable. L'attrait des talents se joint en elle à tous les autres; elle cultive le chant, la poésie; mais, pour tous ces talents, qui étaient souvent ceux des courtisanes d'un certain ordre, elle n'en vaut pas mieux : le plaisir, l'or et le vin n'en sont pas moins ce qui la gouverne; et Properce, qui vante une ou deux fois seulement en elle ce goût pour les arts, n'en est pas moins, dans sa passion pour elle, maîtrisé par une tout autre puissance. »

Ces grands poètes furent apparemment au nombre des âmes les plus tendres et les plus délicates de leur siècle, et voilà pourtant qui ils aimèrent et comment ils aimèrent. Ici il faut faire abstraction de toute considération littéraire. Je ne leur demande qu'un témoignage sur leur siècle; et dans deux mille ans un roman de Ducray-Duminil sera un témoignage de nos mœurs.

93 *bis*.

L'un des mes grands regrets, c'est de n'avoir pu voir la Venise de 1760 *; une suite de hasards heureux avait réuni apparemment, dans ce petit espace, et les institutions politiques et les opinions les plus favorables au bonheur de l'homme. Une douce volupté donnait à tous un bonheur facile. Il n'y avait point de combat intérieur et point de crimes. La sérénité était sur tous les visages, personne ne songeait à paraître plus riche, l'hypocrisie ne menait à rien. Je me figure que ce devait être le contraire de Londres en 1822.

94.

Si vous remplacez le manque de sécurité personnelle par la juste crainte de manquer d'argent, vous verrez que les États-Unis d'Amérique, par rapport à la passion dont nous essayons une monographie, ressemblent beaucoup à l'antiquité.

En parlant des esquisses plus ou moins imparfaites de l'amour-passion, que nous ont laissées les anciens, je vois que j'ai oublié les *Amours de Médée* dans *l'Argonautique*. Virgile les a copiées dans sa Didon. Comparez cela à l'amour tel qu'il est dans un roman moderne, le *Doyen de Killerine*, par exemple.

---

* Voyage du président de Brosses en Italie, voyage d'Eustace, de Sharp, de Smolett.

95.

Le Romain sent les beautés de la nature et des arts, avec une force, une profondeur, une justesse étonnante, mais, s'il se met à vouloir raisonner sur ce qu'il sent avec tant d'énergie, c'est à faire pitié.

C'est peut-être que le sentiment lui vient de la nature, et sa logique du gouvernement.

On voit sur-le-champ pourquoi les beaux-arts, hors de l'Italie, ne sont qu'une mauvaise plaisanterie ; on en raisonne mieux, mais le public ne sent pas.

96.

Londres, 20 novembre 1821.

Un homme fort raisonnable, et qui est arrivé hier de Madras, me dit en deux heures de conversation ce que je réduis aux vingt lignes suivantes :

Ce *sombre*, qu'une cause inconnue fait peser sur le caractère anglais, pénètre si avant dans les cœurs, qu'au bout du monde, à Madras, quand un Anglais peut obtenir quelques jours de vacances, il quitte bien vite la riche et florissante Madras, pour venir se dérider dans la petite ville française de Pondichéry, qui, sans richesses et presque sans commerce, fleurit sous l'administration paternelle de M. Dupuy. A Madras on boit du vin de Bourgogne à trente-six francs la bouteille ; la pauvreté des Français de Pondichéry fait que, dans les sociétés les plus distinguées, les rafraîchissements consistent en grands verres d'eau. Mais on y rit.

Maintenant, il y a plus de liberté en Angleterre qu'en Prusse. Le climat est le même que celui de Kœnigsberg, de Berlin, de Varsovie, villes qui sont loin de marquer par leur tristesse. Les classes ouvrières y ont moins de sécurité et y boivent tout aussi peu de vin qu'en Angleterre, elles sont beaucoup plus mal vêtues.

Les aristocraties de Venise et de Vienne ne sont pas tristes.

Je ne vois qu'une différence, dans les pays gais, on lit peu la Bible et il y a de la galanterie. Je demande pardon de revenir souvent sur une démonstration dont je doute. Je supprime vingt faits dans le sens du précédent.

97.

Je viens de voir dans un beau château, près de Paris, un jeune homme très joli, fort spirituel, très riche, de moins de vingt ans; le hasard l'y a laissé presque seul, et pendant longtemps, avec une fort belle fille de dix-huit ans, pleine de talents, de l'esprit le plus distingué, fort riche aussi. Qui ne se serait attendu à une passion ? Rien de moins que cela, l'affectation était si grande chez ces deux jolies créatures, que chacune n'était occupée que de soi et de l'effet qu'elle devait produire.

98.

J'en conviens, dès le lendemain d'une grande action, un orgueil sauvage a fait tomber ce peuple dans toutes les fautes et les niaiseries qui se sont présentées. Voici pourtant ce qui m'empêche d'effacer les louanges que je donnais autrefois à ce représentant du moyen âge.

La plus jolie femme de Narbonne est une jeune Espagnole à peine âgée de vingt ans, qui vit là fort retirée avec son mari espagnol aussi et officier en demi-solde. Cet officier fut obligé, il y a quelque temps, de donner un soufflet à un fat : le lendemain sur le champ de bataille, le fat voit arriver la jeune Espagnole; nouveau déluge de propos affectés : « Mais en vérité c'est une horreur, comment avez-vous pu dire cela à votre femme, madame vient pour empêcher notre combat ? » — *Je viens vous enterrer*, répond la jeune Espagnole.

Heureux le mari qui peut tout dire à sa femme. Le résultat ne démentit pas la fierté du propos. Cette action eût passé pour peu convenable en Angleterre. Donc la fausse décence diminue le peu de bonheur qui se trouve ici-bas.

99.

L'aimable Donézan disait hier : « Dans ma jeunesse, et jusque bien avant dans ma carrière, puisque j'avais cinquante ans en 89, les femmes portaient de la poudre dans leurs cheveux.

« Je vous avouerai qu'une femme sans poudre me fait répugnance; la première impression est toujours d'une femme de chambre qui n'a pas eu le loisir de faire sa toilette. »

Voilà la seule raison contre Shakespeare et en faveur des unités.

Les jeunes gens ne lisant que la Harpe, le goût des grands toupets poudrés, comme ceux que portait la feue reine Marie-Antoinette, peut encore durer quelques années. Je connais aussi des gens qui méprisent le Corrège et Michel-Ange, et certes, M. Donézan était homme d'infiniment d'esprit.

100.

Froide, brave, calculatrice, méfiante, discutante, ayant toujours peur d'être électrisée par quelqu'un qui pourrait se moquer d'elle en secret, absolument libre d'enthousiasme, un peu jalouse des gens qui ont vu de grandes choses à la suite de Napoléon, telle était la jeunesse de ce temps-là, plus estimable qu'aimable. Elle amenait forcément le gouvernement au rabais du centre gauche. Ce caractère de la jeunesse se retrouvait jusque parmi les conscrits, dont chacun n'aspire qu'à finir son temps.

Toutes les éducations, données exprès ou par hasard, forment les hommes pour une certaine époque de la vie. L'éducation du siècle de Louis XV plaçait à vingt-cinq ans le plus beau moment de ses élèves *.

C'est à quarante que les jeunes gens de ce temps-là seront le mieux, ils auront perdu la méfiance et la prétention, et gagné l'aisance et la gaieté.

101.

Discussion entre l'homme de bonne foi et l'homme d'académie.

« Dans cette discussion avec l'académicien, toujours l'académicien se sauvait en reprenant de petites dates, et autres semblables erreurs de peu d'importance, mais la conséquence et qualification naturelle des choses, il niait toujours, ou semblait ne pas entendre ; par exemple, que Néron eût été cruel empereur ou Charles II parjure. Or

---

* M. de Francueil, quand il portait trop de poudre. *Mémoires* de Mme d'Épinay.

comment prouver de telles choses, ou les prouvant, ne
pas arrêter la discussion générale et en perdre le fil ?

« Telle manière de discussion ai-je toujours vue entre
telles gens, dont l'un ne cherche que vérité et avancement
en icelle, l'autre faveur de son maître ou parti, et gloire
du bien dire. Et j'ai estimé grande duperie et perdement
de temps en l'homme de bonne foi, de s'arrêter à parler
avec lesdits académiciens. »

Œuvres badines de Guy Allard de Voiron.

102.

Il n'y a qu'une très petite partie de l'art d'être heureux
qui soit une science exacte, une sorte d'échelle sur laquelle
on soit assuré de monter un échelon chaque siècle, c'est
celle qui dépend du gouvernement (encore ceci n'est-il
qu'une théorie, je vois les Vénitiens de 1770 plus heureux
que les gens de Philadelphie d'aujourd'hui).

Du reste, l'art d'être heureux est comme la poésie ;
malgré le perfectionnement de toutes choses, Homère,
il y a deux mille sept cents ans, avait plus de talent que
lord Byron.

En lisant attentivement Plutarque, je crois m'apercevoir qu'on était plus heureux en Sicile, du temps de Dion,
quoiqu'on n'eût ni imprimerie, ni punch à la glace, que
nous ne savons l'être aujourd'hui.

J'aimerais mieux être un Arabe du Ve siècle qu'un
Français du XIXe.

103.

Ce n'est jamais cette illusion, qui renaît et se détruit
à chaque seconde, que l'on va chercher au théâtre, mais
l'occasion de prouver à son voisin, ou du moins à soi-même, si l'on a la contrariété de n'avoir point de voisin,
que l'on a bien lu son la Harpe et que l'on est homme de
goût. C'est un plaisir de vieux pédant que se donne la
jeunesse.

104.

Une femme appartient de droit à l'homme qui l'aime
et qu'elle aime *plus que la vie.*

105.

La cristallisation ne peut pas être excitée par des
hommes-copies, et les rivaux les plus dangereux sont
les plus différents.

106.

Dans une société très avancée, *l'amour-passion* est
aussi naturel que l'amour-physique chez des sauvages.

M[étilde].

107.

Sans les nuances, avoir une femme qu'on adore ne
serait pas un bonheur, et même serait impossible.

L[éonore], *7 octobre.*

108.

D'où vient l'intolérance des stoïciens ? De la même
source que celles des dévots outrés. Ils ont de l'humeur
parce qu'ils luttent contre la nature, qu'ils se privent et
qu'ils souffrent. S'ils voulaient s'interroger de bonne foi
sur la haine qu'ils portent à ceux qui professent une
morale moins sévère, ils s'avoueraient qu'elle naît de
la jalousie secrète d'un bonheur qu'ils envient et qu'ils
se sont interdit, *sans croire* aux récompenses qui les
dédommageraient de leurs sacrifices.

Diderot.

109.

Les femmes qui ont habituellement de l'humeur pourraient se demander si elles suivent le système de conduite
qu'elles *croient sincèrement* le chemin du bonheur. N'y
a-t-il pas un peu de manque de courage accompagné d'un
peu de vengeance basse au fond du cœur d'une prude ?
Voir la mauvaise humeur de Mme Deshoulières dans
ses derniers jours.

Notice de M. Lemontey.

110.

Rien de plus indulgent parce que rien n'est plus heureux que la vertu de bonne foi ; mais mistress Hutchinson elle-même manque d'indulgence.

111.

Immédiatement après ce bonheur vient celui d'une femme jeune, jolie, facile, qui ne se fait point de reproches. A Messine on disait du mal de la contessina Vicenzella : « Que voulez-vous, disait-elle, je suis jeune, libre, riche, et peut-être pas laide. J'en souhaite autant à toutes les femmes de Messine. » Cette femme charmante, et qui ne voulut jamais avoir pour moi que de l'amitié, est celle qui m'a fait connaître les douces poésies de l'abbé Melli, en dialecte sicilien ; poésies délicieuses, quoique gâtées encore par la mythologie.

Delfante.

112.

Le public de Paris a une capacité d'attention, c'est trois jours ; après quoi présentez-lui la mort de Napoléon ou la condamnation de M. Béranger à deux mois de prison, absolument la même sensation, ou le même manque de tact à qui en reparle le quatrième jour. Toute grande capitale doit-elle être ainsi, ou cela tient-il à la bonté et à la légèreté parisienne ? Grâce à l'orgueil aristocratique et à la timidité souffrante, Londres n'est qu'une nombreuse collection d'ermites : ce n'est pas une capitale. Vienne n'est qu'une oligarchie de deux cents familles environnées de cent cinquante mille artisans ou domestiques qui les servent : ce n'est pas là non plus une capitale. Naples et Paris, les deux seules capitales.

Extrait des *Voyages de Birkbeck*, page 371.

113.

S'il était une époque où, d'après les théories vulgaires, appelées raisonnables par les hommes communs, la prison pût être supportable ce serait celle où, après une détention de plusieurs années, un pauvre prisonnier n'est plus séparé que par un mois ou deux du moment qui doit le mettre en liberté. Mais la *cristallisation* en ordonne autrement. Le dernier mois est plus pénible que les trois dernières années. M. d'Hotelans a vu à la maison d'arrêt de Melun plusieurs prisonniers détenus depuis longtemps, parvenus à quelques mois du jour qui devait les rendre à la liberté, *mourir* d'impatience.

114.

Je ne puis résister au plaisir de transcrire une lettre écrite en mauvais anglais, par une jeune Allemande. Il est donc prouvé qu'il y a des amours constantes, et tous les hommes de génie ne sont pas des Mirabeau. Klopstock, le grand poète, passe à Hambourg pour avoir été un homme aimable; voici ce que sa jeune femme écrivait à une amie intime :

« *After having seen him two hours, I was obliged to pass the evening in a company, which never had been so wearisome to me. I could not speak, I could not play; I thought I saw nothing but Klopstock; I saw him the next day, and the following and we were very seriously friends. But the fourth day he departed. It was a strong hour the hour of his departure! He wrote soon after and from that time our correspondence began to be a very diligent one. I sincerely believed my love to be friendship. I spoke with my friends of nothing but Klopstock, and showed his letters. They railed at me and said I was in love. I rallied them again, and said that they must have a very friendshipless heart, if they had no idea of friendship to a man as well as to a woman. Thus it continued eight months, in which time my friends found as much love in Klopstock's letters as in me. I perceived it likewise, but I would not believe it. At the last Klopstock said plainly that he loved; and I started as for a wrong thing; I answered that it was no love, but friendship, as it was what I felt for him; we had not seen one another enough to love (as if love must have more time than friendship). This was sincerely my meaning, and I had this meaning till Klopstock came again to Hambourg. This he did a year after we had seen one another the first time. We saw, we were friends, we loved; and a short time after, I could even tell Klopstock that I loved. But we were obliged to part again, and wait two years for* »

*our wedding. My mother would not let marry me a stranger.
I could marry then without her consentement, as by the
death of my father my fortune depended not on her; but
this was a horrible idea for me; and thank heaven that I
have prevailed by prayers! At this time knowing Klopstock,
she loves him as her lifely son, and thanks god that she
has not persisted. We married and I am the happiest wife
in the world. In some few months it will be four years that
I am so happy...* »

Correspondence of Richardson, volume III, page 147.

115.

Il n'y a d'unions à jamais légitimes que celles qui sont
commandées par une vraie passion.

M[étilde].

116.

Pour être heureuse avec la facilité des mœurs, il faut
une simplicité de caractère qu'on trouve en Allemagne,
en Italie, mais jamais en France.

La duchesse de C...

117.

Par orgueil, les Turcs privent leurs femmes de tout
ce qui peut donner un aliment à la cristallisation. Je vis
depuis trois mois chez un peuple où, par orgueil, les
gens titrés en seront bientôt là.

Les hommes appellent *pudeur* les exigences d'un
orgueil rendu fou par l'aristocratie. Comment oser manquer à la pudeur ? Aussi, comme à Athènes, les gens
d'esprit ont une tendance marquée à se réfugier auprès
des courtisanes, c'est-à-dire auprès de ces femmes qu'une
faute éclatante a mises à l'abri des affectations de la
pudeur.

Vie de Fox.

118.

Dans le cas d'amour empêché par victoire trop
prompte, j'ai vu la cristallisation chez les caractères
tendres chercher à se former après. Elle dit en riant :
« Non, je ne t'aime pas. »

119.

L'éducation actuelle des femmes, ce mélange bizarre de pratiques pieuses et de chansons fort vives (*di piacer mi balza il cor* de la *Gazza ladra*), est la chose du monde la mieux calculée pour éloigner le bonheur. Cette éducation fait les têtes les plus inconséquentes. Mme de R..., qui craignait la mort, vient de mourir parce qu'elle trouvait drôle de jeter les médecines par la fenêtre. Ces pauvres petites femmes prennent l'inconséquence pour de la gaieté, parce que la gaieté est souvent inconséquente en apparence. C'est comme l'Allemand qui se fait vif en se jetant par la fenêtre.

120.

La vulgarité, éteignant l'imagination, produit sur-le-champ pour moi l'ennui mortel. La charmante comtesse K..., me montrant ce soir les lettres de ses amants, que je trouve grossières.

Forli, 17 mars. Henri.

L'imagination n'était pas éteinte, elle était seulement fourvoyée, et par répugnance cessait bien vite de se figurer la grossièreté de ces plats amants.

121.

Rêverie métaphysique

Belgirate, 26 octobre 1816.

Pour peu qu'une véritable passion rencontre de contrariétés, elle produit vraisemblablement plus de malheur que de bonheur; cette idée peut n'être pas vraie pour une âme tendre, mais elle est d'une évidence parfaite pour la majeure partie des hommes, et en particulier pour les froids philosophes qui, en fait de passions, ne vivent presque que de curiosité et d'amour-propre.

Ce qui précède, je le disais hier soir à la contessina Fulvia, en nous promenant sur la terrasse de l'Isola-Bella, à l'orient, près du grand pin. Elle me répondit :

« Le malheur produit une beaucoup plus forte impression sur l'existence humaine que le plaisir.

« La première vertu de tout ce qui prétend à nous donner du plaisir, c'est de frapper fort.

« Ne pourrait-on pas dire que la vie elle-même n'étant faite que de sensations, le goût universel de tous les êtres qui ont vie est d'être avertis qu'ils vivent par les sensations les plus fortes possibles ? Les gens du Nord ont peu de vie; voyez la lenteur de leurs mouvements. Le *dolce farniente* des Italiens, c'est le plaisir de jouir des émotions de son âme, mollement étendu sur un divan, plaisir impossible, si l'on court toute la journée à cheval ou dans un droski, comme l'Anglais ou le Russe. Ces gens mourraient d'ennui sur un divan. Il n'y a rien à regarder dans leurs âmes.

« L'amour donne les sensations les plus fortes possibles; la preuve en est que dans ces moments d'*inflammation*, comme diraient les physiologistes, le cœur forme ces *alliances de sensations* qui semblent si absurdes aux philosophes Helvétius, Buffon et autres. Luizina, l'autre jour, s'est laissé tomber dans le lac, comme vous savez; c'est qu'elle suivait des yeux une feuille de laurier détachée de quelque arbre de l'Isola-Madre (îles Borromées). La pauvre femme m'a avoué qu'un jour son amant, en lui parlant, effeuillait une branche de laurier dans le lac, et lui disait : Vos cruautés et les calomnies de votre amie m'empêchent de profiter de la vie et d'acquérir quelque gloire.

« Une âme qui, par l'effet de quelque grande passion, ambition, jeu, amour, jalousie, guerre, etc., a connu les moments d'angoisse et d'extrême malheur, par une bizarrerie bien incompréhensible, *méprise* le bonheur d'une vie tranquille et où tout semble fait à souhait : un joli château dans une position pittoresque, beaucoup d'aisance, une bonne femme, trois jolis enfants, des amis aimables et en quantité, ce n'est là qu'une faible esquisse de tout ce que possède notre hôte, le général C..., et cependant vous savez qu'il a dit être tenté d'aller à Naples prendre le commandement d'une guérilla. Une âme faite pour les passions sent d'abord que cette vie heureuse l'*ennuie*, et peut-être aussi qu'elle ne lui donne que des idées communes. Je voudrais, vous disait C..., n'avoir jamais connu la fièvre des grandes passions, et pouvoir me payer de l'apparent bonheur sur lequel on me fait tous les jours de si sots compliments, auxquels, pour comble d'horreur, je suis forcé de répondre avec grâce. — Moi, philosophe, j'ajoute : voulez-vous une millième preuve que nous ne sommes pas faits par un être bon, c'est que le *plaisir* ne produit pas peut-être la moitié autant d'impression sur notre être que la *douleur* » *... La Contessina m'a interrompu : « Il y a peu de peines morales dans la vie qui ne soient rendues chères par l'*émotion* qu'elles excitent ; s'il y a un grain de générosité dans l'âme, ce plaisir se centuple. L'homme condamné à mort en 1815, et sauvé par hasard (M. L[avalette] par exemple), s'il marchait au supplice avec courage, doit se rappeler ce moment dix fois par mois ; le lâche qui mourait en pleurant et jetant les hauts cris (le douanier Morris, jeté dans le lac, *Rob Roy*, III, 120), s'il est aussi sauvé par hasard, ne peut tout au plus se souvenir avec plaisir de cet instant, qu'à cause de la circonstance qu'*il a été sauvé*, et non pour les trésors de générosité qu'il a découverts en lui-même, et qui ôtent à l'avenir toutes ses craintes. »

Moi. — L'amour, même malheureux, donne à une âme tendre, pour qui la *chose imaginée est la chose existante*, des trésors de jouissance de cette espèce ; il y a des visions sublimes de bonheur et de beauté chez soi et chez ce qu'on aime. Que de fois Salviati n'a-t-il pas entendu Léonore lui dire, comme Mlle Mars dans les *Fausses Confidences*, avec son sourire enchanteur : « Eh bien ! oui, je vous aime ! » Or, voilà de ces illusions qu'un esprit sage n'a jamais.

Fulvia, *levant les yeux au ciel.* — Oui, pour vous et pour moi, l'amour, même malheureux, pourvu que notre admiration pour l'objet aimé soit infinie, est le premier des bonheurs.

(Fulvia a vingt-trois ans ; c'est la beauté la plus célèbre de ★★★ ; ses yeux étaient divins en parlant ainsi, et se levant vers ce beau ciel des îles Borromées, à minuit ; les astres semblaient lui répondre. J'ai baissé les yeux et n'ai plus trouvé de raisons philosophiques pour la combattre. Elle a continué) : « Et tout ce que le monde appelle le bonheur ne vaut pas ses peines. Je crois que le mépris seul peut guérir de cette passion ;

---

* Voir l'analyse du *principe ascétique*, Bentham, *Traités de législation*, tome I.

On fait plaisir à un être *bon* en se faisant souffrir.

non pas un mépris trop fort, ce serait un supplice, mais, par exemple, pour vous autres hommes, voir l'objet que vous adorez aimer un homme grossier et prosaïque, ou vous sacrifier aux jouissances du luxe aimable et délicat qu'elle trouve chez son amie. »

122.

Vouloir, c'est avoir le courage de s'exposer à un inconvénient; s'exposer ainsi, c'est tenter le hasard, c'est jouer. Il y a des militaires qui ne peuvent vivre sans ce jeu; c'est ce qui les rend insupportables dans la vie de famille.

123.

Le général Teulié me disait ce soir qu'il avait découvert que ce qui le rendait d'une sécheresse et d'une stérilité si abominable quand il y avait dans le salon des femmes affectées, c'est qu'il avait ensuite une honte amère d'avoir exposé ses sentiments avec feu devant de tels êtres. (Et quand il ne parlait pas avec son âme, fût-ce de Polichinelle, il n'avait rien à dire. Je voyais de reste qu'il ne savait sur rien la phrase convenue et de bon ton. Il était par là réellement ridicule et baroque aux yeux des femmes affectées. Le ciel ne l'avait pas fait pour être élégant.)

124.

A la cour, l'i[rréligion] est de mauvais ton, parce qu'il est censé qu'elle est contre l'intérêt des princes; l'i[rréligion] est aussi de mauvais ton en présence des jeunes filles, cela les empêcherait de trouver un mari. Il faut convenir que s[i] D[ieu] e[xiste], il doit lui être agréable d'être honoré pour de tels motifs.

125.

Dans l'âme d'un grand peintre ou d'un grand poète, l'amour est divin comme centuplant le domaine et les plaisirs de l'art dont les beautés donnent à son âme le pain quotidien. Que de grands artistes qui ne se doutent

ni de leur âme ni de leur génie! Souvent ils se croient
un métalent pour la chose qu'ils adorent, parce qu'ils
ne sont pas d'accord avec les eunuques du sérail, les la
Harpe, etc. : pour ces gens-là, même l'amour malheureux est bonheur.

126.

L'image du premier amour est la plus généralement
touchante; pourquoi ? C'est qu'il est presque le même
dans tous les rangs, dans tous les pays, dans tous les
caractères. Donc ce premier amour n'est pas le plus
passionné.

127.

La raison, la raison! Voilà ce qu'on crie toujours à
un pauvre amant. En 1760, dans le moment le plus
animé de la guerre de sept ans, Grimm écrivait : « ... Il
n'est point douteux que le roi de Prusse n'eût prévenu
cette guerre avant qu'elle n'éclatât, en cédant la Silésie.
En cela il eût fait une action très sage. Combien de
maux il aurait prévenus! Que peut avoir de commun la
possession d'une province avec le bonheur d'un roi ?
et le grand électeur n'était-il pas un prince très heureux
et très respecté sans posséder la Silésie ? Voilà comment
un roi aurait pu se conduire en suivant les préceptes
de la plus saine raison, et je ne sais comment il serait
arrivé que ce roi eût été l'objet des mépris de toute la
terre, tandis que Frédéric sacrifiant tout au *besoin* de
conserver la Silésie s'est couvert d'une gloire immortelle.

« Le fils de Cromwell a sans doute fait l'action la
plus sage qu'un homme puisse faire; il a préféré l'obscurité et le repos à l'embarras et au danger de gouverner
un peuple sombre, fougueux et fier. Ce sage a été méprisé de son vivant et par la postérité, et son père est resté
un grand homme au jugement des nations.

« La *Belle Pénitente* est un sujet sublime du théâtre
espagnol *, gâté en anglais et en français par Otway
et Colardeau. Caliste a été violée par un homme qu'elle
adore, que les fougues d'orgueil de son caractère rendent

---

* Voir les romances espagnoles et danoises du XIIIe siècle; elles
paraîtraient plates ou grossières au goût français.

odieux, mais que ses talents, son esprit, les grâces de
sa figure, tout enfin concourt à rendre séduisant. Lothario eût été trop aimable, s'il eût su modérer de coupables
transports ; du reste, une haine héréditaire et atroce
divise sa famille et celle de la femme qu'il aime. Ces
familles sont à la tête des deux factions qui partagent
une ville d'Espagne durant les horreurs du moyen
âge. Sciolto, le père de Caliste, est le chef de l'autre
faction qui dans ce moment a le dessus ; il sait que
Lothario a eu l'insolence de vouloir séduire sa fille. La
faible Caliste succombe sous les tourments de sa honte
et de sa passion. Son père est parvenu à faire donner à
son ennemi le commandement d'une armée navale, qui
part pour une expédition lointaine et dangereuse, où
probablement Lothario trouvera la mort. Dans la tragédie de Colardeau, il vient donner cette nouvelle à sa
fille. A ces mots la passion de Caliste s'échappe :

> « *O dieux!*
> « *Il part!… vous l'ordonnez!… il a pu s'y résoudre?*

« Jugez du danger de cette situation ; un mot de plus
et Sciolto va être éclairé sur la passion de sa fille pour
Lothario. Ce père confondu s'écrie :

> « *Qu'entends-je? me trompé-je? où s'égarent tes vœux?*

« A cela Caliste, revenue à elle-même, répond :

> « *Ce n'est pas son exil, c'est sa mort que je veux :*
> « *Qu'il périsse!*

« Par ces mots, Caliste étouffe les soupçons naissants
de son père, et c'est cependant sans artifice, car le
sentiment qu'elle exprime est vrai. L'existence d'un
homme qu'elle aime et qui a pu l'outrager doit empoi-
sonner sa vie, fût-il au bout du monde ; sa mort seule
pourrait lui rendre le repos, s'il en était pour les amants
infortunés… Bientôt après Lothario est tué, et Caliste
a le bonheur de mourir.

« Voilà bien des pleurs et bien des cris pour peu de
chose ! ont dit les gens froids qui se décorent du nom
de philosophes ! Un homme hardi et violent abuse de la
faiblesse qu'une femme a pour lui ; il n'y a pas là de
quoi se désoler, ou du moins il n'y a pas de quoi nous
intéresser aux chagrins de Caliste. Elle n'a qu'à se
consoler d'avoir couché avec son amant, et ce ne sera

pas la première femme de mérite qui aura pris son parti
sur ce malheur-là *. »

Richard Cromwell, le roi de Prusse, Caliste, avec les
âmes que le ciel leur avait données ne pouvaient trouver
la tranquillité et le bonheur qu'en agissant ainsi. La
conduite de ces deux derniers est éminemment dérai-
sonnable, et cependant ce sont les seuls qu'on estime.

Sagan, 1813.

128.

La constance après le bonheur ne peut se prédire
que d'après celle que, malgré les doutes cruels, la jalousie
et les ridicules, on a eue avant l'intimité.

129.

Chez une femme au désespoir de la mort de son
amant, qui vient d'être tué à l'armée, et qui songe
évidemment à le suivre, il faut d'abord examiner si ce
parti n'est pas convenable ; et, dans le cas de la négative,
attaquer, par cette habitude si ancienne chez l'être
humain, l'*amour de sa conservation*. Si cette femme a
un ennemi, on peut lui persuader que cet ennemi a
obtenu une lettre de cachet pour la mettre en prison.
Si cette menace n'augmente pas son amour pour la
mort, elle peut songer à se cacher pour éviter la prison.
Elle se cachera trois semaines, fuyant de retraite en
retraite ; elle sera arrêtée et au bout de trois jours se
sauvera. Alors sous un nom supposé, on lui ménagera
un asile dans une ville fort éloignée, et la plus différente
possible de celle où elle était au désespoir. Mais qui
veut se dévouer à consoler un être aussi malheureux et
aussi nul pour l'amitié ?

Varsovie, 1808.

130.

Les savants d'académie voient les mœurs d'un peuple
dans sa langue : l'Italie est le pays du monde où l'on
prononce le moins le mot d'*amour*, toujours amicizia et

---

* Grimm, tome III, page 107.

avvicinar (*amicizia* pour amour et *avvicinar* pour faire la cour avec succès).

131.

Le dictionnaire de la musique n'est pas fait, n'est pas même commencé; ce n'est que par hasard que l'on trouve les phrases qui disent : *je suis en colère*, ou *je vous aime*, et leurs nuances. Le *maestro* ne trouve ces phrases que lorsqu'elles lui sont dictées par la présence de la passion dans son cœur, ou par son souvenir. Les gens qui passent le feu de la jeunesse à étudier au lieu de sentir ne peuvent donc pas être artistes, rien de plus simple que ce mécanisme.

132.

L'empire des femmes est beaucoup trop grand en France, l'empire de la femme beaucoup trop restreint.

133.

La plus grande flatterie que l'imagination la plus exaltée saurait inventer pour l'adresser à la génération qui s'élève parmi nous, pour prendre possession de la vie, de l'opinion et du pouvoir, se trouve une vérité plus claire que le jour. Elle n'a rien à *continuer*, cette génération, elle a tout à *créer*. Le grand mérite de Napoléon est d'*avoir fait maison nette*.

134.

Je voudrais pouvoir dire quelque chose sur la *consolation*. On n'essaye pas assez de consoler.

Le principe général, c'est qu'il faut tâcher de former une *cristallisation* la plus étrangère possible au motif qui a jeté dans la douleur.

Il faut avoir le courage de se livrer à un peu d'anatomie pour découvrir un principe inconnu.

Si l'on veut consulter le chapitre XI de l'ouvrage de M. Villermé, sur les prisons (Paris, 1820), l'on verra que les prisonniers *si maritano fra di loro* (c'est le mot du langage des prisons). Les femmes *si maritano anche fra di loro*, et il y a en général beaucoup de fidélité dans ces unions, ce qui ne s'observe pas chez les hommes, et qui est un effet du principe de la pudeur.

« A Saint-Lazare, dit M. Villermé, page 96, à Saint-Lazare, en octobre 1818, une femme s'est donné plusieurs coups de couteau parce qu'elle s'est vu préférer une arrivante.

« C'est ordinairement la plus jeune qui est la plus attachée à l'autre. »

135.

Vivacità, leggerezza, soggettissima a prendere puntiglio, occupazione di ogni momento delle apparenze della propria esistenza agli occhi altrui : ecco i tre gran caratteri di questa pianta che risveglia Europa nel 1808.

Parmi les Italiens les bons sont ceux qui ont encore un peu de sauvagerie et de propension au sang : les Romagnols, les Calabrais, et parmi les plus civilisés, les Bressans, les Piémontais, les Corses.

Le bourgeois de Florence est plus mouton que celui de Paris.

L'espionnage de Léopold l'a avili à jamais. Voir la lettre de M. Courier, sur le bibliothécaire Furia et le chambellan Puccini.

136.

Je ris de voir des gens de bonne foi ne pouvoir jamais être d'accord, se dire naturellement de grosses injures et en penser davantage. Vivre, c'est sentir la vie; c'est avoir des sensations fortes. Comme pour chaque individu le taux de cette force change, ce qui est pénible pour un homme comme trop fort est précisément ce qu'il faut à un autre pour que l'intérêt commence. Par exemple la sensation d'être épargné par le canon quand on est au feu, la sensation de s'enfoncer en Russie à la suite de ces Parthes, de même la tragédie de Shakespeare et la tragédie de Racine, etc., etc.

Orcha, 13 août 1812.

137.

D'abord le plaisir ne produit pas la moitié autant

d'impression que la douleur, ensuite, outre ce désavantage dans la quantité d'émotion, la *sympathie* est
au moins la moitié moins excitée par la peinture du
bonheur que par celle de l'infortune. Donc les poètes
ne sauraient peindre le malheur avec trop de force; ils
n'ont qu'un écueil à redouter, ce sont les objets qui
inspirent le *dégoût*. Encore ici le *taux* de cette sensation
dépend-il de la monarchie ou de la république. Un
Louis XIV centuple le nombre des objets répugnants
(Poésies de Crabbe).

Par le seul fait de l'existence de la monarchie à la
Louis XIV environnée de sa noblesse, tout ce qui est
simple dans les arts devient grossier. Le noble personnage devant qui on l'expose se trouve insulté; ce sentiment est sincère, et partant respectable.

Voyez le parti que le tendre Racine a tiré de l'amitié
héroïque, et si consacrée dans l'antiquité, d'Oreste et
de Pylade. Oreste tutoie Pylade, et Pylade lui répond
Seigneur. Et l'on veut que Racine soit pour nous l'auteur
le plus touchant! Si l'on ne se rend pas à un tel exemple,
il faut parler d'autre chose.

138.

Dès qu'on peut espérer de se venger on recommence
de haïr. Je n'eus l'idée de me sauver et de manquer à la
foi que j'avais jurée à mon ami, que les dernières semaines
de ma prison. (Deux confidences faites ce soir, devant
moi, par un assassin de bonne compagnie qui nous fait
toute son histoire.)

Faenza, 1817.

139.

Toute l'Europe, en se cotisant, ne pourrait faire un
seul de nos bons volumes français : les *Lettres persanes*
par exemple.

140.

J'appelle *plaisir* toute perception que l'âme aime
mieux éprouver que ne pas éprouver *.

* Maupertuis.

J'appelle *peine* toute perception que l'âme aime mieux ne pas éprouver qu'éprouver.

Désiré-je m'endormir plutôt que de sentir ce que j'éprouve, nul doute, c'est une *peine*. Donc les désirs de l'amour ne sont pas des peines, car l'amant quitte, pour rêver à son aise, les sociétés les plus agréables.

Par la durée, les plaisirs du corps sont diminués et les peines augmentées.

Pour les plaisirs de l'âme, ils sont augmentés ou diminués par la durée, suivant les passions; par exemple, après six mois passés à étudier l'astronomie, l'on aime davantage l'astronomie; après un an d'avarice on aime mieux l'argent.

Les peines de l'âme sont diminuées par la durée; « que de veuves véritablement fâchées se consolent par le temps! » Milady Waldegrave d'Horace Walpole.

Soit un homme dans un état d'indifférence, il lui arrive un plaisir.

Soit un autre homme dans un état de vive douleur, cette douleur cesse subitement. Le plaisir qu'il ressent est-il de même nature que celui du premier homme? M. Verri dit que *oui*, et il me semble que *non*.

Tous les plaisirs ne viennent pas de la cessation de la douleur.

Un homme avait depuis longtemps six mille livres de rente, il gagne cinq cent mille francs à la loterie. Cet homme s'était déshabitué de désirer les choses que l'on ne peut obtenir que par une grande fortune. (Je dirai, en passant, qu'un des inconvénients de Paris, c'est la facilité de perdre cette habitude.)

On invente la machine à tailler les plumes; je l'ai achetée ce matin, et c'est un grand plaisir pour moi, qui m'impatiente à tailler les plumes, mais certainement je n'étais pas malheureux hier de ne pas connaître cette machine. Pétrarque était-il malheureux de ne pas prendre de café?

Il est inutile de définir le bonheur, tout le monde le connaît : par exemple la première perdrix que l'on tue au vol à douze ans; la première bataille d'où l'on sort sain et sauf à dix-sept.

Le plaisir qui n'est que la cessation d'une peine passe bien vite, et au bout de quelques années le souvenir n'en est pas même agréable. Un de mes amis fut blessé au côté par un éclat d'obus, à la bataille de la Moskowa; quelques jours après, il fut menacé de la gangrène; au bout de quelques heures on put réunir M. Béclar, M. Larrey et quelques chirurgiens estimés; on fit une consultation dont le résultat fut d'annoncer à mon ami qu'il n'avait pas la gangrène. A ce moment je vis son bonheur, il fut grand, cependant il n'était pas pur. Son âme, en secret, ne croyait pas en être tout à fait quitte, il refaisait le travail des chirurgiens, il examinait s'il pouvait entièrement s'en rapporter à eux. Il entrevoyait encore un peu la possibilité de la gangrène. Aujourd'hui, au bout de huit ans, quand on lui parle de cette consultation, il éprouve un sentiment de peine, il a la vue imprévue d'un des malheurs de la vie.

Le plaisir causé par la cessation de la douleur consiste :

1º A remporter la victoire contre toutes les objections qu'on se fait successivement;

2º A revoir tous les avantages dont on allait être privé.

Le plaisir causé par le gain de cinq cent mille francs, consiste à prévoir tous les plaisirs nouveaux et extraordinaires qu'on va se donner.

Il y a une exception singulière : il faut voir si cet homme a trop, ou trop peu d'habitude de désirer une grande fortune. S'il a trop peu de cette habitude, s'il a la tête étroite, le sentiment d'embarras durera deux ou trois jours.

S'il a l'habitude de désirer souvent une grande fortune, il aura usé d'avance la jouissance par se la trop figurer.

Ce malheur n'arrive pas dans l'amour-passion.

Une âme enflammée ne se figure pas la dernière des faveurs, mais la plus prochaine. Par exemple d'une maîtresse qui vous traite avec sévérité, l'on se figure un serrement de main. L'imagination ne va pas naturellement au delà, si on la violente, après un moment, elle s'éloigne par la crainte de profaner ce qu'elle adore.

Lorsque le plaisir a entièrement parcouru sa carrière, il est clair que nous retombons dans l'indifférence; mais cette indifférence n'est pas la même que celle d'auparavant. Ce second état diffère du premier, en ce que nous ne serions plus capables de goûter, avec autant de délices, le plaisir que nous venons d'avoir.

Les organes qui servent à le cueillir sont fatigués, et l'imagination n'a plus autant de propensions à présenter

les images qui seraient agréables aux désirs qui se
trouvent satisfaits.

Mais si au milieu du plaisir on vient nous en arracher,
il y a production de douleur.

141.

La disposition à l'amour-physique, et même au plaisir physique, n'est point la même chez les deux sexes.
Au contraire des hommes, presque toutes les femmes
sont au moins susceptibles d'un genre d'amour. Depuis
le premier roman qu'une femme a ouvert, en cachette
à quinze ans, elle attend en secret la venue de l'amour-
passion. Elle voit dans une grande passion la preuve de
son mérite. Cette attente redouble vers vingt ans, lorsqu'elle est revenue des premières étourderies de la vie,
tandis qu'à peine arrivés à trente, les hommes croient
l'amour impossible ou ridicule.

142.

Dès l'âge de six ans nous nous accoutumons à chercher le bonheur par la même route que nos parents.
L'orgueil de la mère de la contessina Nella a commencé
le malheur de cette aimable femme, et elle le rend sans
ressource par le même orgueil fou.

Venise, 1819.

143.

Du genre romantique.

L'on m'écrit de Paris qu'on y a vu (exposition de
1822) un millier de tableaux représentant des sujets de
l'Écriture sainte, peints par des peintres qui n'y croient
pas beaucoup, admirés et jugés par des gens qui n'y
croient pas, et enfin payés par des gens qui n'y croient
pas.

L'on cherche après cela le pourquoi de la décadence
de l'art.

Ne croyant pas en ce qu'il dit, l'artiste craint toujours
de paraître exagéré et ridicule. Comment arriverait-il
au *grandiose*, rien ne l'y porte.

Lettera di Roma, giugno 1822.

144.

L'un des plus grands poètes, selon moi, qui aient paru dans ces derniers temps, c'est Robert Burns, paysan écossais mort de misère. Il avait soixante-dix louis d'appointements comme douanier, pour lui, sa femme et quatre enfants. Il faut convenir que le tyran Napoléon était plus généreux envers son ennemi Chénier, par exemple. Burns n'avait rien de la pruderie anglaise. C'est un génie romain, sans chevalerie ni honneur. Je n'ai pas assez de place pour conter ses amours avec Mary Campbell et leur triste catastrophe. Seulement je remarque qu'Édimbourg est à la même latitude que Moscou, ce qui pourrait déranger un peu mon système des climats.

« *One of Burn's remarks, when he first came to Edinburgh, was that between the men of rustic life and the polite world he observed little difference, that in the former, though unpolished by fashion and unenlightened by science, he had found much observation and much intelligence; but a refined and accomplished woman was a being almost new to him, and of which he had formed but a very inadequate idea.* »

Londres, 1ᵉʳ novembre 1821, tome V, page 69.

145.

L'amour est la seule passion qui se paye d'une monnaie qu'elle fabrique elle-même.

146.

Les compliments qu'on adresse aux petites filles de trois ans forment précisément la meilleure éducation possible pour leur enseigner la vanité la plus pernicieuse. Être jolie est la première vertu, le plus grand avantage au monde. Avoir une jolie robe, c'est être jolie.

Ces sots compliments ne sont usités que dans la bourgeoisie; ils sont heureusement de mauvais ton, comme trop aisés à faire, chez les gens à carrosse.

147.

Lorette, 11 septembre 1811.

Je viens de voir un très beau bataillon de gens de ce pays ; c'est le reste de quatre mille hommes qui étaient allés à Vienne en 1809. J'ai passé dans les rangs avec le colonel, et fait faire leur histoire à plusieurs soldats. C'est la vertu des républiques du moyen âge, plus ou moins abâtardie par les Espagnols *, le P[rêtisme] et deux siècles ** des gouvernements lâches et cruels qui ont tour à tour gâté ce pays-ci.

Le brillant *honneur* chevaleresque, sublime et sans raison, est une plante exotique importée seulement depuis un petit nombre d'années.

On n'en trouve pas trace en 1740. Voir de Brosses. Les officiers de Montenotte et de Rivoli avaient trop d'occasions de montrer la vraie vertu à leurs voisins pour chercher à *imiter* un honneur peu connu sous les chaumières que le soldat de 1796 venait de quitter, et qui leur eût semblé bien baroque.

Il n'y avait, en 1796, ni Légion d'honneur, ni enthousiasme pour un homme, mais beaucoup de simplicité et de vertu à la Desaix. L'*honneur* a donc été importé en Italie par des gens trop raisonnables et trop vertueux pour être bien brillants. On sent qu'il y a loin des soldats de 96 gagnant vingt batailles en un an, et n'ayant souvent ni souliers, ni habits, aux brillants régiments de Fontenoy, disant poliment aux Anglais, et le chapeau bas : *Messieurs, tirez les premiers.*

148.

Je croirais assez qu'il faut juger de la bonté d'un système de vie par son représentant. Par exemple,

* Vers 1580, les Espagnols, hors de chez eux, n'étaient que des agents énergiques de despotisme, ou des joueurs de guitare sous les fenêtres des belles Italiennes. Les Espagnols passaient alors en Italie comme aujourd'hui l'on vient à Paris ; du reste ils ne mettaient leur orgueil qu'à faire triompher le roi *leur maître.* Ils ont perdu l'Italie, et l'ont perdue en l'avilissant. En 1626, le grand poète Calderon était officier à Milan.

** Voir la *Vie de saint Charles Borromée*, qui changea Milan, et l'avilit. Il fit déserter les salles d'armes et aller au chapelet. Merveilles tue Castiglione, 1533.

Richard Cœur-de-Lion montra sur le trône la perfection de l'héroïsme et de la valeur chevaleresque, et ce
fut un roi ridicule.

149.

Opinion publique en 1822. Un homme de trente ans
séduit une jeune personne de quinze ans, c'est la jeune
personne qui est déshonorée.

150.

Dix ans plus tard je retrouvai la comtesse Ottavia;
elle pleura beaucoup en me revoyant; je lui rappelais
Oginski. Je ne puis plus aimer, me disait-elle; je lui
répondis avec le poète : *How changed, how saddened, yet
how elevated was her character!*

151.

Comme les mœurs anglaises sont nées de 1688 à
1730; celles de France vont naître de 1815 à 1880. Rien
ne sera beau, juste, heureux, comme la France morale
vers 1900. Actuellement elle n'est rien. Ce qui est une
infamie dans la rue de Belle-Chasse est une action
héroïque rue du Mont-Blanc, et, au travers de toutes
les exagérations, les gens réellement faits pour le mépris
se sauvent de rue en rue. Nous avions une ressource, la
liberté des journaux, qui finissent par dire à chacun
son fait, et quand ce fait se trouve être l'opinion publique,
il reste. On nous arrache ce remède, cela retardera un
peu la naissance de la morale.

152.

L'abbé Rousseau était un pauvre jeune homme
(1784), réduit à courir du matin au soir tous les quartiers
de la ville, pour y donner des leçons d'histoire et de
géographie. Amoureux d'une de ses élèves, comme
Abélard d'Héloïse, comme Saint-Preux de Julie; moins
heureux, sans doute, mais probablement assez près de
l'être ; avec autant de passion que ce dernier, mais

l'âme plus honnête, plus délicate et surtout plus courageuse, il paraît s'être immolé à l'objet de sa passion. Voici ce qu'il a écrit avant de se brûler la cervelle, après avoir dîné chez un restaurateur au Palais-Royal, sans laisser échapper aucune marque de trouble ni d'aliénation : c'est du procès-verbal dressé sur les lieux par le commissaire et les officiers de la police, qu'on a tiré la copie de ce billet, assez remarquable pour mériter d'être conservé.

« Le contraste inconcevable qui se trouve entre la noblesse de mes sentiments et la bassesse de ma naissance, un amour aussi violent qu'insurmontable pour une fille adorable *, la crainte de causer son déshonneur, la nécessité de choisir entre le crime et la mort, tout m'a déterminé à abandonner la vie. J'étais né pour la vertu, j'allais être criminel; j'ai préféré mourir. »

Grimm, troisième partie, tome II, page 495.

Voilà un suicide admirable et qui ne serait qu'absurde avec les mœurs de 1880.

153.

On a beau faire, jamais les Français, en fait de beaux-arts, ne passeront le *joli*.

Le comique qui suppose de la *verve* dans le public et du *brio* dans l'acteur, les délicieuses plaisanteries de Palomba, à Naples, jouées par Casaccia, impossibles à Paris; du joli et jamais que du joli, quelquefois, il est vrai, annoncé comme sublime.

On voit que je ne spécule pas en général sur l'honneur national.

154.

Nous aimons beaucoup un beau tableau, ont dit les Français; et ils disent vrai, mais nous exigeons comme condition essentielle de la beauté, qu'il soit fait par un peintre se tenant constamment à cloche-pied pendant tout le temps qu'il travaille. Les vers dans l'art dramatique.

---

* Il paraît qu'il s'agit de Mlle Gromaire, fille de M. Gromaire, expéditionnaire en cour de Rome.

155.

Beaucoup moins d'*envie* en Amérique qu'en France, et beaucoup moins d'esprit.

156.

La tyrannie à la Philippe II a tellement avili les esprits, depuis 1530, qu'elle pèse sur le jardin du monde, que les pauvres auteurs italiens n'ont pas encore eu le courage d'*inventer* le roman de leur pays. A cause de la règle du *naturel*, rien de plus simple pourtant; il faut oser copier franchement ce qui crève les yeux dans le monde. Voir le cardinal Consalvi, épluchant gravement pendant trois heures, en 1822, le livret d'un opéra bouffon; et disant au maestro avec inquiétude : « Mais vous répétez souvent ce mot *cozzar*, *cozzar*. »

157.

Héloïse vous parle de l'amour, un fat vous parle de son amour, sentez-vous que ces choses n'ont presque que le nom de commun ? C'est comme l'amour des concerts et l'amour de la musique. L'amour des jouissances de vanité que votre harpe vous promet, au milieu d'une société brillante, ou l'amour d'une rêverie, tendre, solitaire, timide.

158.

Quand on vient de voir la femme qu'on aime, la vue de toute autre femme gâte la vue, fait physiquement mal aux yeux; j'en vois le pourquoi.

159.

Réponse à une objection.

Le naturel parfait et l'intimité ne peuvent avoir lieu que dans l'amour-passion, car dans tous les autres l'on sent la possibilité d'un rival favorisé.

160.

Chez l'homme qui, pour se délivrer de la vie, a pris du poison, l'être moral est mort; étonné de ce qu'il a fait et de ce qu'il va éprouver, il n'a plus d'attention pour rien : quelques rares exceptions.

161.

Un vieux capitaine de vaisseau, oncle de l'auteur, auquel je fais hommage du présent manuscrit, ne trouve rien de si ridicule que l'importance donnée pendant six cents pages à une chose aussi frivole que l'amour. Cette chose si frivole est cependant la seule arme avec laquelle on puisse frapper les âmes fortes.

Qu'est-ce qui a empêché, en 1814, M. de M[aubreuil] d'immoler Napoléon dans la forêt de Fontainebleau ? Le regard méprisant d'une jolie femme qui entrait aux Bains-Chinois *. Quelle différence dans les destinées du monde si Napoléon et son fils eussent été tués en 1814!

162.

Je transcris les lignes suivantes d'une lettre française que je reçois de Znaïm, en observant qu'il n'y a pas dans toute la province un homme en état de comprendre la femme d'esprit qui m'écrit :

« ... L'accident fait beaucoup en amour. Lorsque je n'ai pas lu de l'anglais depuis un an, le premier roman qui me tombe sous la main me semble délicieux. L'habitude d'aimer une âme prosaïque, c'est-à-dire lente et timide pour tout ce qui est délicat, et ne sentant avec passion que les intérêts grossiers de la vie : l'amour des écus, l'orgueil d'avoir de beaux chevaux, les désirs physiques, etc., etc., peut facilement faire paraître offensantes les actions d'un génie impétueux, ardent, à imagination impatiente, ne sentant que l'amour, oubliant tout le reste, et qui agit sans cesse, et avec impétuosité, là où l'autre se laissait guider, et n'agissait jamais par lui-même. L'étonnement qu'il donne peut offenser ce

---

* *Mémoires* [de Maubreuil], page 88, édition de Londres.

que nous appelions, l'année dernière à Zithau, l'orgueil
féminin : est-ce français, ça ? Avec le second, on a de
l'*étonnement*, sentiment que l'on ignorait auprès du premier (et comme ce premier est mort à l'armée, à l'improviste, il est resté synonyme de perfection), et sentiment,
qu'une âme pleine de hauteur et privée de cette aisance
qui est le fruit d'un certain nombre d'intrigues, peut
confondre facilement avec ce qui est offensant. »

163.

Geoffroy Rudel, de Blaye, fut un très grand gentil-
homme, prince de Blaye, et il devint amoureux de la
princesse de Tripoli, sans la voir, pour le grand bien et
pour la grande courtoisie qu'il entendit dire d'elle aux
pèlerins qui venaient d'Antioche; et fit pour elle beaucoup de belles chansons, avec de bons airs et de chétives
paroles; et, par volonté de la voir, il se croisa et se mit
en mer pour aller vers elle. Et advint qu'en le navire
le prit une très grande maladie, de telle sorte que ceux
qui étaient avec lui crurent qu'il fût mort, mais tant
firent qu'ils le conduisirent à Tripoli, dans une hôtel-
lerie, comme un homme mort. On le fit savoir à la
comtesse, et elle vint à son lit et le prit entre ses bras.
Il sut qu'elle était la comtesse, il recouvra le voir, l'entendre, et il loua Dieu, et lui rendit grâce qu'il lui eût
soutenu la vie jusqu'à ce qu'il l'eût vue. Et ainsi il mourut dans les bras de la comtesse, et elle le fit honorable-
ment ensevelir dans la maison du Temple à Tripoli.
Et puis en ce même jour elle se fit religieuse, pour la
douleur qu'elle eut de lui et de sa mort *.

164.

Voici une singulière preuve de la folie nommée cristallisation, que l'on trouve dans les *Mémoires* de mistress
Hutchinson :
... « *He told to Mr. Hutchinson a very true story of
a gentleman who not long before had come for some time
to lodge in Richmond, and found all the people he came
in company with, bewailing the death of a gentlewoman*

---

* Traduit d'un manuscrit provençal du XIIIe siècle.

*that had lived there. Hearing her so much deplored he
made inquiry after her, and grew so in love with the description, that no other discourse could at first please him, nor
could he at last endure any other; he grew desperately
melancholy, and would go to a mount where the print of
her foot was cut, and lie there pining and kissing of it
all the day long, till at length death in some months' space
concluded his languishment. This story was very true.* »

Tome I, page 83.

165.

Lisio Visconti n'était rien moins qu'un grand lecteur
de livres. Outre ce qu'il avait pu voir en courant le
monde, cet essai est fondé sur les mémoires de quinze
ou vingt personnages célèbres. S'il se rencontrait, par
hasard, un lecteur qui trouvât ces bagatelles dignes
d'un instant d'attention, voici les livres desquels Lisio
a tiré ses réflexions et conclusions :

Vie de Benvenuto Cellini, écrite par lui-même.
Les *Nouvelles* de Cervantes et de Scarron.
Manon Lescaut et le *Doyen de Killerine*, de l'abbé
Prévost.
Lettres latines d'Héloïse à Abélard.
Tom Jones.
Lettres d'une Religieuse portugaise.
Deux ou trois romans d'Auguste La Fontaine.
L'*Histoire de Toscane*, de Pignotti.
Werther.
Brantôme.
Mémoires de Carlo Gozzi (Venise, 1760); seulement
les 80 pages sur l'histoire de ses amours.
Mémoires de Lauzun, Saint-Simon, d'Épinay, de
Staal, Marmontel, Bezenval, Roland, Duclos, Horace
Walpole, Evelyn, Hutchinson.
Lettres de Mlle Lespinasse.

166.

Un des plus grands personnages de ce temps-là, l'un
des hommes les plus marquants dans l'Église et dans
l'État, nous a conté ce soir (janvier 1822), chez Mme de
M..., les dangers fort réels qu'il avait courus du temps
de la Terreur.

« J'avais eu le malheur d'être au nombre des membres les plus marquants de l'Assemblée constituante : je me tins à Paris, cherchant à me cacher tant bien que mal, tant qu'il y eut quelque espoir de succès pour la bonne cause. Enfin les dangers augmentent et les étrangers ne faisant rien d'énergique pour nous, je me déterminai à partir, mais il fallait partir sans passeport. Comme tout le monde s'en allait à Coblentz, j'eus l'idée de sortir par Calais. Mais mon portrait avait été si fort répandu, dix-huit mois auparavant, que je fus reconnu à la dernière poste ; cependant on me laissa passer. J'arrivai à une auberge à Calais, où, comme vous pouvez penser, je ne dormis guère, et fort heureusement pour moi, car, vers les quatre heures du matin, j'entendis très distinctement prononcer mon nom. Pendant que je me lève et m'habille à la hâte, je distingue fort bien malgré l'obscurité, des gardes nationaux avec leurs fusils, pour lesquels on ouvre la grande porte et qui entrent dans la cour de l'auberge. Heureusement il pleuvait à verse ; c'était une matinée d'hiver fort obscure avec un grand vent. L'obscurité et le bruit du vent me permirent de me sauver par la cour de derrière et l'écurie des chevaux. Me voilà dans la rue à sept heures du matin, sans ressource aucune.

« Je pensai qu'on allait me courir après de mon auberge. Ne sachant trop ce que je faisais, j'allai près du port sur la jetée. J'avoue que j'avais un peu perdu la tête : je ne me voyais pour toute perspective que la guillotine.

« Il y avait un paquebot qui sortait du port par une mer fort grosse et qui était déjà à vingt toises de la jetée. Tout à coup j'entends des cris du côté de la mer, comme si l'on m'appelait. Je vois s'approcher un petit bateau. — Allons, donc, monsieur, venez, on vous attend. » Je passe machinalement dans le bateau. Il y avait un homme qui me dit à l'oreille : « Vous voyant marcher sur la « jetée d'un air effaré, j'ai pensé que vous pourriez bien « être un malheureux proscrit. J'ai dit que vous étiez « mon ami que j'attendais ; faites semblant d'avoir le « mal de mer et allez vous cacher en bas dans un coin « obscur de la chambre. »

— Ah ! le beau trait, s'écria la maîtresse de la maison respirant à peine, et qui avait été émue jusqu'aux larmes par le long récit bien fait des dangers de l'abbé. Que de remercîments vous dûtes faire à ce généreux inconnu ! Comment s'appelait-il ?

— Je ne sais pas son nom, a répondu l'abbé un peu confus; et il y a eu un moment de profond silence dans le salon.

167.

LE PÈRE ET LE FILS

Dialogue de 1787.

LE PÈRE (ministre de la [guerre])

« Je vous félicite, mon fils, c'est une chose fort agréable pour vous d'être invité chez M. le duc d'[Orléans]; c'est une distinction pour un homme de votre âge. Ne manquez pas d'être au Palais[-Royal] à six heures précises.

LE FILS

« Je pense, monsieur, que vous y dînez aussi ?

LE PÈRE

« M. le duc d'[Orléans], toujours parfait pour notre famille, vous engageant pour la première fois, a bien voulu m'inviter aussi. »

Le fils, jeune homme fort bien né et de l'esprit le plus distingué, ne manque pas d'être au Palais[-Royal] à six heures. On servit à sept. Le fils se trouva placé vis-à-vis du père. Chaque convive avait à côté de soi une f[ille] n[ue]. L'on était servi par une vingtaine de laquais en grande livrée *.

168.

Londres, août 1817.

Je n'ai de ma vie été frappé et intimidé de la présence de la beauté comme ce soir à un concert que donnait Mme Pasta.

Elle était environnée, en chantant, de trois rangs de

---

* *From december 27, 1819, till the 4 june 1820,* Mil[an].

jeunes femmes tellement belles, d'une beauté tellement pure et céleste, que je me suis senti baisser les yeux par respect, au lieu de les lever pour admirer et jouir. Cela ne m'est arrivé dans aucun pays, pas même dans ma chère Italie.

169.

Une chose est absolument impossible, dans les arts, en France, c'est la verve. Il y aurait trop de ridicule pour l'homme entraîné, *il a l'air trop heureux*. Voir un Vénitien réciter les satires de Buratti.

APPENDIX

DES COURS D'AMOUR

Il y a eu des cours d'amour en France, de l'an 1150 à l'an 1200. Voilà ce qui est prouvé. Probablement l'existence des cours d'amour remonte à une époque beaucoup plus reculée.

Les dames réunies dans les cours d'amour rendaient des arrêts soit sur des questions de droit, par exemple : L'amour peut-il exister entre gens mariés ?

Soit sur des cas particuliers que les amants leur soumettaient *.

Autant que je puis me figurer la partie morale de cette jurisprudence, cela devait ressembler à ce qu'aurait été la cour des maréchaux de France, établie pour le *point d'honneur* par Louis XIV, si toutefois l'opinion eût soutenu cette institution.

André, chapelain du roi de France, qui écrivait vers l'an 1170, cite *les cours d'amour*

des dames de Gascogne,
d'Ermengarde, vicomtesse de Narbonne (1144-1194),
de la reine Éléonore,
de la comtesse de Flandre,
de la comtesse de Champagne (1174).

André rapporte neuf jugements prononcés par la comtesse de Champagne.

Il cite deux jugements prononcés par la comtesse de Flandre.

Jean de Nostradamus, *Vie des poètes provençaux*, dit (page 15) :

« Les tensons étaient disputes d'amours qui se faisaient entre les chevaliers et dames poètes entre-parlant ensemble de quelque belle et subtile question d'amours ; et où

---

* André le chapelain, Nostradamus, Raynouard, Crescimbeni, d'Aretin.

ils ne s'en pouvaient accorder, ils les envoyaient, pour en avoir la définition, aux dames illustres présidentes qui tenaient cour d'amour ouverte et planière à *Signe* et *Pierrefeu*, ou à *Romanin*, ou à autres, et là-dessus, en faisaient arrêts qu'on nommait LOUS ARRESTS D'AMOURS. »

Voici les noms de quelques-unes des dames qui présidaient aux cours d'amour de Pierrefeu et de Signe :

« Stephanette, dame de Baulx, fille du comte de Provence;
« Adalasie, vicomtesse d'Avignon;
« Alalète, dame d'Ongle;
« Hermissende, dame de Posquières;
« Bertrane, dame d'Urgon;
« Mabille, dame d'Yères;
« La comtesse de Dye;
« Rostangue, dame de Pierrefeu;
« Bertrane, dame de Signe;
« Jausserande de Claustral. »

Nostradamus, page 27.

Il est vraisemblable que la même cour d'amour s'assemblait tantôt dans le château de Pierrefeu, tantôt dans celui de Signe. Ces deux villages sont très voisins l'un de l'autre, et situés à peu près à égale distance de Toulon et de Brignoles.

Dans la *Vie de Bertrand d'Alamanon*, Nostradamus dit :
« Ce troubadour fut amoureux de Phanette ou Estephanette de Romanin, dame dudit lieu, de la maison de Gantelmes, qui tenait de son temps cour d'amour ouverte et planière en son château de Romanin, près la ville de Saint-Remy, en Provence, tante de Laurette d'Avignon de la maison de Sado, tant célébrée par le poète Pétrarque. »

A l'article de Laurette on dit que Laurette de Sade, célébrée par Pétrarque, vivait à Avignon vers l'an 1341, qu'elle fut instruite par Phanette de Gantelmes sa tante, dame de Romanin; que «toutes deux romansoyent promptement en toute sorte de rithme provensalle, suyvant ce qu'en a escrit le monge des Isles d'Or, les œuvres desquelles rendent ample tesmoignage de leur doctrine... Il est vray (dict le monge) que Phanette ou Estephanette, comme très excellente en la poésie, avoit une fureur ou inspiration divine, laquelle fureur estoit estimée un vray don de Dieu; elles estoyent accompagnées de plusieurs...

dames illustres et généreuses ★ de Provence, qui fleu-
rissoyent de ce temps en Avignon, lorsque la cour romaine
y résidoit, qui s'adonnoyent à l'estude des lettres, tenans
cour d'amour ouverte et y deffinissoyent les questions
d'amour qui y estoyent proposées et envoyées...

« Guillen et Pierre Balz et Loys des Lascaris, comtes
de Vintimille, de Tende et de La Brigue, personnages de
grand renom, estant venus de ce temps en Avignon visiter
Innocent VI⁶ du nom, pape, furent ouyr les deffinitions
et sentences d'amour prononcées par ces dames ; lesquels
esmerveillez et ravis de leurs beaultés et savoir, furent
surpris de leur amour. »

Les troubadours nommaient souvent, à la fin de leurs
tensons, les dames qui devaient prononcer sur les questions qu'ils agitaient entre eux.

Un arrêt de la cour des dames de Gascogne porte :

« La cour des dames, assemblée en Gascogne, a établi,
du consentement de *toute la cour*, cette constitution perpétuelle, etc., etc. »

La comtesse de Champagne, dans l'arrêt de 1174, dit :

« Ce jugement, que nous avons porté avec une extrême
prudence, est appuyé de l'avis d'un très grand nombre
de dames... »

On trouve dans un autre jugement :

« Le chevalier, pour la fraude qui lui avait été faite,
dénonça toute cette affaire à la comtesse de Champagne,
et demanda humblement que ce délit fût soumis au jugement de la comtesse de Champagne et des autres dames.

« La comtesse, ayant appelé auprès d'elle soixante
dames, rendit ce jugement, » etc.

André, le chapelain, duquel nous tirons ces renseigne-
ments, rapporte que le code d'amour avait été publié par

★   « Jehanne, dame de Baulx,
         « Huguette de Forcarquier, dame de Trects,
         « Briande d'Agoult, comtesse de la Lune,
         « Mabille de Villeneufve, dame de Vence,
         « Béatrix d'Agoult, dame de Sault,
         « Ysoarde de Roquefeuilh, dame d'Ansoys,
         « Anne, vicomtesse de Tallard,
         « Blanche de Flassans, surnommée Blankaflour,
         « Doulce de Monstiers, dame de Clumane,
         « Antonette de Cadenet, dame de Lambesc,
         « Magdalène de Sallon, dame dudict lieu,
         « Rixende de Puyverd, dame de Trans. »

                              Nostradamus, page 217.

une cour composée d'un grand nombre de dames et de
chevaliers.

André nous a conservé la supplique qui avait été
adressée à la comtesse de Champagne, lorsqu'elle décida
par la négative cette question : *Le véritable amour peut-il
exister entre époux ?*

Mais quelle était la peine encourue lorsqu'on n'obéissait
pas aux arrêts des cours d'amour ?

Nous voyons la cour de Gascogne ordonner que tel de
ses jugements serait observé comme constitution perpétuelle, et que les dames qui n'y obéiraient pas encourraient
l'inimitié de toute dame honnête.

Jusqu'à quel point l'opinion sanctionnait-elle les
arrêts des cours d'amour ?

Y avait-il autant de honte à s'y soustraire, qu'aujour-
d'hui à une affaire commandée par l'honneur ?

Je ne trouve rien dans André ou dans Nostradamus qui
me mette à même de résoudre cette question.

Deux troubadours, Simon Doria et Lanfranc Cigalla,
agitèrent la question : « Qui est plus digne d'être aimé,
ou celui qui donne libéralement, ou celui qui donne malgré
soi, afin de passer pour libéral ? »

Cette question fut soumise aux dames de la cour
d'amour de Pierrefeu et de Signe, mais les deux troubadours ayant été mécontents du jugement, recoururent à
la cour d'amour souveraine des dames de Romanin ⋆.

La rédaction des jugements est conforme à celle des
tribunaux judiciaires de cette époque.

Quelle que soit l'opinion du lecteur sur le degré d'importance qu'obtenaient les cours d'amour dans l'attention des contemporains, je le prie de considérer quels
sont aujourd'hui, en 1822, les sujets de conversation des
dames les plus considérées et les plus riches de Toulon
et de Marseille.

N'étaient-elles pas plus gaies, plus spirituelles, plus
heureuses en 1174 qu'en 1822 ?

Presque tous les arrêts des cours d'amour ont des
considérants fondés sur les règles du code d'amour.

Ce code d'amour se trouve en entier dans l'ouvrage
d'André, le chapelain.

⋆ Nostradamus, page 131.

Il y a trente et un articles ; les voici :

CODE D'AMOUR DU DOUZIÈME SIÈCLE

I.

L'allégation de mariage n'est pas excuse légitime contre l'amour.

2.

Qui ne sait celer, ne sait aimer.

3.

Personne ne peut se donner à deux amours.

4.

L'amour peut toujours croître ou diminuer.

5.

N'a pas de saveur ce que l'amant prend de force à l'autre amant.

6.

Le mâle n'aime d'ordinaire qu'en pleine puberté.

7.

On prescrit à l'un des amants, pour la mort de l'autre, une viduité de deux années.

8.

Personne sans raison plus que suffisante ne doit être privé de son droit en amour.

9.

Personne ne peut aimer s'il n'est engagé par la persuasion d'amour (par l'espoir d'être aimé).

10.

L'amour d'ordinaire est chassé de la maison par l'avarice.

11.

Il ne convient pas d'aimer celle qu'on aurait honte de désirer en mariage.

12.

L'amour véritable n'a désir de caresses que venant de celle qu'il aime.

13.

Amour divulgué est rarement de durée.

14.

Le succès trop facile ôte bientôt son charme à l'amour : les obstacles lui donnent du prix.

15.

Toute personne qui aime pâlit à l'aspect de ce qu'elle aime.

16.

A la vue imprévue de ce qu'on aime, on tremble.

17.

Nouvel amour chasse l'ancien.

18.

Le mérite seul rend digne d'amour.

19.

L'amour qui s'éteint tombe rapidement, et rarement se ranime.

20.

L'amoureux est toujours craintif.

21.

Par la jalousie véritable l'affection d'amour croît toujours.

22.

Du soupçon et de la jalousie qui en dérive croît l'affection d'amour.

23.

Moins dort et moins mange celui qu'assiège pensée d'amour.

24.

Toute action de l'amant se termine par penser à ce qu'il aime.

25.

L'amour véritable ne trouve rien de bien que ce qu'il sait plaire à ce qu'il aime.

26.

L'amour ne peut rien refuser à l'amour.

27.

L'amant ne peut se rassasier de la jouissance de ce qu'il aime.

28.

Une faible présomption fait que l'amant soupçonne des choses sinistres de ce qu'il aime.

29.

L'habitude trop excessive des plaisirs empêche la naissance de l'amour.

30.

Une personne qui aime est occupée par l'image de ce qu'elle aime assidûment et sans interruption.

31.

Rien n'empêche qu'une femme ne soit aimée par deux hommes, et un homme par deux femmes *.

* 1. Causa conjugii ab amore non est excusatio recta.
2. Qui non celat, amare non potest.
3. Nemo duplici potest amore ligari.
4. Semper amorem minui vel crescere constat.
5. Non est sapidum quod amans ab invito sumit amante.
6. Masculus non solet nisi in plena pubertate amare.
7. Biennalis viduitas pro amante defuncto superstiti præscribitur amanti.
8. Nemo, sine rationis excessu, suo debet amore privari.
9. Amare nemo potest, nisi qui amoris suasione compellitur.
10. Amor semper ab avaritia consuevit domiciliis exulare.
11. Non decet amare quarum pudor est nuptias affectare.
12. Verus amans alterius nisi suæ coamantis ex affectu non cupit amplexus.
13. Amor raro consuevit durare vulgatus.
14. Facilis perceptio contemptibilem reddit amorem, difficilis eum parum facit haberi.
15. Omnis consuevit amans in coamantis aspectu pallescere.
16. In repentinâ coamantis visione, cor tremescit amantis.
17. Novus amor veterem compellit abire.
18. Probitas sola quemcumque dignum facit amore.
19. Si amor minuatur, cito deficit et raro convalescit.

Voici le dispositif d'un jugement rendu par une cour d'amour :

QUESTION : « Le véritable amour peut-il exister entre personnes mariées ? »

JUGEMENT de la comtesse de Champagne : « Nous disons et assurons, par la teneur des présentes, que l'amour ne peut étendre ses droits sur deux personnes mariées. En effet, les amants s'accordent tout, mutuellement et gratuitement sans être contraints par aucun motif de nécessité, tandis que les époux sont tenus, par devoir, de subir réciproquement leurs volontés, et de ne se refuser rien les uns aux autres...

« Que ce jugement, que nous avons rendu avec une extrême prudence, et d'après l'avis d'un grand nombre d'autres dames, soit pour vous d'une vérité constante et irréfragable. Ainsi jugé, l'an 1174, le troisième jour des calendes de mai, indiction VIIe. * »

20. Amorosus semper est timorosus.
21. Ex verâ zelotypiâ affectus semper crescit amandi.
22. De coamante suspicione perceptâ zelus interea et affectus crescit amandi.
23. Minus dormit et edit quem amoris cogitatio vexat.
24. Quilibet amantis actus in coamantis cogitatione finitur.
25. Verus amans nihil beatum credit, nisi quod cogitat amanti placere.
26. Amor nihil posset amori denegare.
27. Amans coamantis solatiis satiari non potest.
28. Modica præsumptio cogit amantem de coamante suspicari sinistra.
29. Non solet amare quem nimia voluptatis abundantia vexat.
30. Verus amans assiduâ, sine intermissione, coamantis imagine detinetur.
31. Unam feminam nihil prohibet a duobus amari, et a duabus mulieribus unum.

                                                            Fol. 103.

.   .   .   .

* « Utrum inter conjugatos amor possit habere locum ?
« Dicimus enim et stabilito tenore firmamus amorem non posse inter duos jugales suas extendere vires, nam amantes sibi invicem gratis omnia largiuntur, nullius necessitatis ratione cogente; jugales vero mutuis tenentur ex debito voluntatibus obedire et in nullo seipsos sibi ad invicem denegare...
« Hoc igitur nostrum judicium cum nimiâ moderatione prolatum, et aliarum quamplurium dominarum consilio roboratum, pro indubitabili vobis sit ac veritate constanti.
« Ab anno M. C. LXXIV, tertio calend. maii, indictione VII. »
                                                            Fol. 56.
Ce jugement est conforme à la première règle du code d'amour :
« Causa conjugii, non est ab amore excusatio recta. »

NOTICE SUR ANDRÉ, LE CHAPELAIN

André paraît avoir écrit vers l'an 1176.

On trouve à la Bibliothèque du roi (n° 8758), un manuscrit de l'ouvrage d'André qui a jadis appartenu à Baluze. Voici le premier titre : « Hic incipiunt capitula libri de Arte amatoriâ et reprobatione amoris. »

Ce titre est suivi de la table des chapitres.

Ensuite on lit ce second titre :

« Incipit liber de Arte amandi et de reprobatione amoris, editus et compillatus à magistro Andreâ Francorum aulæ regiæ capellano, ad Galterium amicum suum, cupientem in amoris exercitu militare : in quo quidem libro, cujusque gradus et ordinis mulier ab homine cujusque conditionis et status ad amorem sapientissimè invitatur; et ultimo in fine ipsius libri de amoris reprobatione subjungitur. »

Crescimbeni, *Vite de' poeti provenzali*, article *Percivalle Doria*, cite un manuscrit de la bibliothèque de Nicolo Bargiacchi à Florence, et en rapporte divers passages; ce manuscrit est une traduction du traité d'André, le chapelain. L'académie de la Crusca l'a admise parmi les ouvrages qui ont fourni des exemples pour son dictionnaire.

Il y a eu diverses éditions de l'original latin. Frid. Otto Menckenius, dans ses *Miscellanea Lipsiensia nova*, Lipsiæ, 1751, tome VIII, partie I, page 545 et suivantes, indique une très ancienne édition sans date et sans lieu d'impression, qu'il juge être du commencement de l'imprimerie : « Tractatus amoris et de amoris remedio Andreæ capellani papæ Innocentii quarti. »

Une seconde édition de 1610 porte ce titre :

« *Erotica seu amatoria* Andreæ capellani regii, vetustissimi scriptoris ad venerandum suum amicum Guualterium scripta, nunquam ante hac edita, sed sæpius a multis desiderata; nunc tandem fide diversorum mss. codicum in publicum emissa a Dethmaro Mulhero, Dorpmundæ, typis Westhovianis, anno Vna Castè et Verè amanda. »

Une troisième édition porte : « Tremoniæ, typis Westhovianis, anno 1614. »

André divise ainsi méthodiquement le sujet qu'il se propose de traiter :

1º Quid sit amor et undè dicatur *.

2º Quis sit effectus amoris.

3º Inter quos possit esse amor.

4º Qualiter amor acquiratur, retineatur, augmentetur, minuatur, finiatur.

5º De notitià mutui amoris, et quid unus amantium agere debeat altero fidem fallente.

Chacune de ces questions est traitée en plusieurs paragraphes.

André fait parler alternativement l'amant et la dame. La dame fait des objections, l'amant cherche à la convaincre par des raisons plus ou moins subtiles. Voici un passage que l'auteur met dans la bouche de l'amant :

..... Sed si fortè horum sermonum te perturbet obscuritas, eorum tibi sentenciam indicabo **.

Ab antiquo igitur quatuor sunt in amore gradus distincti :

Primus in spei datione consistit.

Secundus in osculi exhibitione.

Tertius in amplexus fruitione.

Quartus in totius concessione personæ finitur.

Fin du second et dernier volume.

---

* Ce qu'est l'amour et d'où il prend nom.
Quel est l'effet d'amour.
Entre quelles personnes peut exister amour.
De quelle façon l'amour s'acquiert, se conserve, augmente, diminue, finit.
A quels signes connaît-on d'être réaimé, et ce que doit faire l'un des amants quand l'autre manque à sa foi.
** Mais si par hasard l'obscurité de ce discours vous embarrasse, je vais vous en donner le sommaire.
De toute antiquité il y a en amour quatre degrés différents :
Le premier consiste à donner des espérances, le second dans l'offre du baiser.
Le troisième dans la jouissance des embrassements les plus intimes.
Le quatrième dans l'octroi de toute la personne.

COMPLÉMENTS

DE L'ÉDITION MICHEL LÉVY

(1853)

PRÉFACE

Cet ouvrage n'a eu aucun succès; on l'a trouvé inintelligible, non sans raison. Aussi, dans cette nouvelle édition, l'auteur a-t-il cherché surtout à rendre ses idées avec clarté. Il a raconté comment elles lui étaient venues; il a fait une préface, une introduction, tout cela pour être clair; et, malgré tant de soins, sur cent lecteurs qui ont lu *Corinne*, il n'y en a pas quatre qui comprendront ce livre-ci.

Quoiqu'il traite de l'amour, ce petit volume n'est point un roman, et surtout n'est pas amusant comme un roman. C'est tout uniment une description exacte et scientifique d'une sorte de folie très rare en France. L'empire des convenances, qui s'accroît tous les jours, plus encore par l'effet de la crainte du ridicule qu'à cause de la pureté de nos mœurs, a fait du mot qui sert de titre à cet ouvrage une parole qu'on évite de prononcer toute seule, et qui peut même sembler choquante. J'ai été forcé d'en faire usage; mais l'austérité scientifique du langage me met, je pense, à l'abri de tout reproche à cet égard.

. . . .

Je connais un ou deux secrétaires de légation qui, à leur retour, pourront me rendre ce service. Jusque-là que pourrais-je dire aux gens qui nient les faits que je raconte? Les prier de ne pas m'écouter.

On peut reprocher de l'*égotisme* à la forme que j'ai adoptée. On permet à un voyageur de dire : « J'étais à New-York, de là *je* m'embarquai pour l'Amérique du Sud, *je* remontai jusqu'à Santa-Fé-de-Bogota. Les cousins et les moustiques *me* désolèrent pendant la route, et *je* fus privé, pendant trois jours, de l'usage de l'œil droit. »

On n'accuse point ce voyageur d'aimer à parler de soi, on lui pardonne tous ces *je* et tous ces *moi*, parce que c'est la manière la plus claire et la plus intéressante de raconter ce qu'il a vu.

C'est pour être clair et pittoresque, s'il le peut, que l'auteur du présent voyage dans les régions peu connues du cœur humain dit : « J'allai avec Mme Gherardi aux mines de sel de Hallein... La princesse Crescenzi me disait à Rome... Un jour, à Berlin, je vis le beau capitaine L... » Toutes ces petites choses sont réellement arrivées à l'auteur, qui a passé quinze ans en Allemagne et en Italie. Mais, plus curieux que sensible, jamais il n'a rencontré la moindre aventure, jamais il n'a éprouvé aucun sentiment personnel qui méritât d'être raconté; et, si on veut lui supposer l'orgueil de croire le contraire, un orgueil plus grand l'eût empêché d'imprimer son cœur et de le vendre au public pour six francs, comme ces gens qui, de leur vivant, impriment leurs Mémoires.

En 1822, lorsqu'il corrigeait les épreuves de cette espèce de voyage moral en Italie et en Allemagne, l'auteur, qui avait décrit les objets le jour où il les avait vus, traita le manuscrit, qui contenait la description circonstanciée de toutes les phases de la maladie de l'âme nommée *amour*, avec ce respect aveugle que montrait un savant du XIVe siècle pour un manuscrit de Lactance ou de Quinte-Curce qu'on venait de déterrer. Quand l'auteur rencontrait quelque passage obscur, et, à vrai dire, souvent cela lui arrivait, il croyait toujours que c'était le *moi* d'aujourd'hui qui avait tort. Il avoue que son respect pour l'ancien manuscrit est allé jusqu'à imprimer plusieurs passages qu'il ne comprenait plus lui-même. Rien de plus fou pour qui eût songé aux suffrages du public; mais l'auteur, revoyant Paris après de longs voyages, croyait impossible d'obtenir un succès sans faire des bassesses auprès des journaux. Or, quand on fait tant que de faire des bassesses, il faut les réserver pour le premier ministre. Ce qu'on appelle un succès étant hors de la question, l'auteur s'amusa à publier ses pensées exactement telles qu'elles lui étaient venues. C'est ainsi qu'en agissaient jadis ces philosophes de la Grèce dont la sagesse pratique le ravit en admiration.

Il faut des années pour pénétrer dans l'intimité de la société italienne. Peut-être aurai-je été le dernier voyageur en ce pays. Depuis le *carbonarisme* et l'invasion des Autrichiens, jamais étranger ne sera reçu en ami dans les salons où régnait une joie si folle. On verra les monuments, les rues, les places publiques d'une ville, jamais la société;

l'étranger fera toujours peur ; les habitants soupçonneront
qu'il est un espion, ou craindront qu'il ne se moque de la
bataille d'Antrodoco et des bassesses indispensables en
ce pays pour n'être pas persécuté par les huit ou dix
ministres ou favoris qui entourent le prince. J'aimais
réellement les habitants, et j'ai pu voir la vérité. Quelquefois, pendant dix mois de suite, je n'ai pas prononcé un
seul mot de français, et sans les troubles et le *carbonarisme*, je ne serais jamais rentré en France. La bonhomie
est ce que je prise avant tout.

Malgré beaucoup de soins pour être clair et lucide, je
ne puis faire des miracles ; je ne puis pas donner des
oreilles aux sourds ni des yeux aux aveugles. Ainsi les
gens à argent et à grosse joie, qui ont gagné cent mille
francs dans l'année qui a précédé le moment où ils
ouvrent ce livre, doivent bien vite le fermer, surtout
s'ils sont banquiers, manufacturiers, respectables industriels, c'est-à-dire gens à idées éminemment positives.
Ce livre serait moins inintelligible pour qui aurait gagné
beaucoup d'argent à la Bourse ou à la loterie. Un tel
gain peut se rencontrer à côté de l'habitude de passer
des heures entières dans la rêverie, et à jouir de l'émotion
que vient de donner un tableau de Prud'hon, une phrase
de Mozart, ou enfin un certain regard singulier d'une
femme à laquelle vous pensez souvent. Ce n'est point
ainsi que *perdent leur temps* les gens qui payent deux mille
ouvriers à la fin de chaque semaine ; leur esprit est toujours tendu à l'utile et au positif. Le rêveur dont je parle
est l'homme qu'ils haïraient s'ils en avaient le loisir ;
c'est celui qu'ils prendraient volontiers pour plastron
de leurs bonnes plaisanteries. L'industriel millionnaire
sent confusément qu'un tel homme place dans son
estime une pensée avant un sac de mille francs.

Je récuse ce jeune homme studieux qui, dans la même
année où l'industriel gagnait cent mille francs, s'est
donné la connaissance du grec moderne, ce dont il est si
fier, que déjà il aspire à l'arabe. Je prie de ne pas ouvrir
ce livre tout homme qui n'a pas été malheureux pour des
causes imaginaires *étrangères à la vanité*, et qu'il aurait
grande honte de voir divulguer dans les salons.

Je suis bien assuré de déplaire à ces femmes qui, dans
ces mêmes salons, emportent d'assaut la considération
par une affectation de tous les instants. J'en ai surpris de
bonne foi pour un moment, et tellement étonnées, qu'en
s'interrogeant elles-mêmes, elles ne pouvaient plus

savoir si un tel sentiment qu'elles venaient d'exprimer avait été naturel ou affecté. Comment ces femmes pourraient-elles juger de la peinture de sentiments vrais ? Aussi cet ouvrage a-t-il été leur *bête noire ;* elles ont dit que l'auteur devait être un homme infâme.

Rougir tout à coup, lorsqu'on vient à songer à certaines actions de sa jeunesse ; avoir fait des sottises par tendresse d'âme et s'en affliger, non pas parce qu'on fut ridicule aux yeux du salon, mais bien aux yeux d'une certaine personne dans ce salon ; à vingt-six ans, être amoureux de bonne foi d'une femme qui en aime un autre, ou bien encore (mais la chose est si rare, que j'ose à peine l'écrire de peur de retomber dans les *inintelligibles*, comme lors de la première édition), ou bien encore, en entrant dans le salon où est la femme que l'on croit aimer, ne songer qu'à lire dans ses yeux ce qu'elle pense de nous en cet instant, et n'avoir nulle idée de *mettre de l'amour* dans nos propres regards : voilà les antécédents que je demanderai à mon lecteur. C'est la description de beaucoup de ces sentiments fins et rares qui a semblé obscure aux hommes à idées positives. Comment faire pour être clair à leurs yeux ? Leur annoncer une hausse de cinquante centimes, ou un changement dans le tarif des douanes de la Colombie *.

Le livre qui suit explique simplement, raisonnablement, mathématiquement, pour ainsi dire, les divers sentiments qui se succèdent les uns aux autres, et dont l'ensemble s'appelle la passion de l'amour.

Imaginez une figure de géométrie assez compliquée, tracée avec du crayon blanc sur une grande ardoise : eh bien ! je vais expliquer cette figure de géométrie ; mais une condition nécessaire, c'est qu'il faut qu'elle *existe déjà* sur l'ardoise ; je ne puis la tracer moi-même. Cette impossibilité est ce qui rend si difficile de faire sur l'amour un livre qui ne soit pas un roman. Il faut, pour suivre avec intérêt un *examen philosophique* de ce sentiment, autre chose que de l'esprit chez le lecteur ; il est de toute nécessité qu'il ait vu l'amour. Or où peut-on voir une passion ?

Voilà une cause d'obscurité que je ne pourrai jamais éloigner.

---

* On me dit : « Otez ce morceau, rien de plus vrai ; mais gare les industriels ; ils vont crier à l'aristocrate. » — En 1817, je n'ai pas craint les procureurs généraux ; pourquoi aurais-je peur des millionnaires en 1826 ? Les vaisseaux fournis au pacha d'Égypte m'ont ouvert les yeux sur leur compte, et je ne crains que ce que j'estime.

L'amour est comme ce qu'on appelle au ciel la *voie
lactée*, un amas brillant formé par des milliers de petites
étoiles, dont chacune est souvent une nébuleuse. Les
livres ont noté quatre ou cinq cents des petits sentiments
successifs et si difficiles à reconnaître qui composent
cette passion, et les plus grossiers, et encore en se trom-
pant souvent et prenant l'accessoire pour le principal. Les
meilleurs de ces livres, tels que la *Nouvelle Héloïse*, les
romans de Mme Cottin, les *Lettres* de Mlle Lespinasse,
Manon Lescaut, ont été écrits en France, pays où la
plante nommée amour a toujours peur du ridicule, est
étouffée par les exigences de la passion *nationale*, la
vanité, et n'arrive presque jamais à toute sa hauteur.

Qu'est-ce donc que connaître l'amour par les romans ?
que serait-ce après l'avoir vu décrit dans des centaines de
volumes à réputation, mais ne l'avoir jamais senti, que
chercher dans celui-ci l'explication de cette folie ? je
répondrai comme un écho : « C'est folie. »

Pauvre jeune femme désabusée, voulez-vous encore jouir
de ce qui vous occupa tant il y a quelques années, dont
vous n'osâtes parler à personne, et qui faillit vous perdre
d'honneur ? C'est pour vous que j'ai refait ce livre et
cherché à le rendre plus clair. Après l'avoir lu, n'en parlez
jamais qu'avec une petite phrase de mépris, et jetez-le
dans votre bibliothèque de citronnier, derrière les autres
livres; j'y laisserais même quelques pages non coupées.

Ce n'est pas seulement quelques pages non coupées
qu'y laissera l'être imparfait, qui se croit philosophe parce
qu'il resta toujours étranger à ces émotions folles qui
font dépendre d'un regard tout notre bonheur d'une
semaine. D'autres, arrivant à l'âge mûr, mettent toute
leur vanité à oublier qu'un jour ils purent s'abaisser au
point de faire la cour à une femme et de s'exposer à
l'humiliation d'un refus; ce livre aura leur haine. Parmi
tant de gens d'esprit que j'ai vus condamner cet ouvrage
par diverses raisons, mais toujours avec colère, les seuls
qui m'aient semblé ridicules sont ces hommes qui ont la
double vanité de prétendre avoir toujours été au-dessus
des faiblesses du cœur, et toutefois posséder assez de
pénétration pour juger *a priori* du degré d'exactitude
d'un traité philosophique, qui n'est qu'une description
suivie de toutes ces faiblesses.

Les personnages graves, qui jouissent dans le monde
du renom d'hommes sages et nullement romanesques,
sont bien plus près de comprendre un roman, quelque

passionné qu'il soit, qu'un livre philosophique, où l'auteur décrit froidement les diverses phases de la maladie de l'âme nommée *amour*. Le roman les émeut un peu; mais à l'égard du traité philosophique, ces hommes sages sont comme des aveugles qui se feraient lire une description des tableaux du Musée, et qui diraient à l'auteur : « Avouez, monsieur, que votre ouvrage est horriblement obscur. » Et qu'arrivera-t-il si ces aveugles se trouvent des gens d'esprit, depuis longtemps en possession de cette dignité, et ayant souverainement la prétention d'être clairvoyants ? Le pauvre auteur sera joliment traité. C'est aussi ce qui lui est arrivé lors de la première édition. Plusieurs exemplaires ont été actuellement brûlés par la vanité furibonde de gens de beaucoup d'esprit. Je ne parle pas des injures, non moins flatteuses par leur fureur : l'auteur a été déclaré grossier, immoral, écrivant pour le peuple, homme dangereux, etc. Dans les pays usés par la monarchie, ces titres sont la récompense la plus assurée de qui s'avise d'écrire sur la morale et ne dédie pas son livre à la Mme Dubarry du jour. Heureuse la littérature si elle n'était pas à la mode, et si les seules personnes pour qui elle est faite voulaient bien s'en occuper! Du temps du Cid, Corneille n'était qu'*un bon homme* pour M. le marquis de Dangeau ★. Aujourd'hui, tout le monde se croit fait pour lire M. de Lamartine; tant mieux pour son libraire; mais tant pis et cent fois tant pis pour ce grand poète. De nos jours, le génie a des ménagements pour des êtres auxquels il ne devrait jamais songer sous peine de déroger.

La vie laborieuse, active, tout estimable, toute positive, d'un conseiller d'État, d'un manufacturier de tissus de coton ou d'un banquier fort alerte pour les emprunts, est récompensée par des millions, et non par des sensations tendres. Peu à peu le cœur de ces messieurs s'ossifie; le positif et l'utile sont tout pour eux, et leur âme se ferme à celui de tous les sentiments qui a le plus grand besoin de loisir, et qui rend le plus incapable de toute occupation raisonnable et suivie.

Toute cette préface n'est faite que pour crier que ce livre-ci a le malheur de ne pouvoir être compris que par des gens qui se sont trouvé le loisir de faire des folies. Beaucoup de personnes se tiendront pour offensées, et j'espère qu'elles n'iront pas plus loin.

★ Voir page 120 des *Mémoires* de Dangeau, édition Genlis.

DEUXIÈME PRÉFACE

Je n'écris que pour cent lecteurs, et de ces êtres mal-heureux, aimables, charmants, point hypocrites, point *moraux*, auxquels je voudrais plaire; j'en connais à peine un ou deux. De tout ce qui ment pour avoir de la consi-dération comme écrivain, je n'en fais aucun cas. Ces belles dames-là doivent lire le compte de leur cuisinière et le sermonnaire à la mode, qu'il s'appelle Massillon ou Mme Necker, pour pouvoir en parler avec les femmes graves qui dispensent la considération. Et qu'on le remarque bien, ce beau grade s'obtient toujours, en France, en se faisant le grand prêtre de quelque sottise. Avez-vous été dans votre vie six mois malheureux par amour ? dirais-je à quelqu'un qui voudrait lire ce livre.

Ou, si votre âme n'a senti dans la vie d'autre malheur que celui de penser à un procès, ou de n'être pas nommé député à la dernière élection, ou de passer pour avoir moins d'esprit qu'à l'ordinaire à la dernière saison des eaux d'Aix, — je continuerai mes questions indiscrètes, et vous demanderai si vous avez lu dans l'année quelqu'un de ces ouvrages insolents qui forcent le lecteur à penser ? Par exemple, l'*Émile* de J.-J. Rousseau, ou les six volumes de Montaigne ? Que si vous n'avez jamais été malheureux par cette faiblesse des âmes fortes, que si vous n'avez pas l'habitude, contre nature, de penser en lisant, ce livre-ci vous donnera de l'humeur contre l'auteur; car il vous fera soupçonner qu'il existe un certain bonheur que vous ne connaissez pas, et que connaissait Mlle de Lespinasse.

TROISIÈME PRÉFACE

Je viens solliciter l'indulgence du lecteur pour la forme singulière de cette *Physiologie de l'Amour*.

Il y a vingt-huit ans que les bouleversements qui suivirent la chute de Napoléon me privèrent de mon état et me jetèrent, immédiatement après les horreurs de la retraite de Russie, au milieu d'une ville aimable où je comptais bien passer le reste de mes jours, ce qui m'enchantait. Dans l'heureuse Lombardie, à Milan, à Venise, la grande, ou, pour mieux dire, l'unique affaire de la vie, c'est le plaisir. Là, aucune attention pour les faits et gestes du voisin; on ne s'y préoccupe de ce qui nous arrive qu'à peine. Si l'on aperçoit l'existence du voisin, on ne songe pas à le haïr. Si l'on ôte l'envie des occupations d'une ville de province, en France, que reste-t-il ? L'absence, l'impossibilité de la cruelle envie, forme la partie la plus certaine de ce bonheur, qui attire tous les provinciaux à Paris.

A la suite des bals masqués du carnaval de 1820, qui furent plus brillants que de coutume, la société de Milan vit éclater cinq ou six démarches complètement folles; bien que l'on soit accoutumé dans ce pays-là à des choses qui passeraient pour incroyables en France, l'on s'en occupa un mois entier. Le ridicule ferait peur dans ce pays-ci à des actions tellement baroques; j'ai besoin de beaucoup d'audace seulement pour oser en parler.

Un soir, qu'on raisonnait profondément sur les effets et les causes de ces extravagances, chez l'aimable Mme Pietra Grua, qui, par extraordinaire, ne se trouvait mêlée à aucune de ces folies, je vins à penser qu'avant un an, peut-être, il ne me resterait qu'un souvenir bien incertain de ces faits étranges et des causes qu'on leur attribuait. Je me saisis d'un programme de concert, sur

lequel j'écrivis quelques mots au crayon. On voulut
faire un *pharaon;* nous étions trente assis autour d'une
table verte; mais la conversation était tellement animée,
qu'on oubliait de jouer. Vers la fin de la soirée survint le
colonel Scotti, un des hommes les plus aimables de
l'armée italienne; on lui demanda son contingent de circonstances relatives aux faits bizarres qui nous occupaient;
il nous raconta, en effet, des choses dont le hasard l'avait
rendu le confident, et qui leur donnaient un aspect tout
nouveau. Je repris mon programme de concert, et
j'ajoutai ces nouvelles circonstances.

Ce recueil de particularités sur l'amour a été continué
de la même manière, au crayon et sur des chiffons de
papier, pris dans les salons où j'entendais raconter les
anecdotes. Bientôt je cherchai une loi commune pour
reconnaître les divers degrés. Deux mois après, la peur
d'être pris pour un *carbonaro* me fit revenir à Paris,
seulement pour quelques mois, à ce que je croyais;
mais jamais je n'ai revu Milan, où j'avais passé sept
années.

A Paris je mourais d'ennui; j'eus l'idée de m'occuper
encore de l'aimable pays d'où la peur m'avait chassé; je
réunis en liasse mes morceaux de papier, et je fis cadeau
du cahier à un libraire; mais bientôt une difficulté survint; l'imprimeur déclara qu'il lui était impossible de
travailler sur des notes écrites au crayon. Je vis bien
qu'il trouvait cette sorte de copie au-dessous de sa
dignité. Le jeune apprenti d'imprimerie qui me rappor-
tait mes notes paraissait tout honteux du mauvais
compliment dont on l'avait chargé; il savait écrire : je
lui dictai les notes au crayon.

Je compris aussi que la discrétion me faisait un devoir
de changer les noms propres et surtout d'écourter les
anecdotes. Quoiqu'on ne lise guère à Milan, ce livre, si
on l'y portait, eût pu sembler une atroce méchanceté.

Je publiai donc un livre malheureux. J'aurai la hardiesse d'avouer qu'à cette époque j'avais l'audace de
mépriser le style élégant. Je voyais le jeune apprenti
tout occupé d'éviter les terminaisons de phrases peu
sonores et les suites de mots formant des sons baroques.
En revanche, il ne se faisait faute de changer à tout bout
de champ les circonstances des faits difficiles à exprimer :
Voltaire, lui-même, a peur des choses difficiles à dire.

L'*Essai sur l'Amour* ne pouvait valoir que par le nombre
de petites nuances de sentiment que je priais le lecteur

de vérifier dans ses souvenirs, s'il était assez heureux pour en avoir. Mais il y avait bien pis; j'étais alors, comme toujours, fort peu expérimenté en choses littéraires; le libraire auquel j'avais fait cadeau du manuscrit l'imprima sur mauvais papier et dans un format ridicule. Aussi, me dit-il au bout d'un mois, comme je lui demandais des nouvelles du livre : « On peut dire qu'il est sacré, car personne n'y touche. »

Je n'avais pas même eu l'idée de solliciter des articles dans les journaux; une telle chose m'eût semblé une ignominie. Aucun ouvrage, cependant, n'avait un plus pressant besoin d'être recommandé à la patience du lecteur. Sous peine de paraître inintelligible dès les premières pages, il fallait porter le public à accepter le mot nouveau de *cristallisation*, proposé pour exprimer vivement cet ensemble de folies étranges que l'on se figure comme vraies et même comme indubitables à propos de la personne aimée.

En ce temps-là, tout pénétré, tout amoureux des moindres circonstances que je venais d'observer dans cette Italie que j'adorais, j'évitais soigneusement toutes les concessions, toutes les aménités de style qui eussent pu rendre l'*Essai sur l'Amour* moins singulièrement baroque aux yeux des gens de lettres.

D'ailleurs, je ne flattais point le public; c'était l'époque où, toute froissée de nos malheurs, si grands et si récents, la littérature semblait n'avoir d'autre occupation que de consoler notre vanité malheureuse; elle faisait rimer gloire avec victoire, guerriers avec lauriers, etc. L'ennuyeuse littérature de cette époque semble ne chercher jamais les circonstances vraies des sujets qu'elle a l'air de traiter; elle ne veut qu'une occasion de compliments pour ce peuple esclave de la mode, qu'un grand homme avait appelé la grande nation, oubliant qu'elle n'était grande qu'avec la condition de l'avoir pour chef.

Le résultat de mon ignorance des conditions du plus humble succès fut de ne trouver que dix-sept lecteurs de 1822 à 1833; c'est à peine si, après vingt ans d'existence, l'*Essai sur l'Amour* a été compris d'une centaine de curieux. Quelques-uns ont eu la patience d'observer les diverses phases de cette maladie chez les personnes atteintes autour d'eux; car, pour comprendre cette passion, que depuis trente ans la peur du ridicule cache avec tant de soin parmi nous, il faut en parler comme d'une maladie; c'est par ce chemin-là que l'on peut arriver quelquefois à la guérir.

Ce n'est, en effet, qu'après un demi-siècle de révolutions qui tour à tour se sont emparées de toute notre attention; ce n'est, en effet, qu'après cinq changements complets dans la forme et dans les tendances de nos gouvernements, que la révolution commence seulement à entrer dans nos mœurs. L'amour, ou ce qui le remplace le plus communément en lui volant son nom, l'amour pouvait tout en France sous Louis XV : les femmes de la cour faisaient des colonels; cette place n'était rien moins que la plus belle du pays. Après cinquante ans, il n'y a plus de cour, et les femmes les plus accréditées dans la bourgeoisie régnante, ou dans l'aristocratie boudante, ne parviendraient pas à faire donner un débit de tabac dans le moindre bourg.

Il faut bien l'avouer, les femmes ne sont plus à la mode; dans nos salons si brillants, les jeunes gens de vingt ans affectent de ne point leur adresser la parole; ils aiment bien mieux entourer le parleur grossier qui, avec son accent de province, traite de la question des *capacités*, et tâcher d'y glisser leur mot. Les jeunes gens riches qui se piquent de paraître frivoles, afin d'avoir l'air de continuer la bonne compagnie d'autrefois, aiment bien mieux parler *chevaux* et jouer gros jeu dans des *cercles* où les femmes ne sont point admises. Le sang-froid mortel qui semble présider aux relations des jeunes gens avec les femmes de vingt-cinq ans, que l'ennui du mariage rend à la société, fera peut-être accueillir, par quelques esprits sages, cette description scrupuleusement exacte des phases successives de la maladie que l'on appelle amour.

L'effroyable changement qui nous a précipités dans l'ennui actuel et qui rend inintelligible la société de 1778, telle que nous la trouvons dans les lettres de Diderot à Mlle Volland, sa maîtresse, ou dans les mémoires de Mme d'Epinay, peut faire rechercher lequel de nos gouvernements successifs a tué parmi nous la faculté de s'amuser, et nous a rapprochés du peuple le plus triste de la terre. Nous ne savons pas même copier leur *parlement* et l'honnêteté de leurs partis, la seule chose passable qu'ils aient inventée. En revanche, la plus stupide de leurs tristes conceptions, l'esprit de dignité, est venu remplacer parmi nous la gaieté française, qui ne se rencontre plus guère que dans les cinq cents bals de la banlieue de Paris, ou dans le midi de la France, passé Bordeaux.

Mais lequel de nos gouvernements successifs nous a valu l'affreux malheur de nous *angliser* ? Faut-il accuser ce gouvernement énergique de 1793, qui empêcha les étrangers de venir camper sur Montmartre ? ce gouvernement qui, dans peu d'années, nous semblera héroïque, et forme le digne prélude de celui qui, sous Napoléon, alla porter notre nom dans toutes les capitales de l'Europe.

Nous oublierons la bêtise bien intentionnée du Directoire, illustré par les talents de Carnot et par l'immortelle campagne de 1796-1797, en Italie.

La corruption de la cour de Barras rappelait encore la gaieté de l'ancien régime ; les grâces de Mme Boṅaparte montraient que nous n'avions dès lors aucune prédilection pour la maussaderie et la morgue des Anglais.

La profonde estime dont, malgré l'esprit d'envie du faubourg Saint-Germain, nous ne pûmes nous défendre pour la façon de gouverner du premier consul, et les hommes du premier mérite qui inondèrent la société de Paris, tels que les Cretet, les Daru, les..., ne permettent pas de faire peser sur l'Empire la responsabilité du changement notable qui s'est opéré dans le caractère français pendant cette première moitié du XIXe siècle.

Inutile de pousser plus loin mon examen : le lecteur réfléchira et saura bien conclure...

DES FIASCO
(INÉDIT)

« Tout l'empire amoureux est rempli d'histoires tragiques », dit Mme de Sévigné, racontant le malheur de son fils auprès de la célèbre Champmeslé.

Montaigne se tire fort bien d'un sujet si scabreux.

« Je suis encore en ce doute que ces plaisantes liaisons d'aiguillettes, de quoy nostre monde se void si entravé, qu'il ne se parle d'autre chose, ce sont volontiers des impressions de l'appréhension et de la crainte; car je sçay par expérience que tel de qui ie puis responde comme de moy-mesme, en qui il ne pouvoit cheoir soupçon aucun de foiblesse, et aussi peu d'enchantement, ayant oüy faire le conte à un sien compagnon d'une défaillance extraordinaire, en quoy il estoit tombé sur le poinct qu'il en avoit le moins de besoin, se trouvant en pareille occasion, l'horreur de ce conte luy vint à coup si rudement frapper l'imagination, qu'il en courut une fortune pareille. Et de là en hors fut subject à y rechoir, ce vilain souvenir de son inconvénient le gourmandant et le tyrannisant. Il trouva quelque remède à cette resverie par une autre resverie. C'est que, advouant luy-mesme, et preschant, avant la main, cette sienne subjection, la contention de son asme se soulageoit sur ce que, apportant ce mal comme attendu, son obligation s'en amoindrissoit et lui en poisoit moins...

« Qui en a esté une fois capable n'en est plus incapable, sinon par juste foiblesse. Ce malheur n'est à craindre qu'aux entreprises où notre asme se trouve outre mesure tendue de désir et de respect... J'en sçay à qui il a servy d'y apporter le corps mesme, demy rassasié d'ailleurs... L'asme de l'assaillant, troublée de plusieurs diverses allarmes, se perd aisément... La bru de Pythagoras disoit que la femme qui se couche avec un homme doit

avec sa cotte laisser quant et quant la honte, et la reprendre avec sa cotte. »

Cette femme avait raison pour la galanterie et tort
pour l'Amour.

Le premier triomphe, mettant à part toute vanité,
n'est directement agréable pour aucun homme :

1º A moins qu'il n'ait pas eu le temps de désirer cette
femme et de la livrer à son imagination, c'est-à-dire à
moins qu'il ne l'ait dans les premiers moments qu'il la
désire. C'est le cas du plus grand plaisir physique possible; car toute l'âme s'applique encore à voir les beautés
sans songer aux obstacles.

2º Ou à moins qu'il ne soit question d'une femme
absolument sans conséquence, une jolie femme de
chambre, par exemple, une de ces femmes que l'on ne se
souvient de désirer que quand on les voit. S'il entre un
grain de passion dans le cœur, il entre un grain de *fiasco*
possible.

3º Ou à moins que l'amant n'ait sa maîtresse d'une
manière si imprévue, qu'elle ne lui laisse pas le temps de
la moindre réflexion.

4º Ou à moins d'un amour dévoué et excessif de la part
de la femme, et non senti au même degré par son amant.

Plus un homme est éperdument amoureux, plus grande
est la violence qu'il est obligé de se faire pour oser toucher
aussi familièrement, et risquer de fâcher un être qui,
pour lui, semblable à la Divinité, lui inspire à la fois
l'extrême amour et le respect extrême.

Cette crainte-là, suite d'une passion fort tendre, et dans
l'*amour-goût* la mauvaise honte qui provient d'un immense
désir de plaire et du manque de courage, forment un
sentiment extrêmement pénible que l'on sent en soi
insurmontable, et dont on rougit. Or, si l'âme est occupée
à avoir de la honte et à la surmonter, elle ne peut pas
être employée à avoir du plaisir; car, avant de songer au
plaisir, qui est un luxe, il faut que la *sûreté*, qui est le
nécessaire, ne coure aucun risque.

Il est des gens qui, comme Rousseau, éprouvent de la
mauvaise honte, même chez les filles; ils n'y vont pas, car
on ne les a qu'une fois, et cette première fois est désagréable.

Pour voir que, vanité à part, le premier triomphe est
très souvent un effort pénible, il faut distinguer entre
le plaisir de l'aventure et le bonheur du mouvement qui
la suit; on est tout content :

1º De se trouver enfin dans cette situation qu'on a tant désirée; d'être en possession d'un bonheur parfait pour l'avenir, et d'avoir passé le temps de ces rigueurs si cruelles qui vous faisaient douter de l'amour de ce que vous aimiez;

2º De s'en être bien tiré, et d'avoir échappé à un danger; cette circonstance fait que ce n'est pas de la joie pure dans l'*amour-passion;* on ne sait ce qu'on fait, et l'on est sûr de ce qu'on aime; mais dans l'*amour-goût,* qui ne perd jamais la tête, ce moment est comme le retour d'un voyage; on s'examine, et, si l'amour tient beaucoup de la vanité, on veut masquer l'examen;

3º La partie vulgaire de l'âme jouit d'avoir emporté une victoire.

Pour peu que vous ayez de passion pour une femme, ou que votre imagination ne soit pas épuisée, si elle a la maladresse de vous dire un soir d'un air tendre et interdit : « Venez demain à midi, je ne recevrai personne », par agitation nerveuse vous ne dormirez pas de la nuit : l'on se figure de mille manières le bonheur qui nous attend; la matinée est un supplice; enfin, l'heure sonne, et il semble que chaque coup de l'horloge vous retentit dans le diaphragme. Vous vous acheminez vers la rue avec une palpitation; vous n'avez pas la force de faire un pas. Vous apercevez derrière sa jalousie la femme que vous aimez; vous montez en vous faisant courage.. et vous faites le *fiasco d'imagination.*

M. Rapture, homme excessivement nerveux, artiste et tête étroite, me contait à Messine que, non seulement toutes les premières fois, mais même à tous les rendez-vous, il a toujours eu du malheur. Cependant, je croirais qu'il a été homme tout autant qu'un autre; du moins je lui ai connu deux maîtresses charmantes.

Quant au sanguin parfait (le vrai Français, qui prend tout du beau côté, le colonel Mathis), un rendez-vous pour demain à midi, au lieu de le tourmenter par excès de sentiment, peint tout en couleur de rose jusqu'au moment fortuné. S'il n'eût pas eu de rendez-vous, le sanguin se serait un peu ennuyé.

Voyez l'analyse de l'amour par Helvétius; je parierais qu'il sentait ainsi, et il écrivait pour la majorité des hommes. Ces gens-là ne sont guère susceptibles de l'*amour-passion;* il troublerait leur belle tranquillité; je crois qu'ils prendraient ses transports pour du malheur; du moins ils seraient humiliés de sa timidité.

Le sanguin ne peut connaître tout au plus qu'une espèce de *fiasco* moral : c'est lorsqu'il reçoit un rendez-vous de Messaline et que, au moment d'entrer dans son lit, il vient à penser devant quel terrible juge il va se montrer.

Le timide tempérament mélancolique parvient quelquefois à se rapprocher du sanguin, comme dit Montaigne, par l'ivresse du vin de Champagne, pourvu toutefois qu'il ne se la donne pas exprès. Sa consolation doit être que ces gens si brillants qu'il envie, et dont jamais il ne saurait approcher, n'ont ni ses plaisirs divins ni ses accidents, et que les beaux-arts, qui se nourrissent des timidités de l'amour, sont pour eux lettres closes. L'homme qui ne désire qu'un bonheur commun, comme Duclos, le trouve souvent, n'est jamais malheureux, et, par conséquent, n'est pas sensible aux arts.

Le tempérament athlétique ne trouve ce genre de malheur que par épuisement ou faiblesse corporelle, au contraire des tempéraments nerveux et mélancoliques, qui semblent créés tout exprès.

Souvent, en se fatiguant auprès d'une autre femme, ces pauvres mélancoliques parviennent à éteindre un peu leur imagination, et par là à jouer un moins triste rôle auprès de la femme objet de leur passion.

Que conclure de tout ceci ? Qu'une femme sage ne se donne jamais la première fois par rendez-vous. — Ce doit être un bonheur imprévu.

Nous parlions ce soir de *fiasco* à l'état-major du général Michaud, cinq très beaux jeunes gens de vingt-cinq à trente ans et moi. Il s'est trouvé que, à l'exception d'un fat, qui probablement n'a pas dit vrai, nous avions tous fait *fiasco* la première fois avec nos maîtresses les plus célèbres. Il est vrai que peut-être aucun de nous n'a connu ce que Delfante appelle l'*amour-passion*.

L'idée que ce malheur est extrêmement commun doit diminuer le danger.

J'ai connu un beau lieutenant de hussards, de vingt-trois ans, qui, à ce qu'il me semble, par excès d'amour, les trois premières nuits qu'il put passer avec une maîtresse qu'il adorait depuis six mois, et qui, pleurant un autre amant tué à la guerre, l'avait traité fort durement, ne put que l'embrasser et pleurer de joie. Ni lui ni elle n'étaient attrapés.

L'ordonnateur H. Mondor, connu de toute l'armée,

a fait *fiasco* trois jours de suite avec la jeune et séduisante comtesse Koller.

Mais le roi du *fiasco*, c'est le raisonnable et beau colonel Horse, qui a fait *fiasco* seulement trois mois de suite avec l'espiègle et piquante N[ina] V[igano], et, enfin, a été réduit à la quitter sans l'avoir jamais eue.

Il y avait à Valence, en Espagne, deux amies, femmes très honnêtes, et des familles les plus distinguées. L'une d'elles fut courtisée par un officier français, qui l'aima avec passion, et au point de manquer la croix après une bataille, en restant dans un cantonnement auprès d'elle, au lieu d'aller au quartier général faire la cour au général en chef.

A la fin, il en fut aimé. Après sept mois de froideur aussi désespérante le dernier jour que le premier, elle lui dit un soir : « Bon Joseph, je suis à vous. » Il restait l'obstacle d'un mari, homme d'infiniment d'esprit, mais le plus jaloux des hommes. En ma qualité d'ami, j'ai dû lire avec lui toute l'histoire de Pologne, de Rulhière, qu'il n'entendait pas bien. Il s'écoula trois mois sans qu'on pût le tromper. Il y avait un télégraphe les jours de fêtes, pour indiquer l'église où l'on irait à la messe.

Un jour, je vis mon ami plus sombre qu'à l'ordinaire ; voici ce qui allait se passer. L'amie intime de doña Inezilla était dangereusement malade. Celle-ci demanda à son mari, la permission de passer la nuit auprès de la malade, ce qui fut aussitôt accordé, à condition que le mari choisirait le jour. Un soir, il conduit doña Inezilla chez son amie, et dit, en badinant et comme inopinément, qu'il dormira fort bien sur un canapé, dans un petit salon attenant à la chambre à coucher, et dont la porte fut laissée ouverte. Depuis onze jours, tous les soirs, l'officier français passait deux heures, caché sous le lit de la malade. Je n'ose ajouter le reste.

Je ne crois pas que la vanité permette ce degré d'amitié à une Française.

LE RAMEAU DE SALZBOURG

Aux mines de sel de Hallein, près de Salzbourg, les mineurs jettent dans les profondeurs abandonnées de la mine un rameau d'arbre effeuillé par l'hiver; deux ou trois mois après, par l'effet des eaux chargées de parties salines, qui humectent ce rameau et ensuite le laissent à sec en se retirant, ils le trouvent tout couvert de cristallisations brillantes. Les plus petites branches, celles qui ne sont pas plus grosses que la patte d'une mésange, sont incrustées d'une infinité de petits cristaux mobiles et éblouissants. On ne peut plus reconnaître le rameau primitif; c'est un petit jouet d'enfant très joli à voir. Les mineurs d'Hallein ne manquent pas, quand il fait un beau soleil et que l'air est parfaitement sec, d'offrir de ces rameaux de diamants aux voyageurs qui se préparent à descendre dans la mine. Cette descente est une opération singulière. On se met à cheval sur d'immenses troncs de sapin, placés en pente à la suite les uns des autres. Ces troncs de sapin sont fort gros et l'office de cheval, qu'ils font depuis un siècle ou deux, les a rendus complètement lisses. Devant la selle, sur laquelle vous êtes posé et qui glisse sur les troncs de sapin placés bout à bout, s'établit un mineur qui, assis sur son tablier de cuir, glisse devant vous et se charge de vous empêcher de descendre trop vite.

Avant d'entreprendre ce voyage rapide, les mineurs engagent les dames à se revêtir d'un immense pantalon de serge grise, dans lequel entre leur robe, ce qui leur donne la tournure la plus comique. Je visitai ces mines si pittoresques d'Hallein, dans l'été de 18..., avec Mme Gherardi. D'abord, il n'avait été question que de fuir la chaleur insupportable que nous éprouvions à Bologne, et d'aller prendre le frais au mont Saint-Gothard. En

trois nuits nous eûmes traversé les marais pestilentiels de
Mantoue et le délicieux lac de Garde, et nous arrivâmes à
Riva, à Bolzano, à Inspruck.

Mme Gherardi trouva ces montagnes si jolies, que,
partis pour une promenade, nous finîmes par un voyage.
Suivant les rives de l'Inn et ensuite celles de la Salza,
nous descendîmes jusqu'à Salzbourg. La fraîcheur charmante de ce revers des Alpes, du côté du Nord, comparée
à l'air étouffé et à la poussière que nous venions de laisser
dans la plaine de Lombardie, nous donnait chaque matin
un plaisir nouveau et nous engageait à pousser plus
avant. Nous achetâmes des vestes de paysans à Golling.
Souvent nous trouvions de la difficulté à nous loger et
même à vivre; car notre caravane était nombreuse; mais
ces embarras, ces malheurs, étaient des plaisirs.

Nous arrivâmes de Golling à Hallein, ignorant jusqu'à
l'existence de ces jolies mines de sel dont je parlais. Nous
y trouvâmes une nombreuse société de curieux, au
milieu desquels nous débutâmes en vestes de paysans et
nos dames avec d'énormes capotes de paysannes, dont
elles s'étaient pourvues. Nous allâmes à la mine sans la
moindre idée de descendre dans les galeries souterraines;
la pensée de se mettre à cheval pour une route de trois
quarts de lieue, sur une monture de bois, semblait singulière, et nous craignions d'étouffer au fond de ce
vilain trou noir. Mme Gherardi le considéra un instant
et déclara que, pour elle, elle allait descendre et nous
laissait toute liberté.

Pendant les préparatifs, qui furent longs, car, avant de
nous engouffrer dans cette cavité fort profonde, il fallut
chercher à dîner, je m'amusai à observer ce qui se passait
dans la tête d'un joli officier bien blond des chevau-légers
bavarois. Nous venions de faire connaissance avec cet
aimable jeune homme, qui parlait français, et nous était
fort utile pour nous faire entendre des paysans allemands
de Hallein. Ce jeune officier, quoique très joli, n'était
point fat, et, au contraire, paraissait homme d'esprit; ce
fut Mme Gherardi qui fit cette découverte. Je voyais
l'officier devenir amoureux à vue d'œil de la charmante
Italienne, qui était folle de plaisir de descendre dans une
mine et de l'idée que bientôt nous nous trouverions à
cinq cents pieds sous terre. Mme Gherardi, uniquement
occupée de la beauté des puits, des grandes galeries, et
de la difficulté vaincue, était à mille lieues de songer à
plaire, et encore plus de songer à être charmée par qui

que ce soit. Bientôt je fus étonné des étranges confidences
que me fit, sans s'en douter, l'officier bavarois. Il était
tellement occupé de la figure céleste, animée par un
esprit d'ange, qui se trouvait à la même table que lui,
dans une petite auberge de montagne, à peine éclairée
par des fenêtres garnies de vitres vertes, que je remarquai
que souvent il parlait sans savoir à qui, ni ce qu'il disait.
J'avertis Mme Gherardi, qui, sans moi, perdait ce spectacle, auquel une jeune femme n'est peut-être jamais
insensible. Ce qui me frappait, c'était la nuance de folie
qui, sans cesse, augmentait dans les réflexions de l'officier; sans cesse il trouvait à cette femme des perfections
plus invisibles à mes yeux. A chaque moment, ce qu'il
disait peignait d'une manière *moins ressemblante* la
femme qu'il commençait à aimer. Je me disais : « La
Ghita n'est assurément que l'occasion de tous les ravis-
sements de ce pauvre Allemand. » Par exemple, il se mit
à vanter la main de Mme Gherardi, qu'elle avait eue
frappée, d'une manière fort étrange, par la petite-vérole,
étant enfant, et qui en était restée très marquée et assez
brune.

  « Comment expliquer ce que je vois ? me disais-je.
Où trouver une comparaison pour rendre ma pensée plus
claire ? »

  A ce moment, Mme Gherardi jouait avec le joli rameau
couvert de diamants mobiles, que les mineurs venaient de
lui donner. Il faisait un beau soleil : c'était le 3 août, et les
petits prismes salins jetaient autant d'éclat que les plus
beaux diamants dans une salle de bal fort éclairée.
L'officier bavarois, à qui était échu un rameau plus singulier et plus brillant, demanda à Mme Gherardi de
changer avec lui. Elle y consentit; en recevant ce rameau
il le pressa sur son cœur avec un mouvement si comique,
que tous les Italiens se mirent à rire. Dans son trouble,
l'officier adressa à Mme Gherardi les compliments les
plus exagérés et les plus sincères. Comme je l'avais pris
sous ma protection, je cherchais à justifier la folie de ses
louanges. Je disais à Ghita : « L'effet que produit sur ce
jeune homme la noblesse de vos traits italiens, de ces
yeux tels qu'il n'en a jamais vus, est précisément semblable à celui que la cristallisation a opéré sur la petite
branche de charmille que vous tenez et qui vous semble
si jolie. Dépouillée de ses feuilles par l'hiver, assurément
elle n'était rien moins qu'éblouissante. La cristallisation
du sel a recouvert les branches noirâtres de ce rameau

avec des diamants si brillants et en si grand nombre,
que l'on ne peut plus voir qu'à un petit nombre de places
ses branches telles qu'elles sont.

— Eh bien! que voulez-vous conclure de là? dit
Mme Gherardi.

— Que ce rameau représente fidèlement la Ghita,
telle que l'imagination de ce jeune officier la voit.

— C'est-à-dire, monsieur, que vous apercevez autant
de différence entre ce que je suis en réalité et la manière
dont me voit cet aimable jeune homme qu'entre une
petite branche de charmille desséchée et la jolie aigrette
de diamants que ces mineurs m'ont offerte.

— Madame, le jeune officier découvre en vous des
qualités que nous, vos anciens amis, nous n'avons jamais
vues. Nous ne saurions apercevoir, par exemple, un air
de bonté tendre et compatissante. Comme ce jeune
homme est Allemand, la première qualité d'une femme,
à ses yeux, est la *bonté* et, sur-le-champ, il aperçoit dans
vos traits l'expression de la bonté. S'il était Anglais, il
verrait en vous l'air aristocratique et *lady-like* * d'une
duchesse, mais, s'il était moi, il vous verrait telle que
vous êtes, parce que depuis longtemps, et pour mon
malheur, je ne puis rien me figurer de plus séduisant.

— Ah! j'entends, dit Ghita; au moment où vous
commencez à vous occuper d'une femme, vous ne la
voyez plus *telle qu'elle est réellement*, mais telle qu'il vous
convient qu'elle soit. Vous comparez les illusions favorables que produit ce commencement d'intérêt à ces
jolis diamants qui cachent la branche de charmille
effeuillée par l'hiver, et qui ne sont aperçus, remarquez-le
bien, que par l'œil de ce jeune homme qui commence à
aimer.

— C'est, repris-je, ce qui fait que les propos des
amants semblent si ridicules aux gens sages, qui ignorent
le phénomène de la cristallisation.

— Ah! vous appelez cela *cristallisation*, dit Ghita; eh
bien! monsieur, cristallisez pour moi. »

Cette image, singulière peut-être, frappa l'imagination
de Mme Gherardi, et quand nous fûmes arrivés dans la
grande salle de la mine, illuminée par cent petites lampes
qui paraissaient être dix mille, à cause des cristaux de sel
qui les reflétaient de tous côtés : « Ah! ceci est fort joli,
dit-elle au jeune Bavarois, je cristallise pour cette salle,

_____
* L'air grande dame.

je sens que je m'exagère sa beauté; et vous, cristallisez-vous ?

— Oui, madame, » répondit naïvement le jeune officier, ravi d'avoir un sentiment commun avec cette belle Italienne; mais pour cela n'en comprenant pas davantage ce qu'elle lui disait. Cette réponse simple nous fit rire aux larmes, parce qu'elle décida la jalousie du sot que Ghita aimait et qui commença à devenir sérieusement jaloux de l'officier bavarois. Il prit le mot *cristallisation* en horreur.

Au sortir de la mine d'Hallein, mon nouvel ami, le jeune officier, dont les confidences involontaires m'amusaient beaucoup plus que tous les détails de l'exploitation du sel, apprit de moi que Mme Gherardi s'appelait *Ghita*, et que l'usage, en Italie, était de l'appeler devant elle *la Ghita*. Le pauvre garçon, tout tremblant, hasarda de l'appeler, en lui parlant, *la Ghita*, et Mme Gherardi, amusée de l'air timidement passionné du jeune homme et de la mine profondément irritée d'une autre personne, invita l'officier à déjeuner pour le lendemain, avant notre départ pour l'Italie. Dès qu'il se fut éloigné : — « *Ah çà!* expliquez-moi, ma chère amie, dit le personnage irrité, pourquoi vous nous donnez la compagnie de ce blondin fade et aux yeux hébétés ?

— Parce que, Monsieur, après dix jours de voyage, passant toute la journée avec moi, vous me voyez tous telle que je suis, et ces yeux fort tendres et que vous appelez *hébétés* me voient parfaite. N'est-ce pas, Filippo, ajouta-t-elle en me regardant, ces yeux-là me couvrent d'une *cristallisation* brillante; je suis pour vous la perfection; et, ce qu'il y a d'admirable, c'est que quoi que je fasse, quelque sottise qu'il m'arrive de dire, aux yeux de ce bel Allemand, je ne sortirai jamais de la perfection : cela est commode. Par exemple, vous, Annibalino (l'amant que nous trouvions un peu sot s'appelait le colonel Annibal), je parie que, dans ce moment, vous ne me trouvez pas exactement parfaite ? Vous pensez que je fais mal d'admettre ce jeune homme dans ma société. Savez-vous ce qui vous arrive, mon cher ? Vous ne *cristallisez* plus pour moi. »

Le mot *cristallisation* devint à la mode parmi nous, et il avait tellement frappé l'imagination de la belle Ghita, qu'elle l'adopta pour tout.

De retour à Bologne, on ne racontait guère d'anecdotes d'amour dans sa loge qu'elle ne m'adressât la parole. « Ce trait-ci confirme ou détruit telle de nos théories », me disait-elle. Les actes de folie répétés, par lesquels un amant aperçoit toutes les perfections dans la femme qu'il commence à aimer, s'appelèrent toujours *cristallisation* entre nous. Ce mot nous rappelait le plus aimable voyage. De ma vie je ne sentis si bien la beauté touchante et solitaire des rives du lac de Garde; nous passâmes dans des barques des soirées délicieuses, malgré la chaleur étouffante. Nous trouvâmes de ces instants qu'on n'oublie plus : ce fut un des moments brillants de notre jeunesse.

Un soir, quelqu'un vint nous donner la nouvelle que la princesse Lanfranchi et la belle Florenza se disputaient le cœur du jeune peintre Oldofredi. La pauvre princesse semblait en être réellement éprise, et le jeune artiste milanais ne paraissait occupé que des charmes de Florenza. On se demandait : « Oldofredi est-il amoureux ? » Mais je supplie le lecteur de croire que je ne prétends pas justifier·ce genre de conversation, dans lequel on a l'impertinence de ne pas se conformer aux règles imposées par les convenances françaises. Je ne sais pourquoi ce soir-là notre amour-propre s'obstina à deviner si le peintre milanais était amoureux de la belle Florenza.

On se perdit dans la discussion d'un grand nombre de petits faits. Quand nous fûmes las de fixer notre attention sur des nuances presque imperceptibles, et qui, au fond, n'étaient guère concluantes, Mme Gherardi se mit à nous raconter le petit roman qui, suivant elle, se passait dans le cœur d'Oldofredi. Dès le commencement de son récit, elle eut le malheur de se servir du mot *cristallisation;* le colonel Annibal, qui avait toujours sur le cœur la jolie figure de l'officier bavarois, fit semblant de ne pas comprendre, et nous redemanda pour la centième fois ce que nous entendions par le mot *cristallisation*. « C'est ce que je ne sens pas pour vous, lui répondit vivement Mme Gherardi. » Après quoi, l'abandonnant dans son coin, avec son humeur noire, et nous adressant la parole : « Je crois, dit-elle, qu'un homme commence à aimer quand je le vois triste. » Nous nous récriâmes aussitôt : « Comment! l'amour, *ce sentiment délicieux qui commence si bien...* — Et qui quelquefois finit si mal, par de l'humeur, par des querelles, dit Mme Gherardi en riant et regardant Annibal. Je comprends votre objection. Vous autres, hommes grossiers, vous ne voyez qu'une chose dans la naissance de l'amour : on aime ou l'on n'aime pas. C'est ainsi que le vulgaire s'imagine que le chant de tous les rossignols se ressemble ; mais nous, qui prenons plaisir à l'entendre, savons qu'il y a pourtant dix nuances différentes de rossignol à rossignol. — Il me semble pourtant, madame, dit quelqu'un, qu'on aime ou qu'on n'aime pas. — Pas du tout, monsieur ; c'est tout comme si vous disiez qu'un homme qui part de Bologne pour aller à Rome est déjà arrivé aux portes de Rome quand, du haut de l'Apennin, il voit encore notre tour Garisenda. Il y a loin de l'une de ces deux villes à l'autre, et l'on peut être au quart du chemin, à la moitié, aux trois quarts, sans pour cela être arrivé à Rome, et cependant l'on n'est plus à Bologne. — Dans cette belle comparaison, dis-je, Bologne représente apparemment l'*indifférence* et Rome l'*amour parfait*. — Quand nous sommes à Bologne, reprit Mme Gherardi, nous sommes tout à fait indifférents, nous ne songeons pas à admirer d'une manière particulière la femme dont un jour peut-être nous serons amoureux à la folie ; notre imagination songe bien moins encore à nous exagérer son mérite. En un mot, comme nous disions à Hallein, la *cristallisation* n'a pas encore commencé. »

A ces mots, Annibal se leva furieux, et sortit de la loge en nous disant : « Je reviendrai quand vous parlerez italien. » Aussitôt la conversation se fit en français, et tout le monde se prit à rire, même Mme Gherardi. « Eh bien ! voilà l'amour parti, dit-elle, et l'on rit encore. On sort de Bologne, on monte l'Appenin, l'on prend la route de Rome... — Mais, madame, dit quelqu'un, nous voilà bien loin du peintre Oldofredi, » ce qui lui donna un petit mouvement d'impatience qui, probablement, fit tout à fait oublier Annibal et sa brusque sortie. — « Voulez-vous savoir, nous dit-elle, ce qui se passe quand on quitte Bologne ? D'abord je crois ce départ complètement involontaire : c'est un mouvement instinctif. Je ne dis pas qu'il ne soit accompagné de beaucoup de plaisir. L'on admire, puis on se dit : « Quel plaisir d'être aimé de cette femme charmante ! » Enfin paraît l'espérance ; après l'espérance (souvent conçue bien légèrement, car l'on ne doute de rien, pour peu que l'on ait de chaleur dans le sang), après l'espérance, dis-je, on s'exagère avec délices la beauté et les mérites de la femme dont on espère être aimé. »

Pendant que Mme Gherardi parlait, je pris une carte à jouer, sur le revers de laquelle j'écrivis Rome d'un

côté et Bologne de l'autre, et, entre Bologne et Rome,
les quatre gîtes que Mme Gherardi venait d'indiquer.

BOLOGNE.   ROME.

1. L'admiration.

2. L'on arrive à ce second point de la route quand on se
dit : « Quel plaisir d'être aimé de cette femme charmante ! »

3. La naissance de l'espérance marque le troisième gîte.

4. L'on arrive au quatrième quand on s'exagère avec
délices la beauté et les mérites de la femme qu'on aime.
C'est ce que, nous autres adeptes, nous appelons du mot
de *cristallisation*, qui met Carthage en fuite. Dans le fait,
c'est difficile à comprendre.

Mme Gherardi continua : « Pendant ces quatre mouvements de l'âme, ou manières d'être, que Filippo vient de
dessiner, je ne vois pas la plus petite raison pour que
notre voyageur soit triste. Le fait est que le plaisir est
vif, qu'il réclame toute l'attention dont l'âme est susceptible. On est sérieux, mais l'on n'est point triste : la
différence est grande. — Nous entendons, madame, dit
un des assistants, vous ne parlez pas de ces malheureux
auxquels il semble que tous les rossignols rendent les
mêmes sons. — La différence entre être sérieux et être
triste *(l'esser serio* et *l'esser mesto)*, reprit Mme Gherardi,
est décisive lorsqu'il s'agit de résoudre un problème tel
que celui-ci : « Oldofredi aime-t-il la belle Florenza ? »
Je crois qu'Oldofredi aime, parce que, après avoir été
fort occupé de la Florenza, je l'ai vu triste et non pas
seulement sérieux. Il est triste, parce que voici ce qui lui
est arrivé. Après s'être exagéré le bonheur que pourrait
lui donner le caractère annoncé par la figure raphaé-
lesque, les belles épaules, les beaux bras, en un mot les
formes dignes de Canova de la belle marchesina Florenza,
il a probablement cherché à obtenir la confirmation des
espérances qu'il avait osé concevoir. Très probablement
aussi, la Florenza, effrayée d'aimer un étranger qui peut
quitter Bologne au premier moment, et surtout très
fâchée qu'il ait pu concevoir si tôt des espérances, les
lui aura ôtées avec barbarie. »

Nous avions le bonheur de voir tous les jours de la vie Mme Gherardi; une intimité parfaite régnait dans cette société; on s'y comprenait à demi-mot; souvent j'y ai vu rire de plaisanteries qui n'avaient pas eu besoin de la parole pour se faire entendre : un coup d'œil avait tout dit. Ici, un lecteur français s'apercevra qu'une jolie femme d'Italie se livre avec folie à toutes les idées bizarres qui lui passent par la tête. A Rome, à Bologne, à Venise, une jolie femme est reine absolue; rien ne peut être plus complet que le despotisme qu'elle exerce dans sa société. A Paris, une jolie femme a toujours peur de l'opinion et du bourreau de l'opinion : le *ridicule*. Elle a constamment au fond du cœur la crainte des plaisanteries, comme un roi absolu la crainte d'une charte. Voilà la secrète pensée qui vient la troubler au milieu d'une joie, de ses plaisirs, et lui donner tout à coup une mine sérieuse. Une Italienne trouverait bien ridicule cette autorité limitée qu'une femme de Paris exerce dans son salon. A la lettre, elle est toute-puissante sur les hommes qui l'approchent, et dont toujours le bonheur, du moins pendant la soirée, dépend d'un de ses caprices : j'entends le bonheur des simples amis. Si vous déplaisez à la femme qui règne dans une loge, vous voyez l'ennui dans ses yeux, et n'avez rien de mieux à faire que de disparaître pour ce jour-là.

Un jour, je me promenais avec Mme Gherardi sur la route de la *Cascata del Reno;* nous rencontrâmes Oldofredi seul, fort animé, l'air très préoccupé, mais point sombre. Mme Gherardi l'appela et lui parla, afin de mieux l'observer. « Si je ne me trompe, dis-je à Mme Gherardi, ce pauvre Oldofredi est tout à fait livré à la passion qu'il prend pour la Florenza; dites-moi, de grâce, à moi qui suis votre séide, à quel point de la maladie d'amour le croyez-vous arrivé maintenant ? — Je le vois, dit Mme Gherardi, se promenant seul, et qui se dit à chaque instant : « Oui, elle m'aime. » Ensuite il s'occupe à lui trouver de nouveaux charmes, à se détailler de nouvelles raisons de l'aimer à la folie. — Je ne le crois pas si heureux que vous le supposez. Oldofredi doit avoir souvent des doutes cruels; il ne peut pas être si sûr d'être aimé de la Florenza; il ne sait pas comme nous à quel point elle considère peu, dans ces sortes d'affaires, la richesse, le rang, la manière d'être dans le monde *. Oldofredi

---

* Tout est opposé entre la France et l'Italie. Par exemple, les richesses, la haute naissance, l'éducation parfaite, disposent à l'amour au delà des Alpes, et en éloignent en France.

est aimable, d'accord, mais ce n'est qu'un pauvre
étranger. — N'importe, dit Mme Gherardi, je parierais
que nous venons de le trouver dans un moment où les
raisons pour espérer l'emportaient. — Mais, dis-je, il avait
l'air trop profondément troublé ; il doit avoir des moments
de malheur affreux ; il se dit : « Mais, est-ce qu'elle
m'aime ? » — J'avoue, reprit Mme Gherardi, oubliant
presque qu'elle me parlait, que, quand la réponse qu'on
se fait à soi-même est satisfaisante, il y a des moments de
bonheur divin et tels que peut-être rien au monde ne
peut leur être comparé. C'est là sans doute ce qu'il y a de
mieux dans la vie.

« Quand, enfin, l'âme, fatiguée et comme accablée de
sentiments si violents, revient à la raison par lassitude, ce
qui surnage après tant de mouvements si opposés, c'est
cette certitude : « Je trouverai auprès de *lui* un bonheur
« que *lui seul* au monde peut me donner. » Je laissai peu
à peu mon cheval s'éloigner de celui de Mme Gherardi.
Nous fîmes les trois milles qui nous séparaient de Bologne
sans dire une seule parole, pratiquant la vertu nommée
discrétion.

ERNESTINE
OU LA NAISSANCE DE L'AMOUR

Une femme de beaucoup d'esprit et de quelque expérience prétendait un jour que l'amour ne naît pas aussi subitement qu'on le dit. « Il me semble, disait-elle, que je découvre sept époques tout à fait distinctes dans la naissance de l'amour »; et, pour prouver son dire, elle conta l'anecdote suivante. On était à la campagne, il pleuvait à verse, on était trop heureux d'écouter.

Dans une âme parfaitement indifférente, une jeune fille habitant un château isolé, au fond d'une campagne, le plus petit étonnement excite profondément l'attention. Par exemple, un jeune chasseur qu'elle aperçoit à l'improviste, dans le bois, près du château.

Ce fut par un événement aussi simple que commencèrent les malheurs d'Ernestine de S... Le château qu'elle habitait seule, avec son vieux oncle, le comte de S..., bâti dans le moyen âge, près des bords du Drac, sur une des roches immenses qui resserrent le cours de ce torrent, dominait un des plus beaux sites du Dauphiné. Ernestine trouva que le jeune chasseur offert par le hasard à sa vue avait l'air noble. Son image se présenta plusieurs fois à sa pensée; car à quoi songer dans cet antique manoir ? — Elle y vivait au sein d'une sorte de magnificence; elle y commandait à un nombreux domestique; mais depuis vingt ans que le maître et les gens étaient vieux, tout s'y faisait toujours à la même heure; jamais la conversation ne commençait que pour blâmer tout ce qui se fait et s'attrister des choses les plus simples. Un soir de printemps, le jour allait finir, Ernestine était à sa fenêtre; elle regardait le petit lac et le bois qui est au delà; l'extrême beauté de ce paysage contribuait peut-être à la plonger dans une sombre rêverie. Tout à coup elle revit ce jeune chasseur qu'elle avait aperçu quelques jours auparavant; il était encore dans le petit bois au delà du lac; il tenait un bouquet de fleurs à la main; il s'arrêta comme pour la regarder; elle le vit donner un baiser à ce bouquet et ensuite le placer avec une sorte de respect tendre dans le creux d'un grand chêne sur le bord du lac.

Que de pensées cette seule action fit naître! et que de pensées d'un intérêt très vif, si on les compare aux sensations monotones qui, jusqu'à ce moment, avaient rempli la vie d'Ernestine! Une nouvelle existence commence pour elle; osera-t-elle aller voir ce bouquet? « Dieu! quelle imprudence, se dit-elle en tressaillant; et si, au moment où j'approcherai du grand chêne, le jeune chasseur vient à sortir des bosquets voisins! Quelle honte! Quelle idée prendrait-il de moi? » Ce bel arbre était pourtant le but habituel de ses promenades solitaires; souvent elle allait s'asseoir sur ses racines gigantesques, qui s'élèvent au-dessus de la pelouse et forment, tout à l'entour du tronc, comme autant de bancs naturels abrités par son vaste ombrage.

La nuit, Ernestine put à peine fermer l'œil; le lendemain, dès cinq heures du matin, à peine l'aurore a-t-elle paru, qu'elle monte dans les combles du château. Ses yeux cherchent le grand chêne au delà du lac; à peine l'a-t-elle aperçu, qu'elle reste immobile et comme sans respiration. Le bonheur si agité des passions succède au contentement sans objet et presque machinal de la première jeunesse.

Dix jours s'écoulent. Ernestine compte les jours! Une fois seulement, elle a vu le jeune chasseur; il s'est approché de l'arbre chéri, et il avait un bouquet qu'il y a placé comme le premier. — Le vieux comte de S... remarque qu'elle passe sa vie à soigner une volière qu'elle a établie dans les combles du château; c'est qu'assise auprès d'une petite fenêtre dont la persienne est fermée, elle domine toute l'étendue du bois au delà du lac. Elle est bien sûre que son inconnu ne peut l'apercevoir, et c'est alors qu'elle pense à lui sans contrainte. Une idée lui vient et la tourmente. S'il croit qu'on ne fait aucune attention à ses bouquets, il en conclura qu'on méprise son hommage, qui, après tout, n'est qu'une simple politesse, et, pour peu qu'il ait l'âme bien placée, il ne paraîtra plus. Quatre jours s'écoulent encore, mais avec

quelle lenteur! Le cinquième, la jeune fille, passant par
hasard auprès du grand chêne, n'a pu résister à la tentation de jeter un coup d'œil sur le petit creux où elle a
vu déposer les bouquets. Elle était avec sa gouvernante
et n'avait rien à craindre. Ernestine pensait bien ne
trouver que des fleurs fanées; à son inexprimable joie,
elle voit un bouquet composé des fleurs les plus rares
et les plus jolies; il est d'une fraîcheur éblouissante;
pas un pétale des fleurs les plus délicates n'est flétri. A
peine a-t-elle aperçu tout cela du coin de l'œil, que, sans
perdre de vue sa gouvernante, elle a parcouru avec la
légèreté d'une gazelle toute cette partie du bois à cent
pas à la ronde. Elle n'a vu personne; bien sûre de n'être
pas observée, elle revient au grand chêne, elle ose regarder
avec délices le bouquet charmant. O ciel! il y a un petit
papier presque imperceptible, il est attaché au nœud
du bouquet. « Qu'avez-vous, mon Ernestine? dit la
gouvernante alarmée du petit cri qui accompagne cette
découverte. — Rien, bonne amie, c'est une perdrix
qui s'est levée à mes pieds. » — Il y a quinze jours,
Ernestine n'aurait pas eu l'idée de mentir. Elle se
rapproche de plus en plus du bouquet charmant; elle
penche la tête, et, les joues rouges comme le feu, sans
oser y toucher, elle lit sur le petit morceau de papier :
  « Voici un mois que tous les matins j'apporte un bouquet, celui-ci sera-t-il assez heureux pour être aperçu? »
  Tout est ravissant dans ce joli billet; l'écriture anglaise
qui traça ces mots est de la forme la plus élégante. Depuis
quatre ans qu'elle a quitté Paris et le couvent le plus à la
mode du faubourg Saint-Germain, Ernestine n'a rien
vu d'aussi joli. Tout à coup, elle rougit beaucoup, elle se
rapproche de sa gouvernante et l'engage à retourner au
château. Pour y arriver plus vite, au lieu de remonter
dans le vallon et de faire le tour du lac comme de coutume, Ernestine prend le sentier du petit pont qui mène
au château en ligne droite. Elle est pensive, elle se promet
de ne plus revenir de ce côté; car enfin elle vient de
découvrir que c'est une espèce de billet qu'on a osé lui
adresser. Cependant, il n'était pas fermé, se dit-elle
tout bas. De ce moment sa vie est agitée par une affreuse
anxiété. Quoi donc! ne peut-elle pas, même de loin,
aller revoir l'arbre chéri! Le sentiment du devoir s'y
oppose. « Si je vais sur l'autre rive du lac, se dit-elle, je
ne pourrai plus compter sur les promesses que je me fais
à moi-même. » Lorsqu'à huit heures elle entendit le

portier fermer la grille du petit pont, ce bruit qui lui
ôtait tout espoir sembla la délivrer d'un poids énorme
qui accablait sa poitrine; elle ne pourrait plus maintenant
manquer à son devoir, quand même elle aurait la faiblesse
d'y consentir.

Le lendemain, rien ne peut la tirer d'une sombre
rêverie; elle est abattue, pâle; son oncle s'en aperçoit; il
fait mettre les chevaux à l'antique berline, on parcourt
les environs, on va jusqu'à l'avenue du château de
Mme Dayssin, à trois lieues de là. Au retour, le comte
de S... donne l'ordre d'arrêter dans le petit bois, au delà
du lac; la berline s'avance sur la pelouse, il veut revoir
le chêne immense qu'il n'appelle jamais que le *contempo-
rain de Charlemagne.* « Ce grand empereur peut l'avoir
vu, dit-il, en traversant nos montagnes pour aller en
Lombardie, vaincre le roi Didier »; et cette pensée d'une
vie si longue semble rajeunir un vieillard presque octo-
génaire. Ernestine est bien loin de suivre les raisonnements de son oncle; ses joues sont brûlantes; elle va
donc se trouver encore une fois auprès du vieux chêne;
elle s'est promis de ne pas regarder dans la petite cachette.
Par un mouvement instinctif, sans savoir ce qu'elle fait,
elle y jette les yeux, elle voit le bouquet, elle pâlit. Il
est composé de roses panachées de noir. — « Je suis bien
malheureux, il faut que je m'éloigne pour toujours. Celle
que j'aime ne daigne pas apercevoir mon hommage. »
— Tels sont les mots tracés sur le petit papier fixé au
bouquet. Ernestine les a lus avant d'avoir le temps de
se défendre de les voir. Elle est si faible, qu'elle est
obligée de s'appuyer contre l'arbre; et bientôt elle fond
en larmes. Le soir, elle se dit : « Il s'éloignera pour toujours, et je ne le verrai plus! »

Le lendemain, en plein midi, par le soleil du mois
d'août, comme elle se promenait avec son oncle sous
l'allée de platanes le long du lac, elle voit sur l'autre rive
le jeune homme s'approcher du grand chêne; il saisit
son bouquet, le jette dans le lac et disparaît. Ernestine
a l'idée qu'il y avait du dépit dans son geste, bientôt elle
n'en doute plus. Elle s'étonne d'avoir pu en douter un
seul instant; il est évident que, se voyant méprisé, il va
partir; jamais elle ne le reverra.

Ce jour-là on est fort inquiet au château, où elle seule
répand quelque gaieté. Son oncle prononce qu'elle est
décidément indisposée; une pâleur mortelle, une certaine contraction dans les traits, ont bouleversé cette

figure naïve, où se peignaient naguère les sensations si
tranquilles de la première jeunesse. Le soir, quand
l'heure de la promenade est venue, Ernestine ne s'oppose
point à ce que son oncle la dirige vers la pelouse au delà
du lac. Elle regarde en passant, et d'un œil morne où
les larmes sont à peine retenues, la petite cachette à trois
pieds au-dessus du sol, bien sûre de n'y rien trouver;
elle a trop bien vu jeter le bouquet dans le lac. Mais, ô
surprise! elle en aperçoit un autre. — « Par pitié pour mon
affreux malheur, daignez prendre la rose blanche. »
Pendant qu'elle relit ces mots étonnants, sa main, sans
qu'elle le sache, a détaché la rose blanche qui est au
milieu du bouquet. — « Il est donc bien malheureux, se
dit-elle! » — En ce moment son oncle l'appelle, elle le
suit, mais elle est heureuse. Elle tient sa rose blanche
dans son petit mouchoir de batiste, et la batiste est si
fine, que tout le temps que dure encore la promenade,
elle peut apercevoir la couleur de la rose à travers le tissu
léger. Elle tient son mouchoir de manière à ne pas faner
cette rose chérie.

A peine rentrée, elle monte en courant l'escalier
rapide qui conduit à sa petite tour, dans l'angle du château. Elle ose enfin contempler sans contrainte cette
rose adorée et en rassasier ses regards à travers les douces
larmes qui s'échappent de ses yeux.

Que veulent dire ces pleurs? Ernestine l'ignore. Si elle
pouvait deviner le sentiment qui les fait couler, elle
aurait le courage de sacrifier la rose qu'elle vient de
placer avec tant de soin dans son verre de cristal, sur sa
petite table d'acajou. Mais, pour peu que le lecteur ait le
chagrin de n'avoir plus vingt ans, il devinera que ces
larmes, loin d'être de la douleur, sont les compagnes inséparables de la vue inopinée d'un bonheur extrême; elles
veulent dire : « *Qu'il est doux d'être aimé!* » — C'est dans
un moment où le saisissement du premier bonheur de sa
vie égarait son jugement qu'Ernestine a eu le tort de
prendre cette fleur. Mais elle n'en est pas encore à voir
et à se reprocher cette inconséquence.

Pour nous, qui avons moins d'illusions, nous reconnais-
sons la troisième période de la naissance de l'amour :
l'apparition de l'espoir. Ernestine ne sait pas que son
cœur se dit, en regardant cette rose : « Maintenant, il est
certain qu'il m'aime. »

Mais peut-il être vrai qu'Ernestine soit sur le point
d'aimer? Ce sentiment ne choque-t-il pas toutes les

règles du plus simple bon sens ? Quoi! elle n'a vu que
trois fois l'homme qui, dans ce moment, lui fait verser
des larmes brûlantes! Et encore elle ne l'a vu qu'à travers
le lac, à une grande distance, à cinq cents pas peut-être.
Bien plus, si elle le rencontrait sans fusil et sans veste
de chasse, peut-être qu'elle ne le reconnaîtrait pas. Elle
ignore son nom, ce qu'il est, et pourtant ses journées se
passent à se nourrir de sentiments passionnés, dont je
suis obligé d'abréger l'expression, car je n'ai pas l'espace
qu'il faut pour faire un roman. Ces sentiments ne sont
que des variations de cette idée : « Quel bonheur d'en
être aimée! » Ou bien, elle examine cette autre question
bien autrement importante : « Puis-je espérer d'en être
aimée véritablement ? N'est-ce point par jeu qu'il me
dit qu'il m'aime ? » Quoique habitant un château bâti
par Lesdiguières, et appartenant à la famille d'un des
plus braves compagnons du fameux connétable, Ernestine ne s'est point fait cette autre objection : « Il est
peut-être le fils d'un paysan du voisinage. » Pourquoi ?
Elle vivait dans une solitude profonde.

Certainement Ernestine était bien loin de reconnaître
la nature des sentiments qui régnaient dans son cœur.
Si elle eût pu prévoir où ils la conduisaient, elle aurait
eu une chance d'échapper à leur empire. Une jeune Allemande, une Anglaise, une Italienne, eussent reconnu
l'amour; notre sage éducation ayant pris le parti de nier
aux jeunes filles l'existence de l'amour, Ernestine ne
s'alarmait que vaguement de ce qui se passait dans son
cœur; quand elle réfléchissait profondément, elle n'y
voyait que de la simple amitié. Si elle avait pris une seule
rose, c'est qu'elle eût craint, en agissant autrement,
d'affliger son nouvel ami et de le perdre. « Et d'ailleurs,
se disait-elle, après y avoir beaucoup songé, il ne faut
pas manquer à la politesse. »

Le cœur d'Ernestine est agité par les sentiments les
plus violents. Pendant quatre journées, qui paraissent
quatre siècles à la jeune solitaire, elle est retenue par une
crainte indéfinissable; elle ne sort pas du château. Le
cinquième jour son oncle, toujours plus inquiet de sa
santé, la force à l'accompagner dans le petit bois; elle
se trouve près de l'arbre fatal; elle lit sur le petit fragment
de papier caché dans le bouquet :

« Si vous daignez prendre ce camélia panaché, dimanche
je serai à l'église de votre village. »

Ernestine vit à l'église un homme mis avec une simpli-

cité extrême, et qui pouvait avoir trente-cinq ans. Elle
remarqua qu'il n'avait pas même de croix. Il lisait, et, en
tenant son livre d'heures d'une certaine manière, il ne
cessa presque pas un instant d'avoir les yeux sur elle.
C'est dire que, pendant tout le service, Ernestine fut
hors d'état de penser à rien. Elle laissa choir son livre
d'heures, en sortant de l'antique banc seigneurial, et faillit
tomber elle-même en le ramassant. Elle rougit beaucoup
de sa maladresse. « Il m'aura trouvée si gauche, se dit-elle
aussitôt, qu'il aura honte de s'occuper de moi. » En effet,
à partir du moment où ce petit accident était survenu,
elle ne vit plus l'étranger. Ce fut en vain qu'après être
montée en voiture elle s'arrêta pour distribuer quelques
pièces de monnaie à tous les petits garçons du village;
elle n'aperçut point, parmi les groupes de paysans qui
jasaient auprès de l'église, la personne que, pendant la
messe, elle n'avait jamais osé regarder. Ernestine, qui
jusqu'alors avait été la sincérité même, prétendit avoir
oublié son mouchoir. Un domestique rentra dans l'église
et chercha longtemps dans le banc du seigneur ce
mouchoir qu'il n'avait garde de trouver. Mais le retard
amené par cette petite ruse fut inutile, elle ne revit plus
le chasseur. « C'est clair, se dit-elle; Mlle de C... me
dit une fois que je n'étais pas jolie et que j'avais dans le
regard quelque chose d'impérieux et de repoussant; il ne
me manquait plus que de la gaucherie; il me méprise
sans doute. »

Les tristes pensées l'agitèrent pendant deux ou trois
visites que son oncle fit avant de rentrer au château.

A peine de retour, vers les quatre heures, elle courut
sous l'allée de platanes, le long du lac. La grille de la
chaussée était fermée à cause du dimanche; heureusement,
elle aperçut un jardinier; elle l'appela et le pria de mettre
la barque à flot et de la conduire de l'autre côté du lac.
Elle prit terre à cent pas du grand chêne. La barque
côtoyait et se trouvait toujours assez près d'elle pour la
rassurer. Les branches basses et à peu près horizontales
du chêne immense s'étendaient presque jusqu'au lac.
D'un pas décidé et avec une sorte de sang-froid sombre
et résolu, elle s'approcha de l'arbre, de l'air dont elle
eût marché à la mort. Elle était bien sûre de ne rien
trouver dans la cachette; en effet, elle n'y vit qu'une fleur
fanée qui avait appartenu au bouquet de la veille : — « S'il
eût été content de moi, se dit-elle, il n'eût pas manqué de
me remercier par un bouquet. »

Elle se fit ramener au château, monta chez elle en courant, et, une fois dans sa petite tour, bien sûr de n'être pas surprise, fondit en larmes. « Mlle de C... avait bien raison, se dit-elle; pour me trouver jolie, il faut me voir à cinq cents pas de distance. Comme dans ce pays de libéraux, mon oncle ne voit personne que des paysans et des curés, mes manières doivent avoir contracté quelque chose de rude, peut-être de grossier. J'aurai dans le regard une expression impérieuse et repoussante. » — Elle s'approche de son miroir pour observer ce regard, elle voit des yeux d'un bleu sombre noyés de pleurs. — « Dans ce moment, dit-elle, je ne puis avoir cet air impérieux qui m'empêchera toujours de plaire. »

Le dîner sonna; elle eut beaucoup de peine à sécher ses larmes. Elle parut enfin dans le salon; elle y trouva M. Villars, vieux botaniste, qui, tous les ans, venait passer huit jours avec M. de S..., au grand chagrin de sa bonne, érigée en gouvernante, qui, pendant ce temps, perdait sa place à la table de M. le comte. Tout se passa fort bien jusqu'au moment du champagne; on apporta le seau près d'Ernestine. La glace était fondue depuis longtemps. Elle appela un domestique et lui dit : « Changez cette eau et mettez-y de la glace, vite. — Voilà un petit ton impérieux qui te va fort bien », dit en riant son bon grand-oncle. Au mot d'*impérieux*, les larmes inondèrent les yeux d'Ernestine, au point qu'il lui fut impossible de les cacher; elle fut obligée de quitter le salon, et comme elle fermait la porte, on entendit que ses sanglots la suffoquaient. Les vieillards restèrent tout interdits.

Deux jours après, elle passa près du grand chêne; elle s'approcha et regarda dans la cachette, comme pour revoir les lieux où elle avait été heureuse. Quel fut son ravissement en y trouvant deux bouquets! Elle les saisit avec les petits papiers, les mit dans son mouchoir, et partit en courant pour le château, sans s'inquiéter si l'inconnu, caché dans le bois, n'avait point observé ses mouvements, idée qui, jusqu'à ce jour, ne l'avait jamais abandonnée. Essoufflée et ne pouvant plus courir, elle fut obligée de s'arrêter vers le milieu de la chaussée. A peine eut-elle repris un peu sa respiration, qu'elle se remit à courir avec toute la rapidité dont elle était capable. Enfin, elle se trouva dans sa petite chambre; elle prit ses bouquets dans son mouchoir et, sans lire ses petits billets, se mit à baiser ces bouquets avec transport, mouvement qui la fit rougir quand elle s'en aperçut. « Ah!

jamais je n'aurai l'air impérieux, se disait-elle; je me corrigerai. »

Enfin, quand elle eut assez témoigné toute sa tendresse à ces jolis bouquets composés des fleurs les plus rares, elle lut les billets. (Un homme eût commencé par là). Le premier, celui qui était daté du dimanche, à cinq heures, disait : « Je me suis refusé le plaisir de vous voir après le service; je ne pouvais être seul; je craignais qu'on ne lût dans mes yeux l'amour dont je brûle pour vous. » — Elle relut trois fois ces mots : *l'amour dont je brûle pour vous,* puis elle se leva pour aller voir à sa psyché si elle avait l'air impérieux; elle continua : « *l'amour dont je brûle pour vous.* Si votre cœur est libre, daignez emporter ce billet, qui pourrait nous compromettre. »

Le second billet, celui du lundi, était au crayon, et même assez mal écrit; mais Ernestine n'en était plus au temps où la jolie écriture anglaise de son inconnu était un charme à ses yeux; elle avait des affaires trop sérieuses pour faire attention à ces détails.

« Je suis venu. J'ai été assez heureux pour que quelqu'un parlât de vous en ma présence. On m'a dit qu'hier vous avez traversé le lac. Je vois que vous n'avez pas daigné prendre le billet que j'avais laissé. Il décide mon sort. Vous aimez, et ce n'est pas moi. Il y avait de la folie, à mon âge, à m'attacher à une fille du vôtre. Adieu pour toujours. Je ne joindrai pas le malheur d'être importun à celui de vous avoir trop longtemps occupée d'une passion peut-être ridicule à vos yeux. » — *D'une passion!* dit Ernestine en levant les yeux au ciel. Ce moment fut bien doux. Cette jeune fille, remarquable par sa beauté, et à la fleur de la jeunesse, s'écria avec ravissement : « Il daigne m'aimer; ah! mon Dieu! que je suis heureuse! » Elle tomba à genoux devant une charmante madone de Carlo Dolci rapportée d'Italie par un de ses aïeux. — « Ah! oui, je serai bonne et vertueuse! s'écria-t-elle les larmes aux yeux. Mon Dieu, daignez seulement m'indiquer mes défauts, pour que je puisse m'en corriger; maintenant, tout m'est possible. »

Elle se releva pour relire les billets vingt fois. Le second surtout la jeta dans des transports de bonheur. Bientôt elle remarqua une vérité établie dans son cœur depuis fort longtemps : c'est que jamais elle n'aurait pu s'attacher à un homme de moins de quarante ans. (L'inconnu parlait de son âge.) Elle se souvint qu'à l'église, comme il était un peu chauve, il lui avait paru avoir trente-quatre ou trente-cinq ans. Mais elle ne pouvait être sûre de cette idée; elle avait si peu osé le regarder! et elle était si troublée! Durant la nuit, Ernestine ne ferma pas l'œil. De sa vie, elle n'avait eu l'idée d'un semblable bonheur. Elle se releva pour écrire en anglais sur son livre d'heures : « *N'être jamais impérieuse.* Je fais ce vœu le 30 septembre 18... »

Pendant cette nuit, elle se décida de plus en plus sur cette vérité : il est impossible d'aimer un homme qui n'a pas quarante ans. A force de rêver aux bonnes qualités de son inconnu, il lui vint dans l'idée qu'outre l'avantage d'avoir quarante ans, il avait probablement encore celui d'être pauvre. Il était mis d'une manière si simple à l'église, que sans doute il était pauvre. Rien ne peut égaler sa joie à cette découverte. « Il n'aura jamais l'air bête et fat de nos amis, MM. tels et tels, quand ils viennent, à la Saint-Hubert, faire l'honneur à mon oncle de tuer ses chevreuils, et qu'à table ils nous comptent leurs exploits de jeunesse, sans qu'on les en prie.

« Se pourrait-il bien, grand Dieu! qu'il fût pauvre! En ce cas, rien ne manque à mon bonheur! » Elle se leva une seconde fois pour allumer sa bougie à la veilleuse, et rechercher une évaluation de sa fortune qu'un jour un de ses cousins avait écrite sur un de ses livres. Elle trouva dix-sept mille livres de rente en se mariant, et, par la suite, quarante ou cinquante. Comme elle méditait sur ce chiffre, quatre heures sonnèrent; elle tressaillit. « Peut-être fait-il assez de jour pour que je puisse apercevoir mon arbre chéri. » Elle ouvrit ses persiennes; en effet elle vit le grand chêne et sa verdure sombre; mais, grâce au clair de lune, et non point par le secours des premières lueurs de l'aube, qui était encore fort éloignée.

En s'habillant le matin, elle se dit : « Il ne faut pas que l'amie d'un homme de quarante ans soit mise comme une enfant. » Et pendant une heure elle chercha dans ses armoires une robe, un chapeau, une ceinture, qui composèrent un ensemble si original, que, lorsqu'elle parut dans la salle à manger, son oncle, sa gouvernante et le vieux botaniste ne purent s'empêcher de partir d'un éclat de rire. « Approche-toi donc, dit le vieux comte de S..., ancien chevalier de Saint-Louis, blessé à Quiberon; approche-toi, mon Ernestine; tu es mise comme si tu avais voulu te déguiser ce matin en femme de quarante ans. » A ces mots elle rougit, et le plus vif bonheur se peignit sur les traits de la jeune fille. « Dieu me pardonne! dit le bon oncle à la fin du repas, en s'adressant au vieux botaniste, c'est une gageure; n'est-il pas vrai, monsieur, que Mlle Ernestine a, ce matin, toutes les manières d'une femme de trente ans ? Elle a surtout un petit air paternel en parlant aux domestiques qui me charme par son ridicule; je l'ai mise deux ou trois fois à l'épreuve pour être sûr de mon observation. » Cette remarque redoubla le bonheur d'Ernestine, si l'on peut se servir de ce mot en parlant d'une félicité qui déjà était au comble.

Ce fut avec peine qu'elle put se dégager de la société après déjeuner. Son oncle et l'ami botaniste ne pouvaient se lasser de l'attaquer sur son petit air vieux. Elle remonta chez elle, elle regarda le chêne. Pour la première fois, depuis vingt heures, un nuage vint obscurcir sa félicité, mais sans qu'elle pût se rendre compte de ce changement soudain. Ce qui diminua le ravissement auquel elle était livrée depuis le moment où, la veille, plongée dans le désespoir, elle avait trouvé les bouquets dans l'arbre, ce fut cette question qu'elle se fit : « Quelle conduite dois-je tenir avec mon ami pour qu'il m'estime ? Un homme d'autant d'esprit, et qui a l'avantage d'avoir quarante ans, doit être bien sévère. Son estime pour moi tombera tout à fait si je me permets une fausse démarche. »

Comme Ernestine se livrait à ce monologue, dans la situation la plus propre à seconder les méditations sérieuses d'une jeune fille devant sa psyché, elle observa, avec un étonnement mêlé d'horreur, qu'elle avait à sa ceinture un crochet en or avec de petites chaînes portant le dé, les ciseaux et leur petit étui, bijou charmant qu'elle ne pouvait se lasser d'admirer encore la veille, et que son oncle lui avait donné pour le jour de sa fête il n'y avait pas quinze jours. Ce qui lui fit regarder ce bijou avec horreur et le lui fit ôter avec tant d'empressement, c'est qu'elle se rappela que sa bonne lui avait dit qu'il coûtait huit cent cinquante francs, et qu'il avait été acheté chez le plus fameux bijoutier de Paris, qui s'appelait Laurençot : « Que penserait de moi mon ami, lui qui a l'honneur d'être pauvre, s'il me voyait un bijou d'un prix si ridicule ? Quoi de plus absurde que d'afficher ainsi les goûts d'une bonne ménagère; car c'est ce que veulent dire ces ciseaux, cet étui, ce dé, que l'on porte sans cesse avec soi; et la bonne ménagère ne pense pas que ce bijou coûte chaque année l'intérêt de son prix. »

Elle se mit à calculer sérieusement et trouva que ce bijou coûtait près de cinquante francs par an.

Cette belle réflexion d'économie domestique, qu'Ernestine devait à l'éducation très forte qu'elle avait reçue d'un conspirateur caché pendant plusieurs années au château de son oncle, cette réflexion, dis-je, ne fit qu'éloigner la difficulté. Quand elle eut renfermé dans sa commode le bijou d'un prix ridicule, il fallut bien revenir à cette question embarrassante : Que faut-il faire pour ne pas perdre l'estime d'un homme d'autant d'esprit ?

Les méditations d'Ernestine (que le lecteur aura peut-être reconnues pour être tout simplement la cinquième période de la naissance de l'amour) nous conduiraient fort loin. Cette jeune fille avait un esprit juste, pénétrant, vif comme l'air de ses montagnes. Son oncle, qui avait eu de l'esprit jadis, et à qui il en restait encore sur les deux ou trois sujets qui l'intéressaient depuis longtemps, son oncle avait remarqué qu'elle apercevait spontanément toutes les conséquences d'une idée. Le bon vieillard avait coutume, lorsqu'il était dans ses jours de gaieté, et la gouvernante avait remarqué que cette plaisanterie en était le signe indubitable, il avait coutume, dis-je, de plaisanter son Ernestine sur ce qu'il appelait son *coup d'œil militaire*. C'est peut-être cette qualité qui, plus tard, lorsqu'elle a paru dans le monde et qu'elle a osé parler, lui a fait jouer un rôle si brillant. Mais, à l'époque dont nous nous entretenons, Ernestine, malgré son esprit, s'embrouilla tout à fait dans ses raisonnements. Vingt fois elle fut sur le point de ne pas aller se promener du côté de l'arbre : « Une seule étourderie, se disait-elle, annonçant l'enfantillage d'une petite fille, peut me perdre dans l'esprit de mon ami. » Mais, malgré les arguments extrêmement subtils, et où elle employait toute la force de sa tête, elle ne possédait pas encore l'art si difficile de dominer ses passions par son esprit. L'amour dont la pauvre fille était transportée à son insu faussait tous ses raisonnements et ne l'engagea que trop tôt, pour son bonheur, à s'acheminer vers l'arbre fatal. Après bien des hésitations, elle s'y trouva avec sa femme de chambre vers une heure. Elle s'éloigna de cette femme et s'approcha de l'arbre, brillante de joie, la pauvre petite ! Elle semblait voler sur le gazon et non pas marcher. Le vieux botaniste, qui était de la promenade, en fit faire l'observation à la femme de chambre, comme elle s'éloignait d'eux en courant.

Tout le bonheur d'Ernestine disparut en un clin d'œil. Ce n'est pas qu'elle ne trouvât un bouquet dans le creux de l'arbre; il était charmant et très frais, ce qui lui fit d'abord un vif plaisir. Il n'y avait donc pas longtemps que son ami s'était trouvé précisément à la même place qu'elle. Elle chercha sur le gazon quelques traces de ses pas; ce qui la charma encore, c'est qu'au lieu d'un simple petit morceau de papier écrit, il y avait un billet, et un long billet. Elle vola à la signature; elle avait besoin de savoir son nom de baptême. Elle lut; la lettre lui tomba des mains, ainsi que le bouquet. Un frisson mortel s'empara d'elle. Elle avait lu au bas du billet le nom de Philippe Astézan. Or M. Astézan était connu dans le château du comte de S... pour être l'amant de Mme Dayssin, femme de Paris fort riche, fort élégante, qui venait tous les ans scandaliser la province en osant passer quatre mois seule, dans son château, avec un homme qui n'était pas son mari. Pour comble de douleur, elle était veuve, jeune, jolie, et pouvait épouser M. Astézan. Toutes ces tristes choses, qui, telles que nous venons de les dire, étaient vraies, paraissaient bien autrement envenimées dans les discours des personnages tristes et grands ennemis des erreurs du bel âge, qui venaient quelquefois en visite à l'antique manoir du grand-oncle d'Ernestine. Jamais, en quelques secondes, un bonheur si pur et si vif, c'était le premier de sa vie, ne fut remplacé par un malheur poignant et sans espoir. « Le cruel! il a voulu se jouer de moi, se disait Ernestine; il a voulu se donner un but dans ses parties de chasse, tourner la tête d'une petite fille, peut-être dans l'intention d'en amuser Mme Dayssin. Et moi qui songeais à l'épouser! Quel enfantillage! quel comble d'humiliation! » Comme elle avait cette triste pensée, Ernestine tomba évanouie à côté de l'arbre fatal que depuis trois mois elle avait si souvent regardé. Du moins, une demi-heure après, c'est là que la femme de chambre et le vieux botaniste la trouvèrent sans mouvement. Pour surcroît de malheur, quand on l'eût rappelée à la vie, Ernestine aperçut à ses pieds la lettre d'Astézan, ouverte du côté de la signature et de manière qu'on pouvait la lire. Elle se leva prompte comme un éclair, et mit le pied sur la lettre.

Elle expliqua son accident, et put, sans être observée, ramasser la lettre fatale. De longtemps il ne lui fut pas possible de la lire, car sa gouvernante la fit asseoir et ne la quitta plus. Le botaniste appela un ouvrier occupé

dans les champs, qui alla chercher la voiture au château.
Ernestine, pour se dispenser de répondre aux réflexions
sur son accident, feignit de ne pouvoir parler ; un mal à la
tête affreux lui servit de prétexte pour tenir son mouchoir
sur ses yeux. La voiture arriva. Plus livrée à elle-même,
une fois qu'elle y fut placée, on ne saurait décrire la douleur déchirante qui pénétra son âme pendant le temps
qu'il fallut à la voiture pour revenir au château. Ce qu'il
y avait de plus affreux dans son état, c'est qu'elle était
obligée de se mépriser elle-même. La lettre fatale qu'elle
sentait dans son mouchoir lui brûlait la main. La nuit
vint pendant qu'on la ramenait au château ; elle put ouvrir
les yeux, sans qu'on la remarquât. La vue des étoiles si
brillantes, pendant une belle nuit du midi de la France,
la consola un peu. Tout en éprouvant les effets de ces
mouvements de passion, la simplicité de son âge était
bien loin de pouvoir s'en rendre compte. Ernestine dut
le premier moment de répit, après deux heures de la
douleur morale la plus atroce, à une résolution courageuse. « Je ne lirai pas cette lettre dont je n'ai vu que la
signature ; je la brûlerai, se dit-elle, en arrivant au château. » Alors elle put s'estimer au moins comme ayant
du courage, car le parti de l'amour, quoique vaincu en
apparence, n'avait pas manqué d'insinuer modestement
que cette lettre expliquait peut-être d'une manière satisfaisante les relations de M. Astézan avec Mme Dayssin.

En entrant au salon, Ernestine jeta la lettre au feu. Le
lendemain, dès huit heures du matin, elle se remit à travailler à son piano, qu'elle avait fort négligé depuis deux
mois. Elle reprit la collection des *Mémoires sur l'Histoire
de France* publiés par Petitot, et recommença à faire de
longs extraits des *Mémoires* du sanguinaire Montluc. Elle
eut l'adresse de se faire offrir de nouveau par le vieux botaniste un cours d'histoire naturelle. Au bout de quinze
jours, ce brave homme, simple comme ses plantes, ne put
se taire sur l'application étonnante qu'il remarquait chez
son élève ; il en était émerveillé. Quant à elle, tout lui était
indifférent ; toutes les idées la ramenaient également au
désespoir. Son oncle était fort alarmé : Ernestine mai-
grissait à vue d'œil. Comme elle eut, par hasard, un petit
rhume, le bon vieillard qui, contre l'ordinaire des gens de
son âge, n'avait pas rassemblé sur lui-même tout l'intérêt
qu'il pouvait prendre aux choses de la vie, s'imagina
qu'elle était attaquée de la poitrine. Ernestine le crut
aussi, et elle dut à cette idée les seuls moments passables

qu'elle eut à cette époque; l'espoir de mourir bientôt lui faisait supporter la vie sans impatience,

Pendant tout un long mois, elle n'eut d'autre sentiment que celui d'une douleur d'autant plus profonde, qu'elle avait sa source dans le mépris d'elle-même; comme elle n'avait aucun usage de la vie, elle ne put se consoler en se disant que personne au monde ne pouvait soupçonner ce qui s'était passé dans son cœur, et que probablement l'homme cruel qui l'avait tant occupée ne saurait deviner la centième partie de ce qu'elle avait senti pour lui. Au milieu de son malheur, elle ne manquait pas de courage; elle n'eut aucune peine à jeter au feu sans les lire deux lettres sur l'adresse desquelles elle reconnut la funeste écriture anglaise,

Elle s'était promis de ne jamais regarder la pelouse au-delà du lac; dans le salon, jamais elle ne levait les yeux sur les croisées qui donnaient de ce côté. Un jour, près de six semaines après celui où elle avait lu le nom de Philippe Astézan, son maître d'histoire naturelle, le bon M. Villars, eut l'idée de lui faire une leçon sur les plantes aquatiques; il s'embarqua avec elle et se fit conduire vers la partie du lac qui remontait dans le vallon. Comme Ernestine entrait dans la barque, un regard de côté et presque involontaire lui donna la certitude qu'il n'y avait personne auprès du grand chêne; elle remarqua à peine une partie de l'écorce de l'arbre, d'un gris plus clair que le reste. Deux heures plus tard, quand elle repassa, après la leçon vis-à-vis le grand chêne, elle frissonna en reconnaissant que ce qu'elle avait pris pour un accident de l'écorce dans l'arbre était la couleur de la veste de Philippe Astézan, qui, depuis deux heures, assis sur une des racines du chêne, était immobile comme s'il eût été mort. En se faisant cette comparaison à elle-même, l'esprit d'Ernestine se servit aussi de ce mot : *comme s'il était mort;* il la frappa. « S'il était mort, il n'y aurait plus d'inconvenance à me tant occuper de lui. » Pendant quelques minutes cette supposition fut un prétexte pour se livrer à un amour rendu tout-puissant par la vue de l'objet aimé.

Cette découverte la troubla beaucoup. Le lendemain dans la soirée, un curé du voisinage, qui était en visite au château, demanda au comte de S... de lui prêter le *Moniteur.* Pendant que le vieux valet de chambre allait prendre dans la bibliothèque la collection des *Moniteurs* du mois : « Mais, curé, dit le comte, vous n'êtes plus curieux cette année, voilà la première fois que vous me demandez le

Moniteur ! — Monsieur le comte, répondit le curé,
Mme Dayssin, ma voisine, me l'a prêté tant qu'elle a
été ici ; mais elle est partie depuis quinze jours. »

Ce mot si indifférent causa une telle révolution à
Ernestine, qu'elle crut se trouver mal ; elle sentit son
cœur tressaillir au mot du curé, ce qui l'humilia beaucoup. « Voilà donc, se dit-elle, comment je suis parvenue
à l'oublier ! »

Ce soir-là, pour la première fois depuis longtemps, il
lui arriva de sourire. « Pourtant, se disait-elle, il est resté
à la campagne, à cent cinquante lieues de Paris, il a laissé
Mme Dayssin partir seule. » Son immobilité sur les
racines du chêne lui revint à l'esprit, et elle souffrit que
sa pensée s'arrêtât sur cette idée. Tout son bonheur,
depuis un mois, consistait à se persuader qu'elle avait
mal à la poitrine ; le lendemain elle se surprit à penser
que, comme la neige commençait à couvrir les sommets
des montagnes, il faisait souvent très frais le soir ; elle
songea qu'il était prudent d'avoir des vêtements plus
chauds. Une âme vulgaire n'eût pas manqué de prendre
la même précaution ; Ernestine n'y songea qu'après le mot
du curé.

La Saint-Hubert approchait, et avec elle l'époque du
seul grand dîner qui eût lieu au château pendant toute la
durée de l'année. On descendit au salon le piano d'Ernestine. En l'ouvrant le jour d'après, elle trouva sur les
touches un morceau de papier contenant cette ligne :

« Ne jetez pas de cri quand vous m'apercevrez. »

Cela était si court, qu'elle le lut avant de reconnaître
la main de la personne qui l'avait écrit : l'écriture était
contrefaite. Comme Ernestine devait au hasard, ou
peut-être à l'air des montagnes du Dauphiné, une âme
ferme, bien certainement, avant les paroles du curé sur
le départ de Mme Dayssin, elle serait allée se renfermer
dans sa chambre et n'eût plus reparu qu'après la fête.

Le surlendemain eut lieu ce grand dîner annuel de la
Saint-Hubert. A table, Ernestine fit les honneurs, placée
vis-à-vis de son oncle ; elle était mise avec beaucoup
d'élégance. La table présentait la collection à peu près
complète des curés et des maires des environs, plus cinq
ou six fats de province, parlant d'eux et de leurs exploits
à la guerre, à la chasse et même en amour, et surtout de
l'ancienneté de leur race. Jamais ils n'eurent le chagrin
de faire moins d'effet sur l'héritière du château. L'extrême
pâleur d'Ernestine, jointe à la beauté de ses traits, allait

jusqu'à lui donner l'air du dédain. Les fats qui cherchaient à lui parler se sentaient intimidés en lui adressant la parole. Pour elle, elle était bien loin de rabaisser sa pensée jusqu'à eux.

Tout le commencement du dîner se passa sans qu'elle vît rien d'extraordinaire ; elle commençait à respirer lorsque, vers la fin du repas, en levant les yeux, elle rencontra vis-à-vis d'elle ceux d'un paysan déjà d'un âge mûr, qui paraissait être le valet d'un maire venu des rives du Drac. Elle éprouva ce mouvement singulier dans la poitrine que lui avait déjà causé le mot du curé ; cependant elle n'était sûre de rien. Ce paysan ne ressemblait point à Philippe. Elle osa le regarder une seconde fois ; elle n'eut plus de doute, c'était lui. Il s'était déguisé de manière à se rendre fort laid.

Il est temps de parler un peu de Philippe Astézan, car il fait là une action d'homme amoureux, et peut-être trouverons-nous aussi dans son histoire l'occasion de vérifier la théorie des sept époques de l'amour. Lorsqu'il était arrivé au château de Lafrey avec Mme Dayssin, cinq mois auparavant, un des curés qu'elle recevait chez elle, pour faire la cour au clergé, répéta un mot fort joli. Philippe étonné de voir de l'esprit dans la bouche d'un tel homme, lui demanda qui avait dit ce mot singulier. « C'est la nièce du comte de S..., répondit le curé, une fille qui sera fort riche, mais à qui l'on a donné une bien mauvaise éducation. Il ne s'écoule pas d'année qu'elle ne reçoive de Paris une caisse de livres. Je crains bien qu'elle ne fasse une mauvaise fin et que même elle ne trouve pas à se marier. Qui voudra se charger d'une telle femme ? », etc., etc.

Philippe fit quelques questions, et le curé ne put s'empêcher de déplorer la rare beauté d'Ernestine, qui certainement l'entraînerait à sa perte ; il décrivit avec tant de vérité l'ennui du genre de vie qu'on menait au château du comte, que Mme Dayssin s'écria : « Ah ! de grâce, cessez, monsieur le curé, vous allez me faire prendre en horreur vos belles montagnes. — On ne peut cesser d'aimer un pays où l'on fait tant de bien, répliqua le curé, et l'argent que madame a donné pour nous aider à acheter la troisième cloche de notre église lui assure... » Philippe ne l'écoutait plus, il songeait à Ernestine et à ce qui devait se passer dans le cœur d'une jeune fille reléguée dans un château qui semblait ennuyeux même à un curé de campagne. « Il faut que je l'amuse, se

dit-il à lui-même, je lui ferai la cour d'une manière
romanesque; cela donnera quelques pensées nouvelles
à cette pauvre fille. » Le lendemain il alla chasser du côté
du château du comte, il remarqua la situation du bois,
séparé du château par le petit lac. Il eut l'idée de faire
hommage d'un bouquet à Ernestine; nous savons déjà ce
qu'il fit avec des bouquets et de petits billets. Quand il
chassait du côté du grand chêne, il allait lui-même les
placer, les autres jours il envoyait son domestique.
Philippe faisait tout cela par philanthropie, il ne pensait
pas même à voir Ernestine; il eût été trop difficile et trop
ennuyeux de se faire présenter chez son oncle. Lorsque
Philippe aperçut Ernestine à l'église, sa première pensée
fut qu'il était bien âgé pour plaire à une jeune fille de
dix-huit ou vingt ans. Il fut touché de la beauté de ses
traits et surtout d'une sorte de simplicité noble qui
faisait le caractère de sa physionomie. « Il y a de la naïveté
dans ce caractère », se dit-il à lui-même; un instant
après elle lui parut charmante. Lorsqu'il la vit laisser
tomber son livre d'heures en sortant du banc seigneurial
et chercher à le ramasser avec une gaucherie si aimable,
il songea à aimer, car il espéra. Il resta dans l'église
lorsqu'elle en sortit; il méditait sur un sujet peu amusant
pour un homme qui commence à être amoureux : il
avait trente-cinq ans et un commencement de rareté dans
les cheveux, qui pouvait bien lui faire un beau front à la
manière du Dr Gall, mais qui certainement ajoutait
encore trois ou quatre ans à son âge. « Si ma vieillesse
n'a pas tout perdu à la première vue, se dit-il, il faut
qu'elle doute de mon cœur pour oublier mon âge. »

Il se rapprocha d'une petite fenêtre gothique qui
donnait sur la place, il vit Ernestine monter en voiture,
il lui trouva une taille et un pied charmants, elle distri-
bua des aumônes; il lui sembla que ses yeux cherchaient
quelqu'un. « Pourquoi, se dit-il, ses yeux regardent-ils
au loin, pendant qu'elle distribue de la petite monnaie
tout près de la voiture ? Lui aurais-je inspiré de l'intérêt ? »

Il vit Ernestine donner une commission à un laquais;
pendant ce temps il s'enivrait de sa beauté. Il la vit rougir;
ses yeux étaient fort près d'elle : la voiture ne se trouvait
pas à dix pas de la petite fenêtre gothique; il vit le domestique rentrer dans l'église et chercher quelque chose dans
le banc du seigneur. Pendant l'absence du domestique,
il eut la certitude que les yeux d'Ernestine regardaient
bien plus haut que la foule qui l'entourait, et, par consé-

quent, cherchaient quelqu'un ; mais ce quelqu'un pouvait
fort bien n'être pas Philippe Astézan, qui, aux yeux de
cette jeune fille, avait peut-être cinquante ans, soixante
ans, qui sait ? A son âge et avec de la fortune, n'a-t-elle
pas un prétendu parmi les hobereaux du voisinage ?
— « Cependant, je n'ai vu personne pendant la messe. »

Dès que la voiture du comte fut partie, Astézan remonta
à cheval, fit un détour dans le bois pour éviter de la
rencontrer, et se rendit rapidement à la pelouse. A son
inexprimable plaisir, il put arriver au grand chêne avant
qu'Ernestine eût vu le bouquet et le petit billet qu'il y
avait fait porter le matin ; il enleva ce bouquet, s'enfonça
dans le bois, attacha son cheval à un arbre et se promena.
Il était fort agité ; l'idée lui vint de se blottir dans la partie
la plus touffue d'un petit mamelon boisé, à cent pas du
lac. De ce réduit, qui le cachait à tous les yeux, grâce à
une clairière dans le bois, il pouvait découvrir le grand
chêne et le lac.

Quel ne fut pas son ravissement lorsqu'il vit peu de
temps après la petite barque d'Ernestine s'avancer sur
ces eaux limpides que la brise du midi agitait mollement !
Ce moment fut décisif ; l'image de ce lac et celle d'Ernestine qu'il venait de voir si belle à l'église se gravèrent
profondément dans son cœur. De ce moment, Ernestine
eut quelque chose qui la distinguait à ses yeux de toutes
les autres femmes, et il ne lui manqua plus que de l'espoir
pour l'aimer à la folie. Il la vit s'approcher de l'arbre
avec empressement ; il vit sa douleur de n'y pas trouver
le bouquet. Ce moment fut si délicieux et si vif, que,
quand Ernestine se fut éloignée en courant, Philippe
crut s'être trompé en pensant voir de la douleur dans
son expression lorsqu'elle n'avait pas trouvé de bouquet
dans le creux de l'arbre. Tout le sort de son amour repo-
sait sur cette circonstance. Il se disait : « Elle avait l'air
triste en descendant de la barque et même avant de
s'approcher de l'arbre. — Mais, répondait le parti de
l'espérance, elle n'avait pas l'air triste à l'église ; elle y
était, au contraire, brillante de fraîcheur, de beauté, de
jeunesse et un peu troublée ; l'esprit le plus vif animait
ses yeux. »

Lorsque Philippe Astézan ne put plus voir Ernestine,
qui était débarquée sous l'allée des platanes de l'autre
côté du lac, il sortit de son réduit un tout autre homme
qu'il n'y était entré. En regagnant au galop le château de
Mme Dayssin, il n'eut que deux idées : « A-t-elle montré

de la tristesse en ne trouvant pas le bouquet dans l'arbre ?
Cette tristesse ne vient-elle pas tout simplement de la
vanité déçue ? » Cette supposition plus probable finit par
s'emparer tout à fait de son esprit et lui rend toutes les
idées raisonnables d'un homme de trente-cinq ans. Il
était fort sérieux. Il trouva beaucoup de monde chez
Mme Dayssin; dans le courant de la soirée, elle le plai-
santa sur sa gravité et sur sa fatuité. Il ne pouvait plus,
disait-elle, passer devant une glace sans s'y regarder.
« J'ai en horreur, disait Mme Dayssin, cette habitude des
jeunes gens à la mode. C'est une grâce que vous n'aviez
point; tâchez de vous en défaire, ou je vous joue le
mauvais tour de faire enlever toutes les glaces. » Philippe
était embarrassé; il ne savait comment déguiser une
absence qu'il projetait. D'ailleurs il était très vrai qu'il
examinait dans les glaces s'il avait l'air vieux.

Le lendemain, il fut reprendre sa position sur le
mamelon dont nous avons parlé, et d'où l'on voyait fort
bien le lac; il s'y plaça muni d'une bonne lunette, et ne
quitta ce gîte qu'à la *nuit close*, comme on dit dans le pays.

Le jour suivant, il apporta un livre; seulement il eût
été bien en peine de dire ce qu'il y avait dans les pages
qu'il lisait; mais, s'il n'eût pas eu un livre, il en eût
souhaité un. Enfin, à son inexprimable plaisir, vers les
trois heures, il vit Ernestine s'avancer lentement vers
l'allée de platanes sur le bord du lac; il la vit prendre la
direction de la chaussée, coiffée d'un grand chapeau de
paille d'Italie. Elle s'approcha de l'arbre fatal; son air
était abattu. Avec le secours de sa lunette, il s'assura
parfaitement de l'air abattu. Il la vit prendre les deux
bouquets qu'il y avait placés le matin, les mettre dans son
mouchoir et disparaître en courant avec la rapidité de
l'éclair. Ce trait fort simple acheva la conquête de son
cœur. Cette action fut si vive, si prompte, qu'il n'eut pas
le temps de voir si Ernestine avait conservé l'air triste
ou si la joie brillait dans ses yeux. Que devait-il penser
de cette démarche singulière ? Allait-elle montrer les
deux bouquets à sa gouvernante ? Dans ce cas, Ernestine
n'était qu'une enfant, et lui plus enfant qu'elle de
s'occuper à ce point d'une petite fille. « Heureusement,
se dit-il, elle ne sait pas mon nom; moi seul je sais ma
folie, et je m'en suis pardonné bien d'autres. »

Philippe quitta d'un air très froid son réduit, et alla,
tout pensif, chercher son cheval, qu'il avait laissé chez un
paysan à une demi-lieue de là. « Il faut convenir que je

suis encore un grand fou! » se dit-il en mettant pied à
terre dans la cour du château de Mme Dayssin. En entrant
au salon, il avait une figure immobile, étonnée, glacée. Il
n'aimait plus.

Le lendemain, Philippe se trouva bien vieux en mettant sa cravate. Il n'avait d'abord guère d'envie de faire
trois lieues pour aller se blottir dans un fourré, afin de
regarder un arbre; mais il ne se sentit le désir d'aller
nulle autre part. « Cela est bien ridicule », se disait-il.
Oui, mais ridicule aux yeux de qui ? D'ailleurs, il ne
faut jamais manquer à la fortune. Il se mit à écrire une
lettre fort bien faite, par laquelle, comme un autre Lindor,
il déclarait son nom et ses qualités. Cette lettre si bien
faite eut, comme on se le rappelle peut-être, le malheur
d'être brûlée sans être lue de personne. Les mots de la
lettre que notre héros écrivit en y pensant le moins, la
signature *Philippe Astézan*, eurent seuls l'honneur de la
lecture. Malgré de forts beaux raisonnements, notre
homme raisonnable n'en était pas moins caché dans son
gîte ordinaire au moment où son nom produisit tant d'effet;
il vit l'évanouissement d'Ernestine en ouvrant sa lettre;
son étonnement fut extrême.

Le jour d'après, il fut obligé de s'avouer qu'il était
amoureux; ses actions le prouvaient. Il revint tous les
jours dans le petit bois, où il avait éprouvé des sensations
si vives. Mme Dayssin devant bientôt retourner à Paris,
Philippe se fit écrire une lettre et annonça qu'il quittait
le Dauphiné pour aller passer quinze jours en Bourgogne
auprès d'un oncle malade. Il prit la poste, et fit si bien en
revenant par une autre route, qu'il ne se passa qu'un jour
sans aller dans le petit bois. Il s'établit à deux lieues du
château du comte de S..., dans les solitudes de Crossey,
du côté opposé au château de Mme Dayssin, et de là,
chaque jour, il venait au bord du petit lac. Il y vint
trente-trois jours de suite sans y voir Ernestine; elle ne
paraissait plus à l'église; on disait la messe au château;
il s'en approcha sous un déguisement, et deux fois il eut
le bonheur de voir Ernestine. Rien ne lui parut pouvoir
égaler l'expression noble et naïve à la fois de ses traits. Il
se disait : « Jamais auprès d'une telle femme je ne
connaîtrais la satiété. » Ce qui touchait le plus Astézan,
c'était l'extrême pâleur d'Ernestine et son air souffrant.
J'écrirais dix volumes comme Richardson si j'entreprenais
de noter toutes les manières dont un homme, qui d'ailleurs ne manquait pas de sens et d'usage, expliquait

l'évanouissement et la tristesse d'Ernestine. Enfin, il résolut d'avoir un éclaircissement avec elle, et pour cela de pénétrer dans le château. La timidité, être timide à trente-cinq ans! la timidité l'en avait longtemps empêché. Ses mesures furent prises avec tout l'esprit possible, et cependant, sans le hasard, qui mit dans la bouche d'un indifférent l'annonce du départ de Mme Dayssin, toute l'adresse de Philippe était perdue, ou du moins il n'aurait pu voir l'amour d'Ernestine que dans sa colère. Probablement il aurait expliqué cette colère par l'étonnement de se voir aimée par un homme de son âge. Philippe se serait cru méprisé, et, pour oublier ce sentiment pénible, il eût eu recours au jeu ou aux coulisses de l'opéra, et fût devenu plus égoïste et plus dur en pensant que la jeunesse était tout à fait finie pour lui.

Un *demi-monsieur*, comme on dit dans le pays, mais d'une commune de la montagne et camarade de Philippe pour la chasse au chamois, consentit à l'amener, sous le déguisement de son domestique, au grand dîner du château de S..., où il fut reconnu par Ernestine.

Ernestine, sentant qu'elle rougissait prodigieusement, eut une idée affreuse : « Il va croire que je l'aime à l'étourdie, sans le connaître; il me méprisera comme un enfant, il partira pour Paris, il ira rejoindre sa madame Dayssin; je ne le verrai plus. » Cette idée cruelle lui donna le courage de se lever et de monter chez elle. Elle y était depuis deux minutes quand elle entendit ouvrir la porte de l'antichambre de son appartement. Elle pensa que c'était sa gouvernante, et se leva, cherchant un prétexte pour la renvoyer. Comme elle s'avançait vers la porte de sa chambre, cette porte s'ouvre : Philippe est à ses pieds.

« Au nom de Dieu, pardonnez-moi ma démarche, lui dit-il; je suis au désespoir depuis deux mois; voulez-vous de moi pour époux ? »

Ce moment fut délicieux pour Ernestine. « Il me demande en mariage, se dit-elle; je ne dois plus craindre Mme Dayssin. » Elle cherchait une réponse sévère, et, malgré des efforts incroyables, peut-être elle n'eût rien trouvé. Deux mois de désespoir étaient oubliés; elle se trouvait au comble du bonheur. Heureusement, à ce moment, on entendit ouvrir la porte de l'antichambre. Ernestine lui dit : « Vous me déshonorez. — N'avouez rien! » s'écria Philippe d'une voix contenue, et, avec beaucoup d'adresse, il se glissa entre la muraille et le

joli lit d'Ernestine, blanc et rose. C'était la gouvernante,
fort inquiète de la santé de sa pupille, et l'état dans
lequel elle la retrouva était fait pour augmenter ses
inquiétudes. Cette femme fut longue à renvoyer. Pendant
son séjour dans la chambre, Ernestine eut le temps de
s'accoutumer à son bonheur; elle put reprendre son
sang-froid. Elle fit une réponse superbe à Philippe quand,
la gouvernante étant sortie, il risqua de reparaître.

Ernestine était si belle aux yeux de son amant, l'expression de ses traits si sévère, que le premier mot de sa
réponse donna l'idée à Philippe que tout ce qu'il avait
pensé jusque-là n'était qu'une illusion, et qu'il n'était
pas aimé. Sa physionomie changea tout à coup et n'offrit
plus que l'apparence d'un homme au désespoir. Ernestine,
émue jusqu'au fond de l'âme de son air désespéré, eut
cependant la force de le renvoyer. Tout le souvenir
qu'elle conserva de cette singulière entrevue, c'est que,
lorsqu'il l'avait suppliée de lui permettre de demander sa
main, elle avait répondu que ses affaires, comme ses
affections, devaient le rappeler à Paris. Il s'était écrié
alors que la seule affaire au monde était de mériter le
cœur d'Ernestine, qu'il jurait à ses pieds de ne pas
quitter le Dauphiné tant qu'elle y serait, et de ne rentrer
de sa vie dans le château qu'il avait habité avant de la
connaître.

Ernestine fut presque au comble du bonheur. Le jour
suivant, elle revint au pied du grand chêne, mais bien
escortée par la gouvernante et le vieux botaniste. Elle
ne manqua pas d'y trouver un bouquet et surtout un
billet. Au bout de huit jours, Astézan l'avait presque
décidée à répondre à ses lettres lorsque, une semaine
après, elle apprit que Mme Dayssin était revenue de
Paris en Dauphiné. Une vive inquiétude remplaça
tous les sentiments dans le cœur d'Ernestine. Les com-
mères du village voisin, qui, dans cette conjoncture, sans
le savoir, décidaient du sort de sa vie, et qu'elle ne perdait
pas une occasion de faire jaser, lui dirent enfin que
Mme Dayssin, remplie de colère et de jalousie, était venue
chercher son amant, Philippe Astézan, qui, disait-on, était
resté dans le pays avec l'intention de se faire chartreux.
Pour s'accoutumer aux austérités de l'ordre, il s'était
retiré dans les solitudes de Crossey. On ajoutait que
Mme Dayssin était au désespoir.

Ernestine sut quelques jours après que jamais
Mme Dayssin n'avait pu parvenir à voir Philippe, et

qu'elle était repartie furieuse pour Paris. Tandis qu'Ernestine cherchait à se faire confirmer cette douce certitude, Philippe était au désespoir ; il l'aimait passionnément et croyait n'en être point aimé. Il se présenta plusieurs fois sur ses pas, et fut reçu de manière à lui faire
penser que, par ses entreprises, il avait irrité l'orgueil de
sa jeune maîtresse. Deux fois il partit pour Paris, deux
fois, après avoir fait une vingtaine de lieues, il revint à
sa cabane, dans les rochers de Crossey. Après s'être
flatté d'espérances que maintenant il trouvait conçues à
la légère, il cherchait à renoncer à l'amour, et trouvait
tous les autres plaisirs de la vie anéantis pour lui.

Ernestine, plus heureuse, était aimée, elle aimait.
L'amour régnait dans cette âme que nous avons vue
passer successivement par les sept périodes diverses qui
séparent l'indifférence de la passion, et au lieu desquelles
le vulgaire n'aperçoit qu'un seul changement, duquel
encore il ne peut expliquer la nature.

Quant à Philippe Astézan, pour le punir d'avoir abandonné une ancienne amie aux approches de ce qu'on
peut appeler l'époque de la vieillesse pour les femmes,
nous le laissons en proie à l'un des états les plus cruels
dans lesquels puisse tomber l'âme humaine. Il fut aimé
d'Ernestine, mais ne put obtenir sa main. On la maria
l'année suivante à un vieux lieutenant général fort riche
et chevalier de plusieurs ordres.

EXEMPLE DE L'AMOUR EN FRANCE
DANS LA CLASSE RICHE

J'ai reçu beaucoup de lettres à l'occasion de l'*Amour*. Voici une des plus intéressantes.

Saint-Dizier, le   juin 1825.

Je ne sais trop, mon cher philosophe, si vous pourrez appeler *amour-vanité* le petit calcul de vanité de la jeune Française que vous avez rencontrée l'été dernier aux eaux d'Aix-en-Savoie, et dont je vous ai promis l'histoire; car dans toute cette comédie, très plate d'ailleurs, il n'y a jamais eu l'ombre d'amour; c'est-à-dire de rêverie passionnée, s'exagérant le bonheur de l'intimité.

N'allez pas croire à cause de cela que je n'ai pas compris votre livre; je m'en prends seulement à un mot mal fait.

Dans toutes les espèces du *genre amour*, il devrait y avoir quelque caractère commun : le caractère du genre est proprement le désir de l'intimité parfaite. Or, dans l'*amour-vanité*, ce caractère n'existe pas.

Lorsqu'on est habitué à l'exactitude irréprochable du langage des sciences physiques, on est facilement choqué par l'imperfection du langage des sciences métaphysiques.

Mme Félicie Féline est une jeune Française de vingt-cinq ans, qui a des terres superbes et un château délicieux en Bourgogne. Quant à elle, elle est, comme vous savez, laide, mais assez bien faite (tempérament nerveux-lymphatique). Elle est à mille lieues d'être bête, mais, certes, elle n'a pas d'esprit; de sa vie elle ne trouva une idée forte ou piquante. Comme elle a été élevée par une mère spirituelle et dans une société fort distinguée, elle a beaucoup de *métier* dans l'esprit; elle répète parfaitement les phrases des autres, et avec un air de propriété

étonnant. En les répétant, elle joue même le petit étonnement qui accompagne l'invention. Elle passe ainsi, auprès
des gens qui l'ont vue rarement, ou des gens bornés qui
la voient souvent, pour une personne charmante et très
spirituelle.

Elle a en musique précisément le même genre de
talent que dans la conversation. A dix-sept ans, elle jouait
parfaitement du piano; assez pour donner des leçons à
huit francs (non pas qu'elle en donne, sa position de fortune est très belle). Quand elle a vu un opéra nouveau de
Rossini, le lendemain, à son piano, elle s'en rappelle au
moins la moitié. Très musicienne d'instinct, elle joue
avec infiniment d'expression, et à la première vue, les
partitions les plus difficiles. Avec cette espèce de facilité,
elle ne *comprend* pas les *choses* difficiles, et cela dans ses
lectures comme dans sa musique. Mme Gherardi, en
deux mois, eût compris, j'en suis sûr, la théorie des pro-
portions chimiques de Berzelius. Mme Féline est, au
contraire, incapable de comprendre un des premiers
chapitres de Say ou la théorie des fractions continues.

Elle a pris un maître d'harmonie fort célèbre en Allemagne, et n'en a jamais compris un mot.

Pour avoir eu quelques leçons de Redouté, elle surpasse, à quelques égards, le talent de son maître. Ses roses
sont plus légères encore que celles de cet artiste. Je l'ai
vue plusieurs années s'amuser de ses couleurs, et jamais
elle n'a regardé d'autres tableaux que ceux de l'exposition; jamais, lorsqu'elle apprenait à peindre des fleurs,
et quand alors nous possédions encore les chefs-d'œuvre
de la peinture italienne, elle n'eut la curiosité de les aller
voir. Elle ne comprend pas la perspective dans un paysage
ni le clair-obscur *(chiaroscuro)*.

Cette inhabileté de l'esprit à saisir les choses difficiles
est un trait de la femme française; dès qu'une chose est
malaisée, elle ennuie et on la plante là.

C'est ce qui fait que votre livre de l'*Amour* n'aura jamais
de succès parmi elles. Elles liront les anecdotes et passeront
les conclusions, et elles se moqueront de tout ce qu'elles
auront passé. Je suis bien poli de mettre tout cela au futur.

Mme Féline, à dix-huit ans, fit un mariage de convenance. Elle se trouva unie à un bon jeune homme de
trente ans, un peu lymphatique et sanguin, tout à fait
antibilieux et nerveux, bon, doux, égal et très bête. Je ne
sais pas d'homme plus complètement dépourvu d'esprit.
Le mari pourtant avait eu beaucoup de succès dans ses

études à l'École polytechnique, où je l'avais connu, et l'on avait bien fait mousser son *mérite* dans la société où était élevée Félicie, pour lui dérober sa bêtise qui s'étend à tout, hors le talent de conduire supérieurement ses mines et ses fonderies.

Le mari la fêta de son mieux, ce qui veut dire ici très bien; mais il avait affaire à un être glacé auquel rien ne faisait. Cette espèce de reconnaissance tendre que les maris inspirent ordinairement aux filles les plus indifférentes ne dura pas huit jours chez elle.

Seulement, à vivre ainsi avec lui, elle s'aperçut bientôt qu'on lui avait donné une bête pour le tête-à-tête; et, ce qui est bien plus affreux, une bête quelquefois *ridicule* dans le monde. Elle trouva plus que compensé par là le plaisir d'avoir épousé un homme fort riche et de recevoir souvent des compliments sur le mérite de son mari.

Alors elle le prit en déplaisance.

Le mari, qui n'était pas si bien né qu'elle, crut qu'elle faisait la duchesse. Il s'éloigna aussitôt de son côté. Cependant, comme c'était un homme excessivement occupé et très peu difficile, et comme il n'y avait rien de plus commode pour lui que sa femme entre un compte de contremaître à relire et une machine à éprouver, il essayait quelquefois de lui faire un petit bout de cour. Cette idée ne manquait pas de changer en aversion la déplaisance de sa femme, lorsqu'il faisait cette cour devant un tiers, devant moi, par exemple, tant il y était gauche, commun et de mauvais goût.

Je crois que j'aurais eu l'idée de l'interrompre par des soufflets, s'il eût dit et fait ces choses-là devant moi à une autre femme. Mais je connaissais à Félicie une âme si sèche, une absence si complète de toute vraie sensibilité, j'étais si souvent impatienté de sa vanité, que je me contentais de la plaindre un peu quand je la voyais souffrir dans cette vanité, de par son mari, et je m'éloignais.

Le ménage alla ainsi quelques années (Félicie n'a jamais eu d'enfant). Pendant ce temps-là, le mari, vivant en bonne compagnie lorsqu'il était à Paris (et il ne passait que six semaines de l'été à ses forges de Bourgogne,) en prit le ton et devint beaucoup mieux; en restant toujours bête, il cessa presque entièrement d'être ridicule, et continua toujours d'avoir de grands succès dans son état, comme vous avez pu en juger par les grandes acquisitions qu'il a faites depuis et par le dernier rapport du jury sur l'exposition des produits de l'industrie nationale.

A force d'être rebuté par sa femme, M. Féline imagina, à cinq ou six reprises, d'en être un peu amoureux et de bonne foi. Elle lui tenait la dragée haute. La coquetterie de Félicie, dans ce temps-là, consistait à lui dire des choses aimables en public, et à trouver des prétextes pour lui tenir rigueur dans le tête-à-tête. Elle augmentait ainsi les désirs de son mari ; et quand elle daignait lui permettre... il payait tous les mémoires de tapissiers, de Leroy, de Corcellet, et la trouvait encore très modérée dans ses dépenses, qui étaient absurdes.

Pendant les deux ou trois premières années, jusqu'à vingt ou vingt et un ans, Félicie n'avait cherché le plaisir que dans la satisfaction des vanités suivantes :

« Avoir de plus belles robes que toutes les jeunes femmes de sa société.

« Donner de meilleurs dîners.

« Recevoir plus de compliments qu'elles quand elle joue du piano.

« Passer pour avoir plus d'esprit qu'elles. »

A vingt et un ans commença la *vanité du sentiment*.

Elle avait été élevée par une mère athée, et dans une société de philosophes athées. Elle avait été tout juste une fois à l'église, pour se marier ; encore ne le voulait-elle pas. Depuis son mariage, elle lisait toutes sortes de livres. Rousseau et Mme de Staël lui tombèrent entre les mains : ceci fait époque, et prouve combien ces livres sont dangereux.

Elle lut d'abord l'*Émile ;* après quoi elle se crut le droit de bien mépriser intellectuellement toutes les jeunes femmes de sa connaissance. Notez bien qu'elle n'avait pas compris un mot de la métaphysique du vicaire savoyard.

Mais les phrases de Rousseau sont très travaillées, subtiles et très malaisées à retenir. Elle se contentait de risquer quelquefois une pointe de religiosité, pour *faire effet* dans une société sans religiosité, et où il n'était pas plus question de ces choses que du roi de Siam.

Elle lut *Corinne*, c'est le livre qu'elle a le plus lu. Les phrases sont à l'effet et se retiennent bien. Elle s'en mit un bon nombre dans la tête. Le soir elle choisissait dans son salon les hommes jeunes et un peu bêtes, et, sans leur dire gare, elle leur répétait très proprement sa leçon du matin.

Quelques-uns y furent pris, ils la crurent une personne susceptible de passion, et lui rendirent des soins.

Cependant, elle n'avait amené là que les gens les plus communs et les plus niais de son salon; elle n'était pas bien sûre que les autres ne se moquaient pas un peu d'elle. Le mari, tenu sans cesse hors de chez lui par ses affaires et d'ailleurs un bon homme *What then?* (que m'importe?), ne s'apercevait pas, ou ne s'occupait en rien de ces coquetteries d'esprit.

Félicie lut la *Nouvelle Héloïse*. Elle trouva alors qu'il y avait dans son âme des trésors de sensibilité; elle confia ce secret à sa mère et à un vieil oncle qui lui avait servi de père; ils se moquèrent d'elle comme d'un enfant. Elle n'en persista pas moins à trouver qu'on ne pouvait vivre sans un amant, et sans un amant dans le genre de Saint-Preux.

Il y avait dans sa société un jeune Suédois, qui est un homme assez bizarre. En sortant de l'Université, quand il n'avait que dix-huit ans, il fit plusieurs actions d'éclat dans la campagne de 1812, et il obtint un grade élevé dans les milices de son pays; ensuite il partit pour l'Amérique et vécut six mois parmi les Indiens. Il n'est ni bête, ni spirituel; mais il a un grand caractère; il a quelques côtés sublimes de vertu et de grandeur. D'ailleurs, l'homme le plus lymphatique que j'aie connu; avec une assez belle figure, des manières simples, mais prodigieusement graves. De là, de grandes démonstrations d'estime et de considération autour de lui.

Félicie se dit : « Voilà l'homme qu'il me faut faire semblant d'avoir pour amant. Comme c'est le plus froid de tous, c'est celui dont la passion me fera le plus d'honneur. »

Le Suédois Weilberg était tout à fait ami de la maison. Il y a cinq ans, dans l'été, on arrangea un voyage avec lui et le mari.

Comme c'était un homme de mœurs excessivement sévères, surtout comme il n'était nullement amoureux de Félicie, il la voyait telle qu'elle était, fort laide. D'ailleurs, on ne lui avait pas dit en partant à quoi on le destinait. Le mari, que ces airs ennuyaient, et qui désirait aussi retirer de l'utilité pour lui d'un voyage entrepris pour plaire à sa femme, la plantait là dès qu'ils arrivaient quelque part; il allait courir les fabriques, il visitait les usines, les mines, en disant à Weilberg : « Gustave, je vous laisse ma femme. »

Weilberg parlait très mal français; il n'avait jamais lu Rousseau ni Mme de Staël, circonstance admirable pour Félicie.

La petite femme fit donc bien la malade pour écarter son mari par l'ennui, et pour exciter la pitié du bon jeune homme, avec qui elle restait sans cesse en tête-à-tête. Pour l'attendrir en sa faveur, elle lui parlait de l'amour qu'elle avait pour son mari, et de son chagrin de l'y voir répondre si peu.

Cette musique n'amusait pas Weilberg; il l'écoutait par simple politesse. Elle se crut plus avancée; elle lui parla de la sympathie qui existait entre eux. Gustave prit son chapeau et alla se promener.

Quand il rentra, elle se fâcha contre lui : elle lui dit qu'il l'avait injuriée en regardant comme un commencement de déclaration une simple parole de bienveillance.

La nuit, quand ils la passaient en voiture, elle appuyait sa tête sur l'épaule de Gustave, qui le souffrait par politesse.

Ils voyagèrent ainsi deux mois, mangeant beaucoup d'argent, s'ennuyant plus encore.

Quand ils furent de retour, Félicie changea toutes ses habitudes. Si elle avait pu envoyer des lettres de faire part, elle eût fait savoir à tous ses amis et connaissances qu'elle avait une passion violente pour M. Weilberg le Suédois, et que M. Weilberg était son amant.

Plus de bals, plus de toilettes : elle néglige ses anciens amis, fait des impertinences à ses anciennes connaissances. Enfin elle se condamne au sacrifice de tous ses goûts, pour faire croire qu'elle aime profondément ce M. Weilberg, cette espèce de sauvage indien, colonel dans les milices suédoises à dix-huit ans, et que cet homme est fou d'elle.

Elle commence par le signifier à sa mère, le jour de son arrivée. Sa mère, suivant elle, est coupable de l'avoir mariée avec un homme qu'elle n'aimait pas; elle doit actuellement favoriser de tous ses moyens son amour pour l'homme qu'elle a choisi et qu'elle adore; il faut donc qu'elle persuade au mari d'établir en quelque sorte Weilberg dans sa maison. Si elle ne l'a pas sans cesse chez elle, elle menace de l'aller trouver chez lui à son hôtel.

La mère, comme une bête, crut cela, et elle fit si bien auprès de son gendre, que Weilberg, ne pouvait avoir d'autre maison que la sienne. Charles le priait sans cesse, la mère aussi lui faisait tant de politesses et lui montrait tant d'empressement, que le pauvre jeune homme, ne sachant ce qu'on voulait de lui, et craignant à l'excès de manquer à des gens qui l'avaient parfaitement accueilli, n'osait se refuser à rien.

Les femmes pleurent à volonté, comme vous savez.

Un jour que j'étais seul chez Félicie, elle se prit à pleurer, et, me serrant la main, elle me dit : « Ah! mon cher Goncelin, votre amitié clairvoyante a bien deviné mon cœur! Autrefois vous étiez bien avec Weilberg; depuis notre voyage vous avez changé; vous semblez avoir de la haine pour lui. (Cela ne semblait pas du tout. Je savais à quoi m'en tenir.) Ah! mon ami, je n'étais pas heureuse auparavant... Ce n'est que depuis... Si vous saviez toutes les barbaries de Charles pendant le voyage! Si vous connaissiez mieux Gustave!... Si vous saviez que de soins touchants, que de tendresse!... Pouvais-je résister ?... Si vous saviez quelle âme de feu, quelles passions effrayantes a cet homme, en apparence si froid! Non, mon ami, vous ne me mépriseriez pas!... Je sens bien, hélas! qu'il me manque quelque chose... Ce bonheur n'est pas pur... Je sais bien ce que je devais à Charles. Mais, mon ami! ce spectacle continuel de l'indifférence, des mépris de l'un, des soins et de l'amour de l'autre... et cette familiarité obligée de la vie en voyage... Tant de dangers!... Pouvais-je résister à tant d'amour ? et d'ailleurs, pouvais-je résister à ses violences ? », etc., etc., etc.

Voilà donc le pauvre Weilberg, honnête comme Joseph, accusé d'avoir violé la femme de son ami, et il faut le croire, c'est elle qui le dit ! elle s'en est vantée à deux personnes de ma connaissance, et sans doute aussi à d'autres que je ne connais pas.

La déclaration ci-dessus ressemble beaucoup à ce qu'elle me dit : j'ai conservé le souvenir de ses expressions. Peu de jours après, je vis une des personnes qui avaient reçu la même confidence. Je la priai de chercher à s'en rappeler les termes; elle me répéta exactement la version que j'avais entendue, ce qui me fit rire.

Après sa confession, Félicie me dit, en me tendant la main, qu'elle comptait sur ma discrétion; que je devais être avec Weilberg comme par le passé, et faire semblant de ne m'apercevoir de rien. « La vertu sauvage de cet homme sublime lui faisait peur. » Quand il la quittait, elle craignait toujours de ne plus le revoir; elle craignait que, par une résolution inopinée, il ne s'embarquât tout à coup pour retourner en Suède. Moi, je lui promis sur notre conversation le plus inviolable secret.

Cependant tous les amis de la famille trouvaient indigne que ce pauvre Weilberg eût *séduit* une jeune femme dans la maison de laquelle il avait presque reçu l'hospitalité, dont le mari lui avait rendu mille services, et qui avait jusque-là marché très droit. Je le prévins du sot rôle qu'on lui faisait jouer. Il m'embrassa en me remerciant de l'avis, et me dit qu'il ne remettrait plus les pieds dans cette maison. C'est lui qui me conta alors comment le voyage s'était passé.

Félicie, privée quelques jours de Weilberg, qui dînait sans cesse chez elle auparavant, joua le désespoir. Elle dit que c'était une indignité de son mari, qui avait chassé cet homme vertueux. (Elle avait dit à moi et à deux autres que cet homme vertueux l'avait violée sur la mousse, au pied d'un sapin dans le Schwartzwald, comme il convient que cette chose se fasse.) Elle dit aussi, en termes polis, que sa mère, après lui avoir servi de complaisante, lui avait soufflé son vertueux amant. (Notez que la mère est une pauvre vieille femme de soixante ans, qui ne pense plus à rien depuis vingt ans.) Elle commanda chez un très habile coutelier un poignard à lame de Damas, qu'elle fit apporter un jour au milieu du dîner, et que je lui ai vu payer quarante francs et serrer très proprement devant nous tous dans son secrétaire, à côté de sa cire d'Espagne. Une douzaine de garçons apothicaires apportèrent chacun aussi une petite bouteille de sirop d'opium, et toutes ces bouteilles réunies en faisaient une quantité considérable. Elle les serra dans sa toilette.

Le lendemain, elle signifia à sa mère que, si elle ne faisait pas revenir Gustave, elle s'empoisonnerait avec l'opium, et se tuerait avec le poignard qu'elle avait fait faire exprès.

La mère, qui savait à quoi s'en tenir sur l'amour de Weilberg, et qui craignait l'esclandre, alla chez celui-ci. Elle lui conta que sa fille était folle; qu'elle faisait semblant d'être très amoureuse de lui, qu'elle le disait amoureux d'el'e, et qu'elle prétendait se tuer, s'il ne revenait pas. Elle lui dit : « Revenez chez elle, humiliez-la bien; elle vous prendra en horreur, et alors vous ne reviendrez plus. »

Weilberg était un brave homme; il eut pitié de la vieille mère qui venait le prier ainsi, et il consentit à se prêter à cette ennuyeuse comédie, pour éviter l'esclandre que la mère craignait.

Il revint donc. La jeune femme ne lui parla de rien; elle lui fit seulement quelques reproches aimables sur son absence pendant cinq jours. Quand ils étaient seuls ensemble, elle ne se serait pas avisée de lui parler d'amour, depuis qu'il avait pris son chapeau, un jour, en voyage, et qu'il était parti quand elle allait commencer une déclaration. Weilberg aime la muisque; elle passait le temps à jouer du piano, et comme elle en joue admirablement, Weilberg restait assez volontiers à l'entendre. En public, c'était bien différent; elle ne lui parlait que d'amour; mais il faut avouer qu'elle y mettait beaucoup d'art. Comme, heureusement, il savait mal le français, elle trouvait moyen de faire savoir à tous les assistants qu'il était son amant sans qu'il pût le comprendre.

Tous les amis de la maison étaient dans le secret de la comédie; mais les connaissances n'y étaient pas encore. Il fut de nouveau question, parmi elles, de l'indignité du procédé de M. Weilberg, et celui-ci de nouveau se retira et ne voulut plus revenir.

Félicie se mit au lit et signifia à sa mère qu'elle se laisserait mourir de faim. Elle se mit à ne prendre que du thé; elle se levait pour l'heure du dîner; mais elle ne prenait exactement rien.

Au bout de six jours de ce régime, elle fut gravement indisposée; on envoya chercher des médecins. Elle déclara qu'elle s'était empoisonnée, qu'elle ne voulait recevoir de soins de personne, que tout était inutile. La mère et deux amis étaient là, avec les médecins; elle dit qu'elle mourait pour M. Weilberg, dont on lui avait aliéné le cœur. Du reste, elle priait qu'on épargnât cette triste confidence à son pauvre mari, qui, heureusement, ignorait toutes ces choses, etc., etc.

Cependant elle consentit à prendre une drogue; on lui donna un vomitif, et elle, qui n'avait vécu que de thé depuis six jours, rendit trois à quatre livres de chocolat: sa maladie, son empoisonnement, n'était qu'une épouvantable indigestion. Je l'avais prédit.

Ne sachant qu'inventer pour émouvoir sa mère et pour la pousser à de nouvelles démarches qui pussent ramener Weilberg dans sa maison, elle la menaça de tout avouer à Charles. Le mari, qui eût cru sa femme sur parole, l'aurait plantée là indubitablement. Cet esclandre étant donc possible, la mère retourna à la charge auprès du

bon Gustave, qui consentit encore à revenir. Lui et moi
nous nous voyions beaucoup alors; nous faisions un
travail en commun; il s'était pris de goût pour moi, et
j'étais à peu près le Français qu'il aimait le mieux à voir.
Nous passions ensemble une partie des journées; il
m'apprenait le suédois. Je lui montrais la géométrie
descriptive et le calcul différentiel; car il s'était pris de
passion pour les mathématiques, et souvent il m'obligeait
à rajeunir dans nos livres mes souvenirs déjà anciens de
l'école polytechnique. Je prenais ensuite mon violon, et,
beaucoup plus tolérant que vous, il restait volontiers des
heures à m'entendre.

Félicie me fit la cour pour que je fusse sans cesse chez
elle; elle savait que c'était un moyen d'attirer Weilberg.
Un matin que nous déjeunions tous trois ensemble chez
elle, elle imagina de faire *preuve d'amour* à Gustave devant
moi, et elle affecta avec lui les privautés de gens qui
vivent dans la plus parfaite intimité. L'autre, d'abord,
ne comprit pas; enfin elle mit tellement les points sur les
i, qu'il fallut bien comprendre; il me regarda, rit, et sans
bouger avala son morceau. On lui proposait de faire
quelque rajustement à la toilette de Félicie. Il lui dit
brutalement : « Pardieu, vous avez une femme de chambre pour vous habiller! » Et elle me dit tout bas à l'oreille :
« Voyez-vous comme il est délicat; j'étais sûre que,
devant vous, il ne voudrait pas remettre une épingle à
mon fichu. »

Cependant, elle n'était pas si contente qu'elle me le
disait de la délicatesse et de la retenue de son prétendu
amant. C'était, je me le rappelle, un dimanche de
Pâques. Quand nous eûmes fini le déjeuner et que nous ne
prenions plus que du thé, elle dit à son domestique :
« Paul, dites à ma femme de chambre que je n'ai pas
besoin d'elle et qu'elle profite de ce moment pour aller
à la messe. »

Nous restâmes à prendre le thé. Le domestique n'entrant plus, elle s'approcha très près du feu. « J'ai bien
froid », dit-elle; et tendant la main à Weilberg : « Est-ce
que je n'ai pas la fièvre ? — Ma foi, je ne m'y connais pas;
mais voilà Goncelin qui se fait, à sa campagne, le médecin
de ses paysans; il doit se connaître à la fièvre : il vous le
dira. » Je lui tâtai le pouls : « Pas le moins du monde, lui
dis-je. — C'est singulier, reprit-elle; je suis toute je ne
sais comment; il me semble que je vais me trouver mal.
Tenez, voilà que je vais me trouver mal; j'étouffe,

desserrez-moi, M. Gustave, desserrez-moi. Goncelin, je vous en prie, allez chercher dans l'appartement de mon mari... — Quoi ? — Du benjoin, pour le brûler ; il y en a dans son médaillier. — Je sais où il est, dit Weilberg ; j'y vais. Goncelin va vous aider ; je retourne dans l'instant. » Et il revint cinq minutes après.

Je m'étais amusé à la délacer. La figure à part, elle était bien, jeune, bien faite, la peau blanche et douce. Je lui avais découvert la poitrine ; elle se serait laissé mettre toute nue. J'usais passablement de la partie découverte, et je lui disais : « Votre cœur bat très doucement ; n'ayez pas peur, ce n'est absolument rien. » Elle jouait un évanouissement modéré. Weilberg, qui faisait exprès d'être longtemps dehors, rentra à la fin, posa le benjoin sur la cheminée, et se remit tranquillement à manger des biscuits et à avaler des tasses de thé. Félicie, qui voyait tout cela, en faisant semblant de ne pas y voir, n'y tint plus. Aussi bien, comme j'avais dit à Gustave qu'elle n'avait aucune altération dans le pouls ni dans la respiration, il avait ajouté : « C'est bien singulier qu'avec cela elle ait une syncope ! » Félicie, poussée à bout, revint peu à peu à elle ; elle se rajusta et nous pria de la laisser seule.

Comme elle croyait avoir grand intérêt à paraître réellement évanouie devant Gustave, je crois que si j'avais essayé de satisfaire une fantaisie, qui ne me prit pas, elle se fût laissé faire, sauf à dire ensuite que c'était, de ma part, l'excès de l'indignité, et, de la sienne, l'excès du malheur. Et notez bien que, matériellement honnête jusque-là, et fort insensible, d'ailleurs, à ce plaisir, elle eût souffert très certainement d'être ainsi violée.

Félicie fut si cruellement humiliée de cette manifestation d'indifférence de Weilberg pour elle devant moi, à qui elle en parlait toujours comme de l'amant le plus passionné, qu'elle en fut réellement malade. Weilberg, après cette farce ridicule, ne voulait plus revenir chez elle. Cependant, comme elle garda le lit quelque temps, et qu'auparavant on le voyait sans cesse dans cette maison, pour éviter qu'on ne remarquât son absence, il parut ; ses visites, peu à peu, furent plus rares, et ce ne fut qu'après huit mois qu'il cessa d'y aller tout à fait. Pendant ces huit mois, elle n'a cessé de le représenter à tous comme son amant, alors même qu'on ne le voyait presque plus jamais chez elle.

Félicie aime beaucoup la musique. N'ayant pas de

loge aux Bouffes, elle avait très rarement l'occasion d'y aller. Un jour, des amis nous prêtèrent leur loge tout entière, et elle arrangea que Weilberg et moi nous l'y conduirions ; son mari viendrait nous y retrouver. Vous remarquerez qu'alors, au fond de son cœur, elle exécrait Weilberg ; elle l'avait forcé de venir là pour qu'il se mît avec elle sur le devant de la loge. Gustave dit qu'il faisait trop chaud et sortit du théâtre, me laissant seul avec elle. Ma foi, comme il lui donnait sans cesse de pareils démentis, à partir de ce jour elle changea de ton et, après avoir parlé pendant un an de la passion, de l'amour de Weilberg, elle commença à toucher quelques mots de son inconstance et des peines qu'il lui causait.

En même temps, il me revint aux oreilles que je passais pour être son amant. J'allai la trouver, je le lui dis, et j'ajoutai que je ne voulais pas passer pour l'être, sans en avoir au moins le profit. Je la pris sur mes genoux, je la brusquai. Comme je savais très positivement qu'il lui était désagréable d'être violée et qu'elle sentait la chose imminente, je lui disais que je voulais mériter la réputation qu'elle me faisait, etc. C'était dans le jour, on pouvait entrer d'un moment à l'autre dans sa chambre ; elle eut une peur du diable ; elle me conjura de la laisser ; elle me dit qu'elle n'avait jamais aimé que Weilberg et qu'elle n'en aimerait jamais d'autre. Enfin elle se dégagea de moi ; elle sonna. Un domestique vint, auquel elle commanda de refaire le feu, d'arranger les rideaux, de lui apporter du thé. Je sortis. Depuis ce temps nous sommes à peu près brouillés. Elle dit partout que je suis une espèce de scélérat à la *Iago ;* que depuis longtemps j'avais pour elle une abominable passion, et que c'est moi qui ai éloigné d'elle son amant Weilberg. Elle a été jusqu'à montrer comme des déclarations de ma part quelques lettres familièrement amicales que je lui avais écrites il y a six ans, quand j'étais avec vous à Rome.

A présent, la vanité de Félicie s'exerce sur d'autres objets. Elle dit, en parlant de Weilberg, des phrases tristes du troisième volume de *Corinne ;* elle joue le deuil d'une grande passion ; elle ne va plus dans le monde ; chez elle, plus de toilette ; mais elle donne d'excellents dîners, où viennent de vieux imbéciles qui passent pour avoir été des gens d'esprit autrefois, et de pauvres diables qui n'ont pas de dîner chez eux. Elle parle avec admiration de lord Byron, de Canaris, de Bolivar, de M. de La

Fayette. On la plaint, dans son petit monde, comme une jeune femme bien malheureuse, et on la loue comme une personne infiniment sensible et spirituelle; elle est passablement contente de la sorte. Cela fait une de ces maisons bourgeoises que vous détestez tant.

Avais-je raison de vous dire que cette ennuyeuse histoire ne vous servirait à rien; elle est plate par sa nature. Tout se passe en discours dans l'*amour-vanité*. Les discours racontés ennuient; la plus petite action vaut mieux.

Ensuite, ce n'est pas, je crois, ici *l'amour-vanité* comme vous l'entendez. Félicie a un trait rare, s'il ne lui est point particulier; c'est que c'est une chose désagréable pour elle que de faire son métier de femme, et qu'il lui importait fort peu de faire croire à l'homme qu'elle proclamait son amant, de lui faire croire, dis-je, qu'elle l'aimait réellement.

GONCELIN.

TABLE DES MATIÈRES

DE L'AMOUR

LIVRE PREMIER

COMPLÉMENTS DE L'ÉDITION MICHEL LÉVY
(1853)

GF — TEXTE INTÉGRAL — GF

8322-1980. — Impr.-Reliure Maison Mame, Tours.
N° d'édition 10743. — 2e trimestre 1965. — Printed in France.